Lucy Jane Bledsoe

Freihändig

Roman

Aus dem amerikanischen Englisch von Ute Galter

Orlanda Frauenverlag

Originaltitel: Working Parts
Seal Press, Seattle, Washington 98121

Die Deutsche Bibliothek - CIP-Einheitsaufnahme
Bledsoe, Lucy Jane: Freihändig : Roman / Lucy Jane Bledsoe. Aus dem amerikan. Engl. von Ute Galter. - 1. Aufl. - Berlin : Orlanda Frauenverlag, 1999
ISBN 3-929823-61-6

1. Auflage 1999

Lektorat: Ekpenyong Ani
Coverfoto: Johannes Bruns
Umschlaggestaltung: Birgit Lukowski, Berlin
Herstellung & Satz: Anna Weber
Druck: Fuldaer Verlagsanstalt

Lucy Jane Bledsoe
Freihändig

Danksagung

Danke Linnea Due, Jane Futcher, Ellen McGarrahan und Hilary Mullins für die unschätzbaren Kommentare zu meinem Manuskript. Ich bin Holly Morris sehr dankbar für ihr kluges und sensibles Lektorat und allen Frauen bei Seal Press für ihre anhaltende Begeisterung und ihren Einsatz. Und ganz besonders danke ich Patricia Mullan, die abgesehen davon, daß sie jede Manuskriptfassung las, sich auch alles andere anhört.

Dieses Buch hätte ich nicht schreiben können ohne die Großzügigkeit von Hunderten von LeseanfängerInnen, die mir all die Jahre ihre Geschichten anvertrauten. Für dieses Geschenk schulde ich ihnen unendlich viel.

1

ICH STIESS DIE TÜR zur Bibliothek auf und ging wie selbstverständlich hinein. Plötzlich geriet ich in Panik. Von all diesen Büchern wurde mir ganz schwindelig, und ich schnappte nach Luft. Ich lehnte mich an den Kopierer und zwang mich dazubleiben und nicht wieder umzukehren.

Es war ausgerechnet September, eine Jahreszeit, die mich immer noch an den Geruch von Kreide, nassen Tafelschwämmen, schmuddeligen alten Büchern und endlosem Regen erinnerte. Eine Jahreszeit, die ich auch heute noch, obwohl ich schon zehn Jahre nicht mehr zur Schule ging, mit dem Gefühl des Eingesperrtseins verband – das Ende von Freiheit und Abenteuer.

Außerdem waren Bibliotheken noch schlimmer als Schulen, irgendwie dichter. Zwar hatte ich hier wie dort das Gefühl, als erstarre mein Inneres zu Eis, aber zumindest war die Schulzeit im großen und ganzen okay gewesen. Es hatte Spaß gemacht, in den Fluren herumzustehen und sich wegen irgendwelcher Dinge in die Haare zu kriegen. Es gab immer etwas zu lachen. Ich hing gern mit den anderen in der Kantine herum, wo es nach Bratensoße roch und wir uns ständig gegenseitig auf die Schippe nahmen. Mit den LehrerInnen an der High-School hatten wir leichtes Spiel. Doch, wir hatten echt viel Spaß: Jedes Essen artete in eine Schlacht aus, und alle Pauker, die bei uns Vertretungsstunden halten mußten, wurden regelrecht tyrannisiert; ich erinnere mich an Sex im Chemielabor mit meinem ersten Freund, vertrauliche Gespräche im Mädchenklo, heimlich gerauchte Zigaretten und viele geschwänzte Englischstunden. Oder Mathe. Oder amerikanische Geschichte.

Die Schule war ganz okay. Immerhin habe ich meinen Abschluß gemacht, oder etwa nicht?

Aber Bibliotheken. Hier gab es nichts als Bücher. Unmengen von Büchern, Regale voller Bücher. Bibliotheken hatten etwas Arrogantes an sich, oder vielleicht waren es ja auch die Bücher selbst, als hätten sie quasi ein Recht auf eigene Gebäude. Zwischen ihnen stehend, sprachen die Leute immer im Flüsterton, als würde den Büchern all dieser Platz wirklich zustehen.

Ich war drauf und dran, wieder zu gehen. Nicht einmal der Gedanke an Mickeys Grinsen, mit dem er mir zeigte, wie sehr er mich mochte, und das mir zeigte, wie sehr ich ihn mochte, und das der ausschließliche Grund für mein Kommen war, konnte mich noch hier halten. Er würde seinen Karrieresprung eben ohne mich machen müssen, denn das hier war einfach zuviel für mich.

Doch dann entdeckte ich die Bibliothekarin. Sie sah ganz anders aus als alle Bibliothekarinnen, denen ich jemals zuvor begegnet war. Sie hatte eine völlig makellose Haut, kurze schwarze Haare und trug riesige silberne Ohrringe, an denen ein paar Federn baumelten. Sie stand hinter ihrem Schreibtisch und betrachtete stirnrunzelnd eine große Heftmaschine, die aufgeklappt vor ihr lag. Ratlos ließ sie die Hände auf das Gerät sinken. Der Anblick ließ mich tief durchatmen. Auf Frauen und Technik bin ich nämlich spezialisiert. Ich wartete, bis sie aufsah und ihren Blick auf mich richtete. Dann zwinkerte ich ihr zu und erntete dafür ein erfreutes Lächeln.

Um nichts in der Welt würde ich jetzt, während diese tolle Frau mir dabei zuschaute, durch die ganze Bibliothek marschieren und den Raum des Alphabetisierungsprogramms betreten.

»Kann ich etwas für Sie tun?« fragte sie.

»Ehrlich gesagt, wollte ich Ihnen gerade die gleiche Frage stellen«, antwortete ich und trat näher an ihren Tisch heran. »Offensichtlich haben Sie ein kleines Problem mit diesem Hefter.« Behutsam zog ich das Gerät unter ihren Händen hervor und machte mir etwa zehn Sekunden lang daran zu schaffen. Länger brauchte ich nicht, um die ineinander verhakten Heftklammern zu lösen. Ich ordnete die Klammerreihe neu an, klappte den Hefter zu und reichte ihn ihr. »Müßte wieder funktionieren.«

Sie lächelte. »Was schulde ich Ihnen dafür?«

Keine Frage, sie flirtete mit mir. Warum auch nicht? Ich sehe schließlich nicht schlecht aus. Ich bin mittelgroß, besitze muskulöse Radlerinnenbeine und einen schlanken Oberkörper. Meine schulterlangen braunen Haare sind lockig und ein bißchen wild. Ich habe schöne braune Augen, trage eine viereckige Hornbrille, und für eine Weiße ist mein Teint recht dunkel. Ich behaupte nicht, daß ich unwiderstehlich bin oder so etwas, aber mir ist schon mehr als einmal gesagt worden, daß ich ziemlich schöne Brüste habe.

Einen Augenblick lang genoß ich die Begegnung mit dieser Bibliothekarin so sehr, daß ich meine Umgebung völlig vergaß. Ihre nächste Frage brachte mich unsanft auf den Boden der Tatsachen zurück. »Was suchen Sie denn?«

Innerlich sagte ich mir, ich sei der Situation gewachsen, und setzte selbstsicher an: »Haben Sie vielleicht etwas von ...« Ich verstummte, weil mir kein einziger Name einfiel. Natürlich hatte ich bei der Oprah Winfrey Show schon einmal AutorInnen gesehen, aber jetzt konnte ich mich an keinen einzigen Namen erinnern. Sie lachte kurz auf, als sei sie an meiner Stelle nervös. Dafür war ich ihr zwar dankbar, aber gleichzeitig hatte ich auch das Gefühl, als sei ich ihr jetzt irgend etwas schuldig. Daher wollte ich die Situation sofort wieder unter Kontrolle bekommen. In meinem Bauch nahm ich ein leichtes Kribbeln wahr, als würde ich mich gerade ein bißchen verlieben. In dem Bemühen, meinen Satz zu Ende zu bringen, platzte ich schließlich mit Mickeys Namen heraus. »... von Mickey Rodriguez. Er schreibt über Räder.«

Ziemlich gut. Cool.

Die Bibliothekarin drückte ein paar Tasten auf ihrem Computer. »Hmh. Von diesem Autor finde ich nichts.«

Wahrscheinlich wußte sie, daß ich log. »Okay«, sagte ich, »kein Problem.« Ich zögerte, wollte noch nicht gehen, überlegte, ob ich mich mit ihr verabreden sollte – wollte irgend etwas gegen diese innere Verwirrung tun, die allmählich in Panik auszuarten drohte. Wie konnte ich mich bloß von Mickey zu diesem Schritt überreden lassen? Wie konnte ich einen Termin mit diesen Leuten dort im Hinterzimmer ausmachen? Wie konnte ich annehmen, daß ich hierfür auch nur halbwegs bereit war?

»Aber ich kann Ihnen ja mal die Sportabteilung zeigen«, schlug die Bibliothekarin vor. »Da stehen ganz gewiß jede Menge Bücher zum Thema Radfahren. Oder meinten Sie *Motor*räder?« Ein leichtes Lächeln umspielte ihre Lippen, was mir Mut machte. Meine inneren Butch-Anteile meldeten sich, und am liebsten hätte ich geantwortet: »Na klar, Puppe, ich habe *Harleys* gemeint«, aber statt dessen murmelte ich: »Nein, ähm, *Fahr*räder.«

Ich folgte ihr in die entgegengesetzte Richtung, in die ich mich jetzt eigentlich bewegen sollte, und sah auf die Uhr. Fünf Minuten zu spät. Die Leiterin des Leseförderprogramms, Marilyn, hatte in unserem Gespräch ein paarmal auf unbedingte Pünktlichkeit hingewiesen, schließlich würde die Lehrerin sich ja auch extra Zeit nehmen und so. Ich merkte jetzt schon, daß ich ihr dafür dankbar sein sollte. Ich hasse es, mich irgend jemandem gegenüber verpflichtet zu fühlen. Und diese Verpflichtung gegenüber meiner Lehrerin spürte ich jetzt schon, bevor ich sie überhaupt kennengelernt hatte.

»Hier in dieser Reihe steht die Fahrradliteratur«, meinte die Bibliothekarin, als sie vor mir einen engen Gang entlangging, und zeigte auf eines der oberen Regale. Um mich sicherer zu fühlen, konzentrierte ich mich auf ihr volles Lächeln und ihren fülligen Körper. Sie trug einen weiten, flauschigen gelben Pulli, der ihr bis zur Hüfte reichte, und eine schwarze Steghose. Mir gefallen kräftige Frauen in Steghosen. Dünne sehen darin immer aus wie Vögel, aber diese Frau hier hatte tolle, etwas stämmige Beine. Ihr flauschiger Pulli bedeckte gerade so ihren ausladenden Hintern. »Suchen Sie ein Buch über Fahrradreparatur oder ...?« Sie lächelte immer noch geduldig.

»Hmh.«

»Oder wollen Sie sich einfach ein wenig umsehen?«

»Ja, danke«, antwortete ich. Als sie fort war, blätterte ich noch fünf Minuten in ein paar Büchern herum, so daß sie keinen Verdacht schöpfte. Ich würde so tun, als hätte ich nicht das Richtige gefunden, und einfach verschwinden. Ich haßte diese Angst, diese Ohnmacht, dieses Gefühl, mich ganz schnell im Kreis zu drehen. Mickey hatte echt Nerven, mich zu dieser Sache zu überreden. Von mir aus konnte er seine hunderttausend Dollar nehmen und seinen scheiß Fahrradladen alleine aufmachen.

Seitdem Mickey und ich diesen Beschluß gefaßt hatten, nachdem ich mich ihm gegenüber »geoutet« hatte, vernahm ich viel öfter als sonst die Stimme meines Vaters. Als ich nun in diesem schmalen Gang voller Bücher stand, hörte ich, wie er Partei für mich ergriff: *Sie ist einfach viel zu pfiffig für die Schule, das ist ihr einziges Problem.* Er schmiß mein Zeugnis in den Papierkorb oder forderte meine Mutter auf, die Lehrerin, die sie um ein Gespräch gebeten hatte, nicht weiter zu beachten. Dann legte er stolz den Arm um mich, tätschelte mir sanft den Kopf und sagte: *Lesen ist was für Leute, die vor dem wirklichen Leben Angst haben*. Danach arbeiteten wir dann den ganzen Abend an unserem aktuellen Projekt: Wir bauten ein Modellflugzeug, und zwar eines von denen, die Hunderte von Dollar kosteten und erst nach wochenlanger, mühsamer Tüftelei zusammengesetzt waren, oder zerlegten den Motor der Küchenmaschine oder das Auto des Nachbarn. »Warum willst du dein Geld an einen Kfz-Mechaniker loswerden?« fragte mein Vater den Nachbarn. »Lori und ich reparieren dir das am Wochenende.« Einmal, mitten im Winter, nahmen wir die Gasheizung auseinander, und es dauerte zwei Monate, bis wir sie wieder zusammengebastelt hatten. Mom war fuchsteufelswild, was ich ihr keineswegs verübelte. Das war ein wirklich kalter Winter.

Auf meinem Weg zum Ausgang fuhr ich mit der Hand über die Buchrücken und bewies damit, daß ich vor der Berührung keine Angst hatte. An der Tür machte ich halt. Plötzlich konnte ich mich weder in die eine noch in die andere Richtung bewegen. An meinem Rücken nahm ich ein Prickeln wahr, als würde ich von tausend winzigen Nadeln gestochen. Später, viele Monate später stellte ich fest, daß sich durch dieses Prickeln mein eigentlicher Wunsch Geltung verschaffte, eine klare Empfindung dafür, was *ich* für *mich* tatsächlich wollte. Bis zu dieser Erkenntnis sollte ich allerdings noch Hunderte von Rückschlägen, Fehltritten und peinlichen Rückfällen in pubertäres Gehabe erleben. In diesem Augenblick jedoch führte das Prickeln dazu, daß ich umkehrte und auf die Tür zum Leseförderraum zusteuerte. Vielleicht hätte es nicht ausgereicht, daß ich die Schmach ertrug, an dieser sinnlichen Bibliothekarin vorbei auf diese Tür zugehen zu müssen, aber just in diesem Moment war sie weit und breit nicht zu sehen. »Tut mir leid, ich bin zu spät«, sagte ich zu Marilyn, die in ihrem kleinen Büro direkt neben dem Projektraum saß. Die große Uhr auf ihrem Schreibtisch zeigte mir, daß ich gut eine Viertelstunde zu spät kam.

Marilyn bemühte sich zu lächeln, als wolle sie mir noch dieses eine Mal verzeihen. »Lori, das ist deine Lehrerin, Deirdre Felix.«

Ich streckte der Frau, die in Marilyns Büro saß, die Hand entgegen und meinte laut: »Lori Taylor. Hallo, wie geht's?« Ich hörte mich an wie ein Hafenarbeiter. Vor lauter Verlegenheit wurde mir ganz heiß. Ich krempelte die Ärmel hoch und löste die Knöpfe am Kragen, wobei mir einfiel, daß mein Unterhemd jetzt sicherlich zu sehen war, und knöpfte sie wieder zu. »Kann ich einen Schluck Wasser haben?« japste ich, woraufhin Marilyn mir einen Pappbecher mit eisgekühltem Wasser reichte. Gleichzeitig meinte ich, Deirdre Felix »Guten Tag« sagen zu hören.

Ein guter Tag? Ich hatte das Gefühl, als legten sich zwei heiße Hände um meinen Hals. Als stopfte mir jemand Watte in die Nase. Meine Beine wurden abwechselnd heiß und kalt wie bei einer Grippe im fortgeschrittenen Stadium. Das alles weckte in mir das Bedürfnis, jemanden umzubringen. Vielleicht Marilyn. Oder die Lehrerin.

Deirdre Felix sah aus wie eine Frau, die in einem der Nobelviertel in den Hügeln wohnte, eine Idealistin, die in die Niederungen hinabstieg, um bedauernswerten Geschöpfen wie mir, die nicht lesen und schreiben konnten, unter die Arme zu greifen. Sie war um die sechzig und hatte kurze, gewellte graue Haare. Ihr Make-up war dezent und geschmackvoll. Sie trug eine graue Wollhose, einen moosgrünen Pullover, vermutlich Kaschmir, und goldene – meiner Meinung nach echte – Ohrringe. Alles an Deirdre Felix schien einhundertprozentig zu sein, makellos, perfekt – weit und breit kein Fädchen Polyester und kein Hauch von Plastik.

Das konnte einfach nicht funktionieren. Ich wußte sofort, daß ich mit dieser Dame absolut keine Gemeinsamkeiten hatte. Als wir aufstanden, um »gleich mit der Arbeit anzufangen« – Originalton Deirdre Felix –, blieb ich an der Tür zu Marilyns Büro stehen und blickte höhnisch zurück. War es nicht ihre Aufgabe, für eine Schülerin die passende Lehrerin zu finden? Wie kam sie dazu, mich mit dieser Deirdre Felix zusammenzubringen? Aber Marilyn hatte sich bereits wieder ihrem Schreibtisch zugewandt und kritzelte etwas auf einen Notizblock. Ich wußte, daß sie wußte, daß ich noch dort stand. Sie ignorierte mich absichtlich. Mit jeder Sekunde, in der ich ihren Hinterkopf anstarrte, fiel ich ein Stück weit in mich zusammen – ich schrumpfte regelrecht und wurde immer jünger. In Nullkommanix war ich sechzehn Jahre alt.

Mrs. Roach, meine Englischlehrerin im Abschlußjahr der High-School, hatte es als letzte versucht. Ich weiß noch, wie sie mich eines Tages nach dem Unterricht zu sich rief. Stets trug sie ihre dünnen, glatten braunen Haare in einem lockeren Pferdeschwanz, und immer hatte sie knallroten Lippenstift aufgelegt. Ihre Steckenpferde waren die griechische Mythologie und Konjunktionen, die die ganze

Klasse laut nachsprechen mußte. Wenn ich an diese Englischstunden denke, kommen mir vor allem die Konjunktionen in den Sinn: und, oder, für, weder, aber, doch, so. Dann rief sie immer: »Lauter!«, als würden wir im Chor singen, und wir schrien die Konjunktionen noch einmal von vorne.

An jenem Nachmittag lauteten ihre ersten Fragen: »Frühstückst du morgens? Was ißt du?« Dann meinte sie, ich wäre schlau. Und nicht nur schlau, sie verwendete Ausdrücke wie »genial« und »pfiffig« und meinte, ich hätte »hervorragende Problemlösungen parat«. Sie wollte wissen, warum ich mich in der Klasse nicht konzentrierte. Ich grinste sie an, als sei mir das alles völlig egal. Mrs. Roach sagte: »Das ist überhaupt nicht witzig. Du wirst es in zehn Jahren auch nicht witzig finden, wenn du für ein paar Dollar die Stunde Hamburger brätst.«

»Hört sich doch gut an«, meinte ich frech.

»Verstehst du dich gut mit deiner Mutter, Lori?«

»Klar.«

»Und mit deinem Vater?«

Mein Vater hatte uns ein Jahr zuvor verlassen. Ich setzte mich aufrecht hin, sah ihr in die Augen und sagte: »Ja.«

»Ist dir klar, daß du etwa so gut liest wie eine Drittklässlerin?«

So deutlich hatte mir das bislang noch niemand gesagt.

»Bücher sind was für Leute, die vor dem wirklichen Leben Angst haben«, belehrte ich Mrs. Roach.

Sie warf mir einen letzten skeptischen Blick zu, als sei ich ein guter Apfel mit einigen braunen Stellen, der aber ziemlich bald verfaulen könnte. Dann drehte sie sich um, zog ihren Stuhl an den Tisch heran und fing an, Hefte zu korrigieren. Ich stand in der Tür und sah ihr einen Augenblick zu. Ich spürte, daß Mrs. Roachs gesamtes Handeln von einer guten Absicht, ja vielleicht sogar von einer Art Sanftmut bestimmt war. Ganz tief in meinem Inneren hoffte ich, daß sie mich nicht aufgab, aber mit sechzehn vermochte ich mich aus dem Zynismus, der mich ganz gefangen hielt, einfach nicht zu befreien. Sie sah nicht mehr auf.

Als ich nun in einer anderen Tür stand und Marilyn anstarrte, fühlte ich mich in meinem Zynismus ebenso gefangen wie vor zwölf Jahren. Ich zwang mich zu dem Gedanken, daß auch Marilyn gute Absichten besitzen mußte, wenn sie auch offenbar keine Ahnung hatte, wer mit wem arbeiten konnte. Ich drehte mich um, ging aus ihrem Büro hinaus und setzte mich im Projektraum zu meiner neuen Lehrerin.

Während Deirdre Felix ein paar Zettel und Stifte auf den Tisch legte, schluckte sie mehrmals, als sei sie nervös. Warum sollte *sie* denn nervös sein? Ich sah zu der kleinen Glasscheibe in der Tür zur Bibliothek. Jeden Moment könnte diese göttliche Bibliothekarin hier auftauchen, und mit Sicherheit würde sie sofort wissen, wer von uns beiden die Lehrerin und wer die Schülerin war. Ich rückte meinen Stuhl auf die andere Seite von Deirdre Felix und murmelte etwas von Schmerzen im Bein – in spontanen Vertuschungen war ich Expertin –, so daß ich nun mit dem Rücken zum Fenster saß.

»Das ist ja ein ziemlicher Brocken da an Ihrem Finger«, lautete meine erste direkte Bemerkung zu Deirdre Felix, »und ich nehme mal stark an, daß es kein Straß ist.«

Sie sah kurz auf ihren Diamantring, machte ein kleines Pff-Geräusch, als hätte er für sie keine große Bedeutung, und meinte, wir sollten uns zunächst ein wenig kennenlernen. Ich schlug vor, sie solle anfangen. Ich erfuhr, daß Deirdre Felix gerne ins Ballett ging, Vorstandsmitglied des Kunstmuseums war, zweimal wöchentlich Tennis spielte und einem Leseclub angehörte.

»Wie, Sie sitzen herum und lesen?«

»Ja.«

»Hört sich ja spannend an.« Da sie nicht antwortete, versuchte ich es mit ein bißchen mehr Höflichkeit. »Kinder?«

Ihre Augen leuchteten auf. »Mein Sohn Jeff ist neununddreißig. Er ist Architekt und wohnt in Seattle.«

»Ehemann?« Ihrem Gesichtsausdruck nach zu urteilen, war das wohl wieder taktlos gewesen.

»Mein Mann heißt ... Arnie. Er ist Arzt.«

Daher also der Brocken an ihrem Finger. »Wo wohnen Sie?«

Sie zögerte, als sei ich eine Ex-Strafgefangene, die sich nach ihrer genauen Adresse erkundigte, und meinte dann: »Am Skyline Boulevard.«

»In welchem Abschnitt?« Mit meiner Fragerei wollte ich sie einfach nervös machen.

»In Oakland.«

Soviel wußte ich schon. Der Skyline Boulevard zog sich die gesamte Oakland-Hügelkette entlang.

»Erzählen Sie mir doch ein bißchen von sich.«

Sie lächelte, und ihre Lippen zuckten.

»Ich arbeite in einem Fahrradladen, in der Werkstatt. Zur Zeit bin ich Single. Habe mich vor ein paar Monaten von meiner Freundin getrennt.«

Für den Bruchteil einer Sekunde verkrampfte sich ihr Gesichtsausdruck, doch sie fing sich schnell wieder, als würde sie täglich Lesben kennenlernen. Genau das macht mich an diesen scheinbar liberalen Leuten wahnsinnig: Sie möchten dich glauben machen, du wärst nichts Besonderes. Lieber hätte ich sie sagen hören: »Ach was, Sie sind eine Lesbe. Das ist ja seltsam.« Oder: »Ehrlich gesagt, habe ich noch nie eine Lesbe kennengelernt.« Oder meinetwegen auch: »Wirklich? Ich dachte, alle Lesben wären Mannweiber.« Irgend etwas Ehrliches. Irgendeine andere Reaktion, als hätte ich gerade gesagt: »Mein Mann Tom und ich haben drei Kinder.«

»Warum möchten Sie Ihre Lesefähigkeit verbessern?« fragte sie.

Später erinnerte ich mich daran, daß sie den Begriff »verbessern« gebraucht hatte. Das war eine entgegenkommende, sogar ziemlich nette Geste gewesen, aber in diesem Augenblick hörte ich in dem Satz nichts als Unvermögen heraus und kam mir geohrfeigt vor. »Ich repariere Ihnen, was Sie wollen«, entgegnete ich und zitierte damit meinen Vater. »Autos, Fahrräder, Toaster, Generatoren, Rasenmäher. Ich bin nicht blöd.«

Deirdre Felix starrte mich eine Sekunde lang an. »Mut ist eine Art von Intelligenz«, meinte sie. »Die Tatsache, daß Sie jetzt hier sind, stellt Ihre Klugheit unter Beweis. Ich wollte nur wissen –«.

»Ach, hören Sie schon auf«, unterbrach ich sie. »Sie brauchen mich nicht zu motivieren.«

Der äußere Lidrand ihres linken Auges zuckte, und sie atmete einmal flach ein. Dann griff sie zu ihrem Stift. Ich sah schon, wie sie ihn in ihr Lederetui legte (aus dem Leder einer bedrohten Tierart), und dachte, sie würde gehen.

»Tut mir leid«, räumte ich ein, »ich bin aufgeregt.«

Aber ich konnte es nun mal wirklich nicht gebrauchen, wenn Leute so großartig daherredeten. Ich hatte diesen Fernsehfilm über Analphabeten gesehen, den mit Jane Fonda und Robert DeNiro. Aber das hier war kein Film. Das war das wirkliche Leben. Und zwar meines.

Sie ging nicht. Sie sagte aber auch nichts. Sie sah mich an, hob eine Augenbraue und wartete.

Ich hatte das Gefühl, als würden meine Gehirnzellen schwimmen. Angestrengt versuchte ich, mich darauf zu konzentrieren, was ich als nächstes sagen könnte, und da mir nichts anderes einfiel als die Wahrheit, rückte ich schließlich damit heraus. »Ich bin hier, weil ein Freund von mir und ich eine Wette abgeschlossen haben. Mickey ist sechsundzwanzig und hat noch nie jemanden geküßt. Ich bin achtundzwanzig und kann nicht richtig lesen. Also lerne ich lesen, und er sucht sich jemanden zum Küssen. Es ist so eine Art Wettlauf.«

Deirdre Felix lächelte. Sie hatte richtige Krähenfüße um die Augen, fünf Linien, die sich deutlich bis über ihre Schläfen abzeichneten. »Das ist aber keine faire Wette. Küssen ist viel einfacher als lesen zu lernen.«

»Versuchen Sie das mal Mickey klarzumachen.«

»Sollen wir jetzt einmal Ihren Wortschatz testen?«

Die Begriffe »Wortschatz« und »testen« lösten in mir augenblicklich das überwältigende Bedürfnis zu gähnen aus, was ich dann auch die ganze restliche Stunde hindurch tat. Bei jedem Gähnen warf Deirdre Felix mir einen Blick zu, den ich nicht ganz zu deuten wußte, aber ich hatte den Eindruck, als würde ich mein erlaubtes Kontingent an unhöflichem Verhalten ziemlich schnell aufbrauchen. Eine Stunde später, nachdem ich ein paar Absätze in der Geschwindigkeit von ungefähr einem Millionstel Kilometer pro Stunde gelesen hatte, wobei sie mir sämtliche schweren Wörter vorsagte, und wir einen neuen Termin vereinbart hatten, durfte ich gehen.

Dazu mußte ich allerdings den Leseförderraum verlassen, der dem Schreibtisch dieser Bibliothekarin direkt gegenüber lag, und von ihr wollte ich nun wirklich nicht gesehen werden. Ich hätte behaupten können, daß ich die Toilette gesucht hatte, aber eine ganze Stunde lang? Oder daß ich als Lehrerin arbeitete. Doch obwohl ich nun wirklich den größten Schwachsinn zusammenfaseln konnte – das traute ich mir dann doch nicht zu. Es blieb mir also nichts anderes übrig, als sie durch mein Auftreten derart zu betören, daß sie einfach nicht wahrnehmen würde, durch welche Tür ich da gerade gekommen war.

Okay, jetzt mußte ich mein Bestes geben.

Statt heimlich durch die Tür zu schlüpfen, faßte ich mir also ein Herz und stieß sie forsch auf. Dabei verfehlte ich nur knapp ein Kleinkind. Ich brachte den Kleinen – oder vielmehr mich – wieder ins Gleichgewicht und konzentrierte mich dann ganz darauf, der

Bibliothekarin unterschwellige Botschaften zu schicken: *du willst mich du willst mich du willst mich*, während ich erhobenen Hauptes in den großen Saal der Bibliothek schritt. Als ich sie nirgends sah, blieb ich stehen. Aus dem Magazin am anderen Ende hörte ich ihre Stimme. Erleichtert verließ ich ungesehen die Bibliothek.

Im Auto überkam mich plötzlich eine Art Traurigkeit. Ich hatte mich angestellt wie eine Sechzehnjährige: völlig bescheuert gegenüber dieser Bibliothekarin und rotzfrech gegenüber der Lehrerin. Manchmal war ich wirklich ätzend. Ich mußte an meinen Vater denken, wie er immer mit reichen oder studierten Leuten umging, die sich für was Besseres hielten. Er machte stets mehr als deutlich, daß er sich von ihnen in keiner Weise beeindrucken ließ. Normalerweise war ich gar nicht so. Zuweilen kam ich mir sogar ziemlich unzulänglich vor, auch wenn ich das natürlich nicht zeigte. In mir hatte sich immer alles verkrampft, wenn mein Vater dieses Pfauengehabe an den Tag legte. Als Kind hatte ich mir geschworen, niemals so durchschaubar zu sein.

Ich ließ den Wagen an und beschloß, mir nächste Woche etwas mehr Mühe zu geben. Schließlich stellte mir Deirdre Felix ihre Zeit zur Verfügung. Vermutlich hatte ich erwartet, daß sie von oben herab mit mir reden würde. Sie schien mich zwar nicht zu mögen, aber das hatte wohl weniger mit meinen Leseschwierigkeiten zu tun als vielmehr mit mir als Person. Das war mir keineswegs neu. Viele Menschen mochten mich nicht. Nächstes Mal würde ich mich ein bißchen mehr zusammennehmen.

2

»UND, WIE WAR'S?« fragte mich Mickey am nächsten Tag auf der Arbeit. Er war gerade dabei, eine Kette zu säubern und hatte einen großen Ölfleck auf der Stirn.

»Habe eine ziemlich attraktive Bibliothekarin kennengelernt«, antwortete ich und leckte mir die Lippen, als hätte ich schon von ihr gekostet. Mickey und ich mochten solche Anzüglichkeiten. »Auf die Idee, in der Bibliothek auf Brautschau zu gehen, war ich noch nicht gekommen.«

»Lori«, entgegnete er ernst, »ich meine das Lesen.«

»Du meine Güte, haben wir denn heute gar keinen Sinn für Humor?«

»Und deine Lehrerin, ist sie nett?« fuhr Mickey unbeirrt fort.

Ich zog die Wangen ein, setzte mich mit übereinandergeschlagenen Beinen hin und faltete die Hände, um ihm die hochnäsige Deirdre Felix zu demonstrieren. Dann erzählte ich ihm vom Ballett und vom Leseclub. Mickey lachte, aber nur ein kleines bißchen. Seine Ernsthaftigkeit in bezug auf dieses Leseprojekt machte mich wahnsinnig. »Was hast du denn am Ballett auszusetzen?« fragte er. Seine Fragerei ging mir so auf die Nerven, daß ich ihn einfach ignorierte und anfing, an einem Rad zu bauen, das schon gestern hätte fertig sein sollen.

Das kühle Aluminium in meinen Händen wirkte beruhigend auf mich. Ich mochte diesen Fahrradladen, besonders die Werkstatt, in der Mickey und ich arbeiteten beziehungsweise regierten. Wir hielten uns für die Besten in der ganzen Stadt, und weil wir so gut waren, konnten wir uns im Laden einiges erlauben. Ich will damit gar nicht angeben, das sind schlicht Tatsachen. Einmal versuchte ich Mickey zu erklären, daß unsere Werkstatt für mich der sinnlichste Ort auf Erden ist, aber er sah mich an, als sei ich verrückt geworden. Mickey ist eher ein romantischer Typ, der auf Spaziergänge im Regen und Abendessen bei Kerzenschein und solche Dinge steht. Ganz anders als ich. Wenn ich zwischen Mechanik und Gefühlsduselei wählen sollte, würde ich mich immer für ersteres entscheiden. Der kalte, geschwungene Griff eines Schraubenschlüssels in meiner Hand hat für mich auf beruhigende Weise etwas Erotisches. Ich liebte diese Werkstatt mit ihren Unmengen an Einzelteilen und öligen Lappen, weil sie so ganz und gar unprätentiös wirkte. Hier gab es nichts Scheinbares, sondern nur Werkzeuge, Mittel zum Zweck, Lösungen für Probleme, eindeutige Antworten. Ich mochte die Echtheit des kahlen steingrauen Zementfußbodens mit seinen vielen Rissen. Hier wurde nicht versucht, mit einem Teppich oder mit Linoleumfliesen etwas anderes vorzugeben. Mir gefiel das Holzregal mit den unterschiedlich großen Fächern, das ich in meinem ersten Jahr im Laden gebaut hatte. Ich hielt sämtliche Werkzeuge und Teile so in Ordnung, daß sich auch Blinde hier zurechtfinden würden. Selbst die Fahrradschmiere, die einfach überall zu finden war, hatte für mich etwas Liebenswertes. Schmiere ist so ganz und gar schwarz, so zähflüssig und so nützlich. Im Vergleich zu der Bibliothek, diesem geheimnisvollen, von Papier und Gedanken beherrschten Ort, fühlte sich meine Werkstatt zweckmäßig und freundlich an.

Ich montierte gerade die neuen Speichen an der Felge, als Enrique, der Ladenbesitzer, schwerfällig hereinkam. Enrique und mich verband eine Art Haßliebe. Ich respektierte ihn, ohne Frage. Selbst wer nicht wußte, wie hart er arbeitete und daß er diesen Laden aus dem Nichts aufgebaut hatte, war allein von seiner äußeren Erscheinung beeindruckt. Bei seiner Größe von über einsneunzig wog er bestimmt hundertzwanzig Kilo, hatte dabei aber kein Gramm Fett am Leib, alles Muskeln. Soweit ich das beurteilen konnte, führte er absolut kein soziales Leben und besaß kein Fünkchen Humor. An jenem Montagmorgen vor ein paar Jahren, als er in die Werkstatt kam und das Holzregal sah, das ich gebaut hatte, huschte ein Lächeln über sein Gesicht, und das kam auch ab und zu vor, wenn eine/r von uns ein gutes Geschäft abgeschlossen hatte. Die meiste Zeit aber zeigte er eher eine finster-konzentrierte Miene. Aber das Gute an Enrique war: Er hatte den Blick fürs Wesentliche.

Auch wenn er meinen Arbeitsstil ablehnte – ich kam häufig zu spät, alberte gerne herum und war ziemlich launisch –, konnte er sich doch darauf verlassen, daß ich meine Arbeit rechtzeitig erledigte, und das auch noch gut. Eigentlich bin ich davon überzeugt, daß Enrique mich unwillkürlich mochte, auch wenn ich ihn zum Wahnsinn trieb. Wir hielten uns gegenseitig sozusagen unser Alter ego vor.

Jetzt knallte er einen Zettel auf meinen Arbeitstisch und einen auf Mickeys. »Lest euch doch bitte mal diese Mitteilung durch. Ich würde gerne wissen, was ihr dazu meint.« Glücklicherweise wollte Enrique eigentlich niemals wissen, was andere meinten; das hier war ganz einfach ein Chef-Trick. Als ich den Zettel zur Hand nahm und ihn scheinbar überflog, hatte ich das Gefühl, als flatterte ein Kolibri in meinem Bauch. Ich haßte diese Nervosität. Natürlich war mir dieses Gefühl sehr vertraut, aber seit meinem »Outing« vor Mickey und meinem Treffen mit Deirdre Felix war es einfach stärker geworden. Nach ein paar Sekunden zuckte ich mit den Schultern und gab Enrique den Zettel zurück. Beiläufig sagte ich: »Naja, ich weiß nicht so recht. Was meinst *du* denn?« Darauf kann man sich nämlich verlassen: Die Leute reden gerne und legen Wert darauf, anderen ihre Meinung mitzuteilen. Selbst wenn die Frage: »Was meinst du denn dazu?« gar nicht zur jeweiligen Situation paßt, bemühen sie sich trotzdem um eine Antwort und vergessen dabei, daß sie es eigentlich waren, die die Frage eingangs gestellt hatten. Als Enrique mit seinem Gelaber fertig war, wußte ich über den Inhalt der Mitteilung recht gut Bescheid. »Hört sich doch gut an«, meinte ich vergnügt.

Enrique stürzte wieder aus der Werkstatt, ohne Mickey nach seiner Meinung zu fragen. Das passierte Mickey häufig. Wegen seines Aussehens behandelten ihn die Menschen oft, als sei er behindert oder so etwas. Ich drehte mich um, weil ich wissen wollte, wie es ihm damit ging, wieder einmal übergangen worden zu sein, und bemerkte verdutzt seinen faszinierten Gesichtsausdruck. »Ich habe ja schon immer geahnt, daß du Theater spielen kannst«, meinte er. »Aber daß du dermaßen gut bist, hätte ich nicht gedacht. Kommt dir denn nie jemand auf die Schliche?«

»Klar doch, aber nicht oft. Dann sage ich eben, daß ich meine Brille nicht dabei habe oder gerade einen Migräneanfall bekomme.« Ich grinste ihn an, versuchte, gewieft zu wirken, aber gleichzeitig schämte ich mich.

Mickey sah mich an wie damals Mrs. Roach – wie einen guten Apfel, der aber ziemlich bald verfaulen könnte. Ich hievte den Rahmen auf den Montageständer, befestigte eine Klemme am unteren Rahmenrohr und montierte das Rad auf die Achse.

»O Mann, Lori«, sagte Mickey. Er starrte mich immer noch an, aber zumindest hatte er sich nicht von mir abgewandt. »Wie kommst du nur damit zurecht?« In seinem Tonfall meinte ich eine Spur von Zuneigung herauszuhören, die ich so lange wie möglich bewahren wollte, ähnlich einer Rauchwolke, die sich beim nächsten Wort in Luft auflösen würde. Also antwortete ich nicht.

Mickey Rodriguez und ich waren seit fünf Jahren miteinander befreundet, ebenso lange, wie wir zusammen in dem Fahrradladen arbeiteten. Er behauptete, er sei hetero, aber meiner Meinung nach konnte er sich da nicht so sicher sein, weil er – das hatte ich ja auch Deirdre Felix erzählt – bislang null sexuelle Erfahrung gemacht hatte. Im Alter von zehn Jahren war Mickey in einen Autounfall verwickelt gewesen, und seitdem war sein Gesicht völlig entstellt. Nach dem nicht allzu erfolgreichen gesichtschirurgischen Eingriff sah er heute ziemlich schief aus. Die Narben verliefen wie zwei große Reißverschlüsse über seinen Mund. Selbst seine Beine waren dauerhaft krumm. Er hinkte zwar nicht, aber durch seine Magerkeit wurde seine eigenartige Körperform noch betont. Ich war ja der Meinung, er solle sich einen richtig männlichen Namen zulegen, etwa Neil oder Gary, um damit sein verletzliches Aussehen zu kompensieren. Trotz seiner krummen Beine war er aber ein klasse Radfahrer.

Vor ein paar Monaten erzählte mir Mickey, der Unfall hätte ihm sechzigtausend Dollar eingebracht. Seine Eltern hatten das Geld für ihn gut angelegt, so daß es inzwischen eher um die hunderttausend waren. Er wollte einen eigenen Fahrradladen aufmachen, und zwar mit mir zusammen.

Mickey mußte ein kurzes »Ja« in meinen Augen gesehen haben. Ich war nämlich nicht nur in der Werkstatt ein As, ich konnte auch verkaufen. Wann immer schwierige Kunden im Laden waren, die sich einfach nicht entscheiden konnten, wurde ich gerufen. »Wollen Sie vielleicht mit unserer Kollegin aus der Werkstatt sprechen?« hieß es dann. »Sie ist eine echte Fachfrau und wird Ihnen vielleicht noch gründlicher Auskunft geben können als ich.« Zehn Minuten später stand die Kundin oder der Kunde mit gezückter Kreditkarte an der Kasse, und nicht selten hatte sie oder er sich sogar noch für ein hochwertigeres Modell entschieden als das ursprünglich vorgesehene. Susan Powter könnte ich vermutlich eine kalorienreiche Diät andrehen und Andrea Dworkin Porno-Literatur. Was soll's, wahrscheinlich würde mir sogar Newt Gingrich bei passender Gelegenheit Homosexualität abkaufen. Mickey und ich könnten verdammt viel Geld machen. Das wußten wir beide.

Bevor sich meine Lippen zum »Ja« formten, schoß mir jedoch blitzartig ein Gedanke durch den Kopf, der meine spontane Begeisterung kolossal dämpfte. Enrique begutachtete ständig irgendwelche Kataloge, füllte Bestellformulare aus und registrierte den Warenbestand. Er gehörte zu den Leuten, denen ständig ein Bleistift hinterm Ohr steckte, so sehr gehörte das Schreiben zu seinem Job. Ich konnte zweifelsohne gut reden und benutzte auch viele Fremdwörter, aber Bürokram war einfach nicht mein Ding. Zum Führen eines Betriebs gehörte jedoch mehr als reden.

Ich lachte über Mickeys Vorschlag, tat so, als hätte ich ihn als Scherz aufgefaßt, und sagte: »Das ist ja wohl nicht dein Ernst! Auf eine Führungsposition bin ich absolut nicht scharf.« Auf keinen Fall. Ohne mich. Niemals. »Ich will diese Art von Verantwortung gar nicht. Ich repariere gerne Fahrräder.« Das stimmte. Das tat und tue ich wirklich gerne. Ich liebe den Umgang mit Werkzeugen und Einzelteilen. Ein Fahrrad ist etwas Perfektes. Es ist wunderbar, umwerfend schön. Ich war einfach so froh über diesen Job, glücklich darüber, keine Hamburger braten zu müssen. Ich mochte mein Leben. Es war einfach. Cool. Mir ging's gut.

Unter dieser Oberfläche gab es aber auch noch die andere Realität. Möglicherweise hatte Mickeys Vorschlag in mir eine Krise ausgelöst. Natürlich konnte ich die Comics in der Zeitung lesen, Wort für Wort, ganz langsam, vielleicht so wie Mrs. Roach damals meinte: wie eine Drittklässlerin. Auch mit den meisten Reparaturaufträgen kam ich gut zurecht. Rad, Farbe, Kette, Ritzel, Speiche, Bremszug – diese Ausdrücke waren mir vertraut. Ich bin ja nicht doof. Ich kapiere schnell, aber das muß ich auch. Es ist ähnlich wie bei Blinden, die oftmals einen ausgeprägten Geruchssinn und ein hervorragendes Gehör haben. Es gehört einfach zum Überleben. Und wenn mich ein Reparaturauftrag doch einmal überforderte, wartete ich einen Augenblick ab, in dem ich keine Hand frei hatte, oder ich führte eine solche Situation absichtlich herbei, und rief Mickey zu: »Hey, Mick, könntest du gerade mal einen Blick auf den Auftrag da auf meinem Tisch werfen? Ich habe vergessen, was ich eigentlich machen soll. Lies ihn mir doch bitte nochmal vor, okay?« Als hätte ich ihn gelesen und könnte mich im Moment einfach nicht daran erinnern. Es gibt Millionen von Möglichkeiten, man muß sich nur zu helfen wissen. Und eigentlich ist es gar nicht so schwer. Beim Führerschein beispielsweise hatte ich den Typen, der die schriftliche Prüfung abnehmen sollte, einfach überrumpelt. Ich erzählte ihm, ich hätte meine Brille vergessen, und bat darum, den Test mündlich machen zu dürfen. Dann machte ich ihm ein Kompliment wegen seines Goldkettchens, witzelte über ein paar seiner Kollegen, die einem ganz offensichtlich ziemlich auf die Nerven gehen mußten, wenn man dort arbeitete, und am Ende stellte er mir sämtliche Testfragen mündlich. Es ist wirklich einfach. Für jede Situation findet sich ein Ausweg. Ähnlich wie mein Vater war ich der Meinung, daß im allgemeinen viel zu viel Wert auf das Lesen gelegt wird. Wahlen? Ich wählte den Präsidenten, der Rest war mir ziemlich egal. Und bei irgendwelchen wichtigen Umfragen hörte ich meist genug über das Thema, um zu wissen, ob ich dafür oder dagegen war. Fernsehen spielte in meinem Leben eine große Rolle, und es erschien mir kurz vor dem Eintritt ins einundzwanzigste Jahrhundert auch eine absolut adäquate Informationsquelle zu sein.

Aber unser eigener Fahrradladen. Bei dem bloßen Gedanken blieb mir die Luft weg. Ich sehnte mich so sehr danach, daß ich mich jedesmal hinsetzen mußte, wenn ich es mir im Detail ausmalte. Mickey und ich. Ein Traum. Ich sah mich schon im Verkaufsraum eines nagelneuen Ladens stehen, umgeben von blitzenden Rennmaschinen und stabilen Mountainbikes. Dahinter eine ordentliche Werkstatt. Kein Enrique, kein Chef weit und breit. Bei dieser Vorstellung spürte ich in meinem Bauch nicht mehr das nervöse Flattern eines Kolibris, sondern eher das wilde Flügelschlagen eines Adlers. Ich wollte diesen Laden.

Mickey sprach das Thema noch ein paarmal an, und jedesmal lachte ich, als sei er verrückt geworden. »Hör auf damit«, sagte ich ihm beim letzten Mal, als er mich zu überzeugen versuchte. »Die Antwort lautet nein, verdammt nochmal nein.«

Daraufhin war Mickey zwei Wochen lang eingeschnappt.

Was ich an Mickey wirklich mag, ist der Ausdruck auf seinem

schiefen Gesicht, wenn er lächelt oder lacht. Es sieht aus, als klappten sämtliche Teile auseinander, um sich dann wieder neu zusammenzusetzen, und er strahlt und sieht völlig irre aus. Aber wenn er eingeschnappt ist, ist es genau umgekehrt. Dann wirkt sein Gesicht noch schiefer als sonst. Schließlich kam ich zu dem Schluß, daß er glaubte, ich wolle mit *ihm* kein Geschäft aufmachen.

Erst ein einziges Mal hatte ich jemandem freiwillig erzählt, daß ich nicht lesen konnte. Etwa ein Jahr zuvor hatte ich versucht, es einer Frau klar zu machen, mit der ich damals zusammen war. Sie wollte mir partout nicht glauben und schenkte mir zu meinem Geburtstag bewußt drei dicke Bücher mit der Bemerkung: »Wenn du ein paar *gute* Bücher hättest, würdest du auch lesen.« Anschließend hackte sie immer wieder auf mir herum, ich solle doch nun endlich mit der Lektüre anfangen, bis ich mich am Ende von ihr trennte.

Mickey aber wollte ich auf keinen Fall verlieren, und ich hielt die Vorstellung kaum aus, er könne sich von mir abgelehnt fühlen. Also meinte ich eines Abends, als wir nach der Arbeit die Spruce Street hinauffuhren: »Mick, es ist ja nicht so, daß ich mit *dir* keinen Fahrradladen haben will, das weißt du doch, oder?«

»Ich dachte, das Thema sei abgehakt«, antwortete er. Im gleichen Moment bog ein verbeulter Toyota-Kleintransporter direkt vor Mickey rechts ab, woraufhin dieser dem Fahrer den ausgestreckten Mittelfinger zeigte. Bei Autofahrern sollte man sich mit dieser Geste zurückhalten, weil sie oft ganz unberechenbar reagieren – Mickey brauchte ein ganzes Jahr, um mich von dieser Gewohnheit abzubringen. Das bedeutete, daß er nicht nur beleidigt, sondern wirklich verletzt war. Ich fühlte mich beschissen.

Ich wartete einen Moment, um sicherzugehen, daß der Toyota-Fahrer nicht umdrehen und uns überfahren würde. Dann meinte ich: »Ich denke einfach, daß ich für so eine Verantwortung nicht geeignet bin.«

Mickey antwortete nicht. Er hielt das wohl für eine Ausrede.

Ich versuchte es noch einmal: »Mach deinen Fahrradladen auf, dann arbeite ich dort. In der Werkstatt.«

Inzwischen hatten wir das Wasserreservoir am oberen Ende der Spruce Street erreicht und erklommen nun die Anhöhe zum Grizzly Peak. Wenn wir in diesem Tempo weitermachten, würden wir den Pinehurst-Rundweg fahren können und wären vor Einbruch der Dunkelheit zurück.

Mit einem Mal wurde ich ärgerlich. »Warum spielst du eigentlich den Beleidigten? Was ist denn groß dabei, daß ich keinen Fahrradladen führen will?«

»Weil ich dir nicht glaube, darum«, schrie Mickey zurück in meine Richtung und trat fester in die Pedale. »Ich weiß, daß du das toll fändest. Du würdest die Räder so schnell verkaufen, daß wir Schwierigkeiten hätten, unser Lager schnell genug wieder aufzufüllen. Du kennst jedes Einzelteil am Fahrrad, bis hin zum kleinsten Kugellager, und die Arbeit macht dir Spaß. Außerdem hast du gerne das Sagen. Du hast überhaupt nichts gegen Macht und Verantwortung. Also *kann* es nur mit mir zu tun haben.«

Ich bremste mit voller Wucht, so daß mein Hinterrad hochging und ich nach vorn auf den Lenker gedrückt wurde. Mit aller Kraft hielt ich mich fest, um das Gleichgewicht zu halten, als das Hinterrad wieder auf der Straße aufknallte. Dann stellte ich mich mit beiden Füßen auf die Erde. Mickey, der immer noch weiterstrampelte, drehte sich um. »Was machst du denn?« rief er.

»Jetzt hör mir mal zu!« forderte ich ihn auf und wartete, bis er umdrehte und zu mir zurückfuhr. Er hielt so vor mir an, daß sein Vorderrad meines leicht berührte, wie bei einem Kuß. Das Komische an der Sache war, daß ich Mickey vermutlich mehr vertraute als sonst irgend jemandem. Das ist eigenartig, wenn man bedenkt, daß er nicht zur Familie gehörte, keine Frau und wahrscheinlich noch nicht einmal schwul war. Dennoch löste sich etwas in mir, und ich hatte keinerlei Angst, es ihm zu sagen. »Mick, ich kann nicht lesen. Wie soll ich dir dabei helfen, einen Betrieb zu führen?«

»Was meinst du damit, du kannst nicht lesen?«

»Papier, Wörter, ich – wir kommen einfach nicht zusammen.«

Er blinzelte ein paarmal und runzelte dann die Stirn. Ich sah, wie er überlegte und sich daran zu erinnern versuchte, ob seine Erfahrungen mit mir mit dieser neuen Information übereinstimmen könnten. Seine magere Brust hob und senkte sich, als er tief Luft holte. »Wow«, meinte er schließlich, und ich wußte, daß er mir glaubte. »Wann hast du –«

Er verstummte, und als er die passenden Worte nicht fand, lachte ich. »Wann ich nicht gelernt habe zu lesen? Wer weiß.«

»Bist du Legasthenikerin?«

»Hmh, keine Ahnung.«

Ich haßte diesen Ausdruck. Oft hatten die Lehrerinnen und

Lehrer ihn verwendet, bevor sie mir irgendwelche Tests aufzwangen. Vielleicht traf er auf mich zu, vielleicht aber auch nicht. Meiner Meinung nach gab es Millionen Gründe, warum ich nicht lesen konnte: weil bis zur vierten Klasse niemand gemerkt hatte, daß ich eine Brille brauchte, weil wir oft umgezogen waren und ich ständig die Schule wechseln mußte, weil mein Vater über das Lesen immer nur abfällige Bemerkungen machte, weil es in der Schule vor allem um die Lehrer ging und nicht um die Bücher. Ich hatte all diese Erklärungen parat, aber im Augenblick schienen sie fehl am Platz zu sein. Also strich ich sanft an der Innenseite meiner geschwungenen Lenkergriffe entlang und antwortete nicht.

Auch Mickey sagte nichts, aber als ich zu ihm aufsah, erkannte ich ein vages, erleichtertes Lächeln auf seinem Gesicht. Mein Eingeständnis, nicht lesen zu können, spielte für Mickey offensichtlich nur eine untergeordnete Rolle. Was zählte, war, daß ich ihn nicht ablehnte.

Später wünschte ich mir, er hätte in diesem Moment Gemeinplätze von sich gegeben und mir nicht geglaubt und so reagiert wie die meisten Leute. Denn sein irres Lächeln und seine offensichtliche Erleichterung darüber, daß unsere Freundschaft keinen Vertrauensverlust erlitten hatte, veranlaßte mich zu meinem schwerwiegenden Fehler. Ich sagte: »Wahrscheinlich hast du mit dieser Idee vom Fahrradladen einfach einen Nerv getroffen. Denn manchmal stelle ich mir natürlich schon vor, wie es wohl wäre, wenn ich all das tun könnte, was ich wollte. Also wenn ich lesen könnte. Aber allein bei der Vorstellung flattert dieser Kolibri in meinem Bauch. Totale Panik.«

»Echt?« entgegnete er besonnen. »Genauso geht es mir, wenn ich mir vorstelle, eine Frau zu küssen.«

»Nee!« sprudelte ich heraus. »Eine Frau küssen? Hör auf, da ist doch nichts dabei. Zack, schon hast du's getan!«

Verdammt, wer von uns beiden war denn nun unsensibel? Ich hörte mich fast so an wie meine Ex-Freundin mit ihren dicken Büchern.

»Genau das behaupte ich vom Lesen«, gab Mickey zurück. »Du nimmst dir ein Buch und machst die Augen auf. Vor dir sind die Worte. Zack, schon liest du. Was ist schon groß dabei?«

Okay, ich hatte ihm wehgetan, und jetzt hatte er's mir zurückgegeben. Gleichstand.

»Los, fahren wir«, sagte ich und startete zügig bergauf.

Plötzlich wollte ich Mickey loswerden, aber er heftete sich an mein Hinterrad.

»Laß uns eine Wette abschließen«, rief er. »Du lernst lesen, und ich werde eine Frau küssen.«

»Du bist verrückt«, erwiderte ich.

»Nein, das ist mein voller Ernst«, entgegnete Mickey.

Ich versuchte, noch schneller in die Pedale zu treten, aber mir war klar, daß ich Mickey niemals abhängen würde. Egal was passierte, Mickey würde immer an meinem Hinterrad kleben, genau da, bei mir. Jetzt, da er Bescheid wußte, war das ein beängstigender Gedanke.

Am nächsten Tag gab er mir die Telefonnummer vom Leseförderprojekt. Er hatte sogar versucht, einen Termin für mich zu vereinbaren, aber von Marilyn erfahren, daß die Schülerin, wie unsereins dort genannt wurde, sich schon selbst darum kümmern müsse. Allein durch das Entgegennehmen dieses Zettels glaubte ich, mein Kopf müsse explodieren. Den Rest der Woche war ich sauer auf Mickey und rief nicht bei dem Projekt an. Immerhin hatte ich ihm ja auch keine Telefonnummer vom Verein zur Überwindung des Zölibats gegeben, oder?

Drei Wochen später, nachdem ich schließlich doch angerufen hatte und mein erstes Gespräch mit Marilyn hinter mir lag, sagte ich zu Mickey: »Und, hast du in letzter Zeit jemanden geküßt?« Das war gemein, aber ich war immer noch sauer darüber, daß er mein Leseproblem so ernst nahm. Schließlich hatte er doch eigene Sorgen.

»Nein«, antwortete Mickey und kappte versehentlich einen Bremszug.

»Nun, dann halte dich besser mal 'ran. Ich habe nämlich einen Vorsprung. Demnächst treffe ich mich zum erstenmal mit meiner Lehrerin.«

Mickey blickte noch nicht einmal auf. »Du hast keinen Vorsprung. Ich habe jemanden kennengelernt.«

»Wirklich?«

»Mmmh.«

»Mann, ey.«

»Sie ist ziemlich jung. Ich habe sie im Eisstadion kennengelernt.«

»Was heißt jung?«

»Sechzehn.«

Sechzehn? Eisstadion? »Ähm, Mickey, Was hast du denn im Eisstadion gemacht?«

»Mich mit Sheila getroffen.« Er meinte es wohl tatsächlich ernst mit dieser Sechzehnjährigen.

»Aha, toll«, sagte ich unschlüssig. Mir war nicht wohl bei dem Gedanken, daß Mickey ein Typ, ein Typ Mann sein sollte, der sich mit jungen Mädchen im Eisstadion traf. Es mußte eine Phase sein, vielleicht eine Art Sprungbrett, um später eine adäquate Freundin zu finden. Oder einen Freund. Ich beobachtete ihn einen Moment, während er die Bremse an einem Tourenrad justierte, und nahm dabei eine neue Ruhe wahr, die von seinem Körper ausging, fast eine Pause, ein Raum, den es auszufüllen galt.

»Mickey?«

»Hmh.«

»Sei vorsichtig.«

3

DAS ZWEITE TREFFEN mit meiner Lehrerin ließ ich ausfallen. Ich wußte einfach nicht, wie ich mich jede Woche an dieser scharfen Bibliothekarin vorbeischleichen sollte. Außerdem spürte ich, daß Deirdre Felix und ich nicht zusammen paßten. Auch wenn sie mir nicht gerade überheblich vorgekommen war – eine Arztgattin, die hoch oben im Nobelviertel wohnte, gern ins Ballett ging und regelmäßig Kunstmuseen besuchte, war einfach nicht mein Typ. In ein paar Monaten könnte ich Marilyn bitten, mir eine andere Lehrerin auszuwählen. Der Zeitpunkt war einfach schlecht gewählt. Ich hatte auf der Arbeit viel zu tun. Ich hatte schlicht keine Zeit, lesen zu lernen.

»Quatsch«, sagte Mickey. »Es ist Herbst. Noch ein Monat, und dann fängt die ruhige Zeit an, in der wir kaum was zu tun haben. Du lebst in keiner Beziehung. Du hast unheimlich viel Zeit.«

»Weißt du, Mickey, vielleicht wäre dein eigenes Leben etwas interessanter, wenn du dich genauso darauf konzentrieren würdest wie auf meins.«

»Eigentlich habe ich dich immer für äußerst umgänglich gehalten, aber in letzter Zeit bist du nur noch gereizt.«

»Na gut, Herr Freud, als nächstes erzählst du mir wahrscheinlich, daß ich Angst vor dem Lesenlernen habe.«

Mickey war gerade dabei, ein Rad einzurichten. Er sah nicht auf, hob aber eine Augenbraue.

Ich lachte. »Okay. Aber wenn ich da wieder hingehe, dann nur wegen meiner Libido. Ich habe dir doch erzählt, daß ich in der Bibliothek diese Bibliothekarin getroffen habe, nicht wahr?«

»Wie seltsam, eine Bibliothekarin in einer Bibliothek.«

»Mickey, das ist mein Ernst –«

»Lori, du hast eine totale sexuelle Fixation. Du kannst dich doch unmöglich in eine Frau verknallt haben, die du erst einmal gesehen hast. Meiner Meinung nach benutzt du das, um dich nicht mit deinen Gefühlen zu diesem Leseprojekt auseinanderzusetzen.«

Manchmal ging Mickey mir echt auf die Nerven. Ich wußte noch nicht einmal, was eine sexuelle Fixation genau war, hätte aber schwören können, daß Mickey so etwas noch nie erlebt hatte. Wie kam er also dazu, mir darüber einen Vortrag zu halten? Ich ignorierte seine Ausführungen, hielt meinen Kommentar über seinen Umgang mit Minderjährigen zurück, und verkündete: »Auf jeden Fall werde ich mich mit ihr verabreden.«

»Ich kann mir das Bettgeflüster lebhaft ausmalen. ›Okay, mein Zuckerstückchen, lies mir erstmal dieses Wort hier vor. Guuut. Dafür kriegst du ein Küßchen aufs Brüstchen‹.«

Für solche Anzüglichkeiten hatte Mickey eine Menge übrig – wahrscheinlich weil sie nur in seiner Vorstellung existierten –, und mir machte das überhaupt nichts aus. Im Gegenteil, ich trug meinen Teil dazu bei. »Und dann sage ich: ›Uuuh, Baby, *bitte*.‹ Und sie schüttelt verschmitzt den Kopf und meint: ›Neinneinnein, erst wenn du mit diesem Absatz hier fertig bist.‹« Mickey und ich wälzten uns auf dem Zementboden, hielten uns den Bauch vor Lachen und warfen uns eine Obszönität nach der anderen an den Kopf, bis Enrique angetanzt kam. Ein Glück, daß wir in unserem Job so gut waren, sonst hätte er uns gewiß schon vor langer Zeit vor die Tür gesetzt.

Ich erzählte Mickey nichts von dem bevorstehenden Workshop am Strand. Ich wußte genau, was er dazu gesagt hätte: daß das mit meinem Leseproblem und meiner Sexsucht zu tun hätte. Und wenn tatsächlich beides miteinander zusammenhing, na und?

Meine Freundin Edith hatte sich vor ein paar Monaten verliebt und sich folglich nicht mehr bei mir gemeldet. Zuvor hatte sie mich jedoch noch zur Teilnahme an Dr. Julie Higginboths Sex-Workshop am Meer überredet. Edith hatte bei einem solchen ihre neue, phänomenale Freundin kennengelernt und war davon überzeugt, daß auch ich dort anbeißen würde. Eine Geliebte hatte für Edith die gleiche

Funktion wie ein Müsliriegel: der größtmögliche Nährwert kompakt und ansprechend verpackt. Wenn Edith verliebt war, hörte ich nichts von ihr, worüber ich mich früher immer sehr geärgert hatte. Heute weiß ich, daß Edith einfach so ist. Eines Tages würde die Beziehung in die Brüche gehen und mein Telefon klingeln.

Als ich damals meinen Scheck einschickte, hatte sich das Ganze witzig angehört, mal etwas anderes, irgendwie Verrücktes, aber als ich mich nun dem Strand näherte, verfluchte ich Edith. Ein Sex-Workshop! Wie sollte ich zudem einer Frau namens Dr. Julie Higginboth trauen? Ob der Doktortitel echt war? In der Nähe des Strandhäuschens, in dem das Wochenende stattfand, bekam ich keinen Parkplatz, so daß ich mein Auto schließlich direkt an einem Halteverbotsschild abstellen mußte.

Da ich mich etwas verspätet hatte, ungefähr eine Stunde, saßen Doc Julie und die neun anderen Teilnehmerinnen bereits im Kreis auf dem Fußboden, den Rücken an große, weiblich-weiche Kissen gelehnt. Trotz des sonnigen Morgens standen an jeder verfügbaren Stelle angezündete Kerzen – große, dünne blaue, kleine, dicke weiße und runde marmorierte. Doc Julie bat mich, Platz zu nehmen, und meinte, sie erörtere gerade die Regeln für dieses Wochenende. Ich fühlte mich ziemlich blockiert, was Doc Julie natürlich sofort durchschaute. Ihr Blick sagte mir: *Ich weiß, daß du im Moment völlig verkrampft bist, aber bis Sonntagabend wirst du ebenso offen und empfindsam sein wie ich. Warte es ab.* Sie faßte zusammen, worüber sie bereits geredet hatten, und meinte dann: »Nun das Allerwichtigste. Bitte geht während dieser beiden Tage keinerlei sexuelle Beziehungen ein. Natürlich ist das ein Wochenende über Sexualität, aber genau aus diesem Grund müssen wir versuchen, möglichst viel Vertrauen und Offenheit innerhalb der Gruppe aufzubauen. Nach diesem Wochenende dürft ihr euch natürlich gerne miteinander verabreden.«

Köstlich, dachte ich. Sie hatte genau jene beiden Worte ausgesprochen, die geradezu zwangsläufig eine Massenorgie auslösen würden: Kein Sex! Diese Frauen würden es überall miteinander treiben, in den kleinen Nebenzimmern, im Strandhafer vor dem großen Fenster, hier auf dem Fußboden mitten in der Nacht. Irgendein glückliches Pärchen würde dann unter Umständen mitten beim Orgasmus erwischt, sie dürften an dem Wochenende nicht weiter teilnehmen und blieben wahrscheinlich für den Rest ihres Lebens zusammen. Später würde die Sex-Expertin das Paar als ihren persönlichen Erfolg verbuchen.

Doc Julie forderte uns auf, uns an den Händen zu halten und den weiblichen Geist in unserer Mitte zu begrüßen. Zu Beginn unserer Schweigeminute fing eine Kerze an zu zischen. Genau das hätte ich jetzt auch am liebsten getan. Ich öffnete die Augen und sah sehnsuchtsvoll aus dem großen Fenster in die blendende Sonne. Der herbstliche Strand war für mich etwas Wunderbares – die harten Kontraste zwischen dem weißen Meeresschaum und dem blauen Himmel, das eiskalte Wasser und der samtweiche, heiße Sand, die frische Brise und der strenge Geruch angeschwemmten Meereslebens. Ich sehnte mich danach, diesem Raum mit den ganzen Kissen und Kerzen und diesen treuherzig wirkenden Frauen zu entfliehen und statt dessen den hellen, trockenen, stoppeligen Strandhafer unter meinen Füßen zu spüren.

Warum hatte ich nur auf Edith gehört?

Doc Julie murmelte: »Willkommen«. Ich nahm an, das galt dem weiblichen Geist.

Wie kam ich hier am besten weg?

Zunächst sollte reihum jede Frau eine ihrer Ängste schildern, die sie im Zusammenhang mit Sex verspürte. Doc Julie bat meine rechte Nachbarin, den Anfang zu machen. Im Geiste der Individualität und Rebellion würden wir *entgegen* dem Uhrzeigersinn vorgehen. Gut. Somit waren sieben Frauen vor mir. Die erste Frau sagte, sie habe Angst davor, nicht zu kommen. Wow. Die zweite meinte, sie habe Angst davor, ihre Partnerin würde nicht kommen. Davor *sollte* sie auch Angst haben. Die nächste Frau, die mit ihrer Figur jede Barbie-Puppe in den Schatten stellen würde, brach sogleich in Tränen aus; sie hatte Angst davor, ihre Partnerin könnte sie zu dick finden. Die nächsten zwei Bekenntnisse bekam ich nicht mit, weil ich mich verzweifelt bemühte, mir etwas auszudenken.

Jetzt waren nur noch drei Frauen vor mir.

Meine Nachbarin zur Linken rutschte unruhig hin und her. Ich lächelte ihr zu, und sie verzog das Gesicht. Mit ihrer konservativen beigen Stoffhose mit den Klappen an den Gesäßtaschen, dem blaßgelben T-Shirt und den braunen Halbschuhen könnte sie Alice heißen. Oder Maude. Dünne blonde Haare fielen ihr ins feuerrote Gesicht. Sie sah aus, als würde sie jeden Augenblick anfangen zu brennen. Gleich kam sie – und damit auch ich – an die Reihe.

Plötzlich stand sie auf. »Entschuldigung«, flüsterte sie und schlich aus dem Raum.

Doc Julie nahm ihren Abgang mit einem herablassenden Lächeln zur Kenntnis. Vermutlich hoffte sie, daß sämtliche Workshop-Teilnehmerinnen bemerkt hatten, wie extreme Angst in persona aussah. Kein schöner Anblick. Um zu betonen, daß sie trotz ihrer Funktion als Workshop-Leiterin ebenso verletzlich war wie wir und sich mit uns auf eine Ebene stellte, reihte sich auch Doc Julie mit ein. Sie sagte, sie habe Angst davor, beim Sex zu pinkeln. Allerdings legte die Art und Weise, wie sie das sagte, die Vermutung nahe, daß sie eigentlich stolz darauf war, beim Sex zu pinkeln – als mache sie das besonders scharf. Eine hitzige Frau mit lilaroten Haaren verkündete, sie habe Angst davor, ein Dildo könne in ihr steckenbleiben. So etwas war ihr nämlich einmal in der achten Klasse mit einem Tampon passiert.

Ganz sicher bekamen alle anderen Frauen mit, daß ich inzwischen hyperventilierte. Verdammt nochmal, was sollte ich nur sagen? Ich könnte Edith umbringen, weil sie mich in diese Situation gebracht hatte. In dieser Runde war nicht eine einzige Frau, die ich hätte berühren wollen.

Aber zu einer Berührung wurde ich ja auch nicht aufgefordert. Noch nicht. Ich mußte mir eine Sex-Angst ausdenken. Wovor hatte ich bloß Angst? Daß meine Partnerin nach dem Sex bei mir einziehen wollte? Daß sie es als politisch korrekte Handlungsweise ansähe, eine gemeinsame Steuererklärung auszufüllen? Daß sie herausfände, daß ich nicht lesen konnte? Verflucht, Mickey, du hast es geschafft, daß sich dieses Thema jetzt ständig in den Vordergrund drängt. Denn was hatte *das* schon mit Sex zu tun? Da gab es höchstens einen Zusammenhang mit meinem sonstigen Verhalten, zum Beispiel damit, daß ich Frauen meist nicht wirklich an mich heranließ, nicht so wie Mickey.

Plötzlich verlangsamten sich all meine Gedanken, bis nur noch ein einziger im Vordergrund stand: daß es jemand merken könnte. O ja, davor hatte ich große Angst. Verdammt große Angst. Aber ich würde in diesem Kreis nicht zugeben, Analphabetin zu sein, während alle anderen vom Pinkeln und steckengebliebenen Dildos sprachen. Mit dem Körper kannte ich mich aus. Es war eher der Geist, der mir zu schaffen machte.

Nun war die Frau neben mir an der Reihe. Sie hatte Angst davor, ihre Partnerin würde nicht verstehen, daß sie eine gute halbe Stunde – *»mindestens«*, betonte sie – gestreichelt werden müsse, damit ein Orgasmus überhaupt in den Bereich des Möglichen rückte.

Dann war es still, und neun erhitzte Gesichter sahen in meine Richtung. Ich hörte meinen eigenen flatternden Atem und spürte, wie mir ein Schweißtropfen die Schläfe hinabrann wie eine Träne. Das war's. Genau: Ich *mochte* Sex. Ich hatte es nicht nötig, auf dem Boden zu sitzen und mit einem Haufen fremder Frauen darüber zu diskutieren. Also stand ich auf, woraufhin es totenstill wurde und mich alle anstarrten. Ich lächelte, sagte laut: »Entschuldigung«, als würde ich nur mal eben zur Toilette gehen, und verließ den Raum.

Natürlich würden alle annehmen, ich sei gegangen, weil ich nicht über Sex reden konnte, daß ich Panik hatte oder unheimlich zugeknöpft war. Vielleicht stimmte das ja, vielleicht aber auch nicht. Es war mir egal, was sie dachten. Schließlich war das *Meer*, die Wiege der Erde, nur ein paar hundert Meter entfernt – und da sollte ich in einer Hütte sitzen und über Sex-Ängste reden?

Mitten aus dem Sex-Workshop hinauszugehen, fühlte sich gut an, echt gut. Es hatte zwar nichts von Rebellion, was im allgemeinen mein Lieblingsgefühl war, aber es kam mir rund und voll und reichhaltig vor – genau wie das Meer. Ich ging durch die kleinen Straßen in Richtung Strand und ließ mich von der frischen Brise richtig durchpusten. Meine übergroße Latzhose flatterte im Wind, und die Luft schmeckte salzig und blau. In meinen Knochen spürte ich eine Sehnsucht, die ich als Lust interpretierte.

Plötzlich kam mir der Gedanke, daß es sich bei dieser Sehnsucht vielleicht gar nicht um Lust handelte. Ich dachte stets viel über Sex nach – das war doch normal, oder? –, aber die Vorstellung von einem *Workshop* über Sex hatte in mir eine Art Kurzschluß ausgelöst. Ich mußte an Mickey denken, der mir vorwarf, jede Empfindung in sexuelle Bahnen zu lenken, und er hatte recht, das tat ich wirklich. Das war vielleicht ein bißchen oberflächlich. Oder eher begrenzt.

Mit einem Mal formierte sich in meinem Kopf eine einzige Frage. Das war mir noch nie zuvor passiert, daß mich eine Frage umwehte wie eine salzige Brise, mich durchspülte wie eine hohe Welle. Es war eine einfache Frage, bei der es um Sex beziehungsweise gegen Sex ging. Sie lautete: Was gab es außerdem? Da mußte doch noch etwas anderes sein. Während ich über meine Frage nachdachte, verspürte ich in meiner Brust einen starken Schmerz, die größte Sehnsucht, die ich in meinem Leben jemals empfunden hatte.

Der Strand war sichelförmig geformt. An einer Seite befand sich eine Klippe und an der anderen ein ins Meer ragender Felsen. Ich ging auf die Klippe zu, drehte dann um und rannte so schnell ich konnte den Strand entlang, wahrscheinlich in dem Bemühen, diese Sehnsucht hinter mir zu lassen. An dem Felsen auf der anderen Seite drehte ich um und rannte wieder zurück zur Klippe. Insgesamt dreimal rannte ich den Strand entlang, bis ich schließlich völlig außer Atem stehenblieb.

»Hallo!« rief jemand.

Ich sah auf. Oben auf einem Felsvorsprung neben dem Hauptfelsen saß die hellblonde Frau, die sich vor mir aus dem Workshop geschlichen hatte. Sie hatte einen Block auf den Knien und hielt einen Bleistift in der Hand. »Ist alles in Ordnung?«

»Jaja«, meinte ich und versuchte, nicht zu keuchen. »Ich brauchte nur etwas Bewegung.«

Eine riesige Welle donnerte auf den Strand und übertönte den Anfang ihres Satzes. » – der Workshop gerade Pause?«

»Nein, ich bin gegangen«, antwortete ich lächelnd. Noch immer schnaufend kletterte ich den Felsen hinauf, bis sich mein Kopf auf gleicher Höhe befand wie ihr Block. Bevor sie ihn zuknallte, sah ich, daß sie gar nicht schrieb, sondern zeichnete.

»Bist du *Günstlerrin*?« fragte ich mit übertrieben französischem Akzent.

Sie nickte, und sofort tat es mir leid, daß ich mich über den Begriff Künstlerin lustig gemacht hatte. Ich wünschte, meine Haarsträhnen würden mir nicht so schweißdurchtränkt in Gesicht und Nacken kleben.

Ich zog mich hoch und ließ mich auf einem Felsabsatz nieder. »Warum bist du aus dem Workshop gegangen?« fragte ich.

Im Haus hatte sie ungeheuer adrett und zart gewirkt, aber hier draußen, im salzigen Wind, der ihre Haut aufrauhte und ihre Haare durcheinanderbrachte, ähnelte sie eher einer Meeresmuschel, zwar einerseits fein, aber dann wiederum auch weitgereist und unerwartet robust. Sie antwortete: »Ach, eigentlich wollte ich gar nicht herkommen. Das Wochenende ist ein Geburtstagsgeschenk von einem Frauen-Netzwerk für Selbständige, dem ich angehöre. Sie haben es gut gemeint. Ich bin zwar Single, aber ich glaube, das hier ist einfach nicht meine Art und Weise, jemanden kennenzulernen.« Verlegen fügte sie hinzu: »Ich meine, es gibt nichts daran auszusetzen. Aber es ist einfach nicht das Richtige für mich.«

»Für mich auch nicht.«

»Und warum bist du dann hier?«

»Mehr oder weniger aus dem gleichen Grund«, log ich. »Das heißt, meine Freundin Edith hat mich angemeldet und alles bezahlt und so. Ich bin noch nicht einmal auf der Suche nach einer neuen Freundin.«

Sie sah auf ihre Hände hinab.

Ich rang nach Worten. »Also, damit wollte ich nicht sagen, daß du –, ich meine –«

»Wie heißt du?« fragte sie.

»Lori Taylor.«

»Ich bin Whitney Yarbrough.«

Ein beängstigender Name. Irgendwie war Whitney Yarbrough auch eine beängstigende Frau. Obwohl sie sich aus dem Workshop hinausgeschlichen hatte, machte sie einen selbstsicheren Eindruck. Von ihr ging eine Ich-weiß-was-ich-will-Energie aus. Sie gehörte zu den Frauen, die dich sofort fragen, womit du deinen Lebensunterhalt verdienst.

Ich begutachtete meine Fingernägel und wünschte, ich hätte mich mehr bemüht, die Fahrradschmiere darunter wegzubekommen.

»Was machst du so?« fragte sie.

»Wie?«

»Was arbeitest du?«

»Ach so, also«, begann ich und verspürte plötzlich den Wunsch, Eindruck zu schinden: »Diese Gruppe von Selbständigen, die du gerade erwähnt hast, hört sich interessant an. Also, ich bin nämlich gerade dabei, einen, also einen Fahrradladen aufzumachen.«

Was soll das denn, du Knalltüte, fünfmal hintereinander also?

Trotz der Alsos ein Volltreffer! Whitneys Augen leuchteten auf, und sie berührte mich leicht am Arm. »Wirklich! Wo ist er?«

»Wer?«

»Dein Fahrradladen.«

»Ah! Naja, ähm, mein Partner, also das heißt mein Geschäftspartner und ich fangen gerade erst damit an.« Verdammt! Noch ein Also, und ich hätte verloren. »Wir verfügen über das Startkapital.

Jetzt brauchen wir nur noch den richtigen Standort und müssen uns die geeigneten Leute suchen und so etwas, und dann geht's los.«

»Du solltest ASU beitreten.«

Verständnislos sah ich sie an.

»Das ist dieses Netzwerk, von dem ich vorhin sprach: ›Arbeitsgemeinschaft selbständiger Unternehmerinnen.‹ Es ist eine reine Lesbengruppe, auch wenn der Name das nicht unbedingt widerspiegelt. Vermutlich soll es nicht an die große Glocke gehängt werden.« Sie zuckte entschuldigend mit den Schultern. Mir war nicht klar, ob sie die Tarnung gut fand oder nicht. »Die Frauen haben mir sehr geholfen. Die meisten von uns besitzen allerdings nur ein kleines Unternehmen, und bei dir hört sich das ja schon eine Nummer größer an ...«

Sie war von mir beeindruckt, und einen Augenblick lang glaubte ich selbst an meinen Fahrradladen. »Was arbeitest du denn?«

»Ich bin Grafikdesignerin. Mein wichtigster Kunde ist *Good Vibrations.*« Sie zuckte ein klein wenig zusammen, aber ich hatte es bemerkt. »Das entspricht zwar nicht gerade der Vorstellung meines Vaters von einem wichtigen Kunden, aber ich bin stolz darauf. Darüber hinaus habe ich eine Serie von handgemalten Grußkarten, die ganz gut gehen.«

»Toll.«

Wieder berührte sie leicht meinen Arm. »Hier ist meine Visitenkarte. Das nächste ASU-Treffen ist am zwanzigsten. Ruf mich doch einfach an, dann erkläre ich dir den Weg. Oder«, sie zögerte, »wir könnten auch zusammen fahren. Manchmal ist es leichter, wenn man persönlich vorgestellt wird.«

»Okay.« Ich nahm die Karte, atmete die Meeresluft ein und fragte mich, ob ich diese Frau mochte. »Zeig doch mal, was du da zeichnest.«

Ihr weicher, nahezu ängstlicher Gesichtsausdruck war für mich gut nachvollziehbar. Warum sollte sie einer Fremden ihre Kreationen zeigen?

Trotzdem unternahm ich noch einen Versuch. »Nur ganz kurz.« Sie hob den Deckel ihres Zeichenblocks.

»Wow! Toll! Die sehen ja super aus. Du brauchst dich wirklich nicht zu verstecken. Diese Zeichnungen sind unheimlich gut.«

Sie sah zufrieden aus. »Es sind keine Zeichnungen, nur Skizzen.«

Vorsichtig berührte ich das Bild eines Vogels im Sturzflug. Als ich den Finger wieder hob, hatte ich die Zeichnung verschmiert. »O nein!«

»Das macht nichts. Es ist nur eine Skizze.«

»Das tut mir echt leid.« Ich hielt meinen geschwärzten Finger in die Höhe und wischte ihn nicht ab, als könnte ich den Vogel wieder zusammensetzen.

»Es ist wirklich nicht schlimm.« Sie klappte ihren Zeichenblock wieder zu.

»Du hast echt Talent.«

»Dankeschön«, antwortete sie, und ihre Stimme erinnerte mich wieder an eine Muschel, als müsse ich mein Ohr ganz nah dorthin halten, wo sie sich der Welt öffnete, damit ich sie wirklich hörte.

Whitney stand auf und schwankte ein wenig auf dem zerklüfteten Felsen. »Ich gehe jetzt.«

»Zurück zum Workshop?«

»Nein, ich fahre nach Hause, aber –« Sie sah mir in die Augen und sagte dann in einem völlig anderen Tonfall, einem Tonfall, der nach Selbstbehauptungstraining klang, zwar klar und laut, aber dennoch nicht überzeugend: »Gib mir deine Telefonnummer.«

Kein Problem. Ich kritzelte sie auf den Deckel ihres Zeichenblocks. »Ich wohne auch in der East Bay«, meinte sie, als sie die Vorwahl sah. »War nett, dich kennenzulernen.« Whitney kletterte vom Felsen herab, stellte sich in den Sand und blinzelte gegen das Sonnenlicht zu mir hinauf.

»Tschüß«, sagte ich und hakte die Hände im oberen Teil meiner Latzhose ein. Später, viel später, wünschte ich mir, ich hätte sie um die Skizze des Vogels im Sturzflug gebeten, des Vogels, in dem ich diese bedrohliche Sehnsucht in mir wiederentdeckte.

»Tschüß«, antwortete sie. Als eine schäumende Welle herankam und ihre braunen Halbschuhe umspülte, lachte sie, winkte noch einmal und ging davon.

Nach einer Weile kehrte ich zu der Stelle zurück, an der ich mein Auto geparkt hatte, um ebenfalls heimzufahren. Aber es war weg. Abgeschleppt. Ich stand ganz ruhig dort, wo es hätte sein sollen, atmete die frische Meeresluft in vollen Zügen ein, spürte, wie die Sonne auf meiner Haut brannte, und fühlte mich viel zu verträumt, um mich zu ärgern. Dann spazierte ich zur Polizeiwache in der Stadt, und selbst die Mitteilung, daß ich meinen Wagen erst am Montagvormittag wieder abholen konnte, nahm ich mehr oder weniger gelassen hin. Ich hatte keine andere Wahl, als zum Sex-Workshop zurückzukehren.

Die Frauen waren nach ihrem delikaten vegetarischen Abendessen gerade beim Aufräumen. Keine fragte mich, warum ich fortgegangen war, und ich gab auch keine Erklärung ab. An diesem Abend beteiligte ich mich sogar ein wenig an der Diskussion. Das Meer, die Felsen, der Strand – auch ein paar ungewöhnliche lila Blumen, die ich in einem der Gärten entdeckt hatte, sowie ein unglaublich schöner Vogel, der sich über dem Strand in die Lüfte schwang, die Vorlage für Whitneys Zeichnung – hatten in mir ein neues Gefühl der Weite ausgelöst. Als ich den einzelnen Frauen zuhörte, nahm ich sie jeweils als *Gesamtpersonen* wahr und vernahm nicht nur ihre Worte. Ich bemerkte, wie sie mit ihren Haaren spielten, sah ihre offenen Arme beim Gestikulieren, die ängstliche Verwirrtheit in ihren Augen und nahm diese Essenz wie einen Duft in mich auf. Anstatt darauf zu achten, was ich an einer Frau sexy fand, konzentrierte ich mich auf das Verborgene, das Unsichtbare, auf die Dinge, die mir wichtig wären, wenn ich sie näher kennen würde.

Am Abend legte ich mich nicht in das mir zugeteilte Bett, sondern nahm meinen Schlafsack mit auf die Veranda hinterm Haus. Bei Dämmerung war vom Meer her Nebel aufgekommen, der nun das Haus, die Veranda und mich einhüllte. Er schloß den Mond und die Sterne aus und legte sich feucht auf mein Gesicht, als ich auf dem Rücken lag und in die schwarze Nacht blickte. Eine grimmige Einsamkeit machte sich in mir breit, und zum ersten Mal in meinem Leben ließ ich sie zu. Irgendwann schlief ich ein, und am nächsten Morgen war mein Schlafsack völlig durchnäßt.

4

IN DER FOLGENDEN Woche ging ich nur wegen der Bibliothekarin in die Bibliothek. Zuvor hatte ich mir einen Plan zurechtgelegt. Ich wollte ihr erzählen, daß ich am Wochenende am Strand gewesen war, was ja stimmte, und nun ein Buch über die kalifornische Küste suchte, was nicht stimmte. Ich nahm an, wir würden uns erst über die Bücher unterhalten und uns dann auf meine Initiative hin verabreden. Sie sah klasse aus in ihrem weiten schwarzen Pulli, der farblich genau zu ihren Haaren paßte, ihren Jeans und den schwarzen Schnürstiefeln.

»Was für ein Zufall!« meinte sie. »Ich habe gerade eine Bibliographie über die kalifornische Küste zusammengestellt.«

Eine Biblio*was*?

Sie reichte mir einen Zettel. »Schau dir diese Liste doch einmal an. Sie ist sicherlich nicht vollständig, aber das Wichtigste steht drauf.«

Ich war absichtlich zu einer Uhrzeit aufgetaucht, zu der ich keinen Hochbetrieb erwartete, und es war tatsächlich ruhig, so daß sie nichts anderes zu tun hatte, als stehenzubleiben und auf mich zu warten.

Ich sah erst auf die schwarze Tinte und dann auf ihre schwarzen Haare und versuchte, eine Verbindung herzustellen zwischen dem Buchstabengewirr auf diesem Zettel und dem Gebiet, auf dem ich mich auskannte: der Schönheit einer Frau. Ob ihre Haare wohl gefärbt waren? Ihre Augen waren nämlich stahlbau. Dann aber fielen mir ihre dichten schwarzen Augenbrauen auf, die auf ihrem blassen Teint aussahen wie zwei liegende Ausrufezeichen. Wenn Haar- und Augenbrauenfarbe übereinstimmten, mußte es ihre echte Haarfarbe sein. Am liebsten hätte ich diese Augenbrauen berührt. Sie wirkten auf mich wie die Augenbrauen einer intelligenten Frau, voller Aufmerksamkeit und Konzentration. Auch wenn ich während meiner Schulzeit häufig schwänzte und immer irgendwelchen Ärger machte, hatte ich mich doch stets in die klugen Mädchen verliebt. Aber nicht in die ruhigen, strebsamen, sondern in die außergewöhnlichen, eigenwilligen Mädchen, die zwar alles mögliche ausheckten, sich aber nie erwischen ließen.

Ich sah wieder auf die schwarzen Buchstaben auf dem Zettel und meinte schließlich: »Ich richte mich einfach nach deinem Tip.« Ich wünschte, meine Hände würden nicht so zittern.

»Es kommt ganz darauf an, was du suchst«, fuhr die Bibliothekarin unbeirrt fort. »Die Bibliographie –« Den Rest ihres Satzes hörte ich nicht mehr, weil sich just in diesem Augenblick die Tür des Leseförderraums öffnete und Deirdre Felix herauskam.

Meine Lehrerin blieb stehen, sah mich an und fragte: »Wo waren Sie denn letzte Woche?«

Da stand ich also zwischen der Bibliothekarin auf der einen und meiner Lehrerin auf der anderen Seite, und beide warteten auf eine Antwort.

»Ähm«, sagte ich.

Deirdre Felix gab einen leisen Ton von sich, *Pffh*. Dann drückte sie kurz meinen Arm und ließ von mir ab. »Ist schon in Ordnung«, meinte sie und ging langsam davon, als sei sie sehr müde oder enttäuscht. Sollte *ich* sie etwa enttäuscht haben?

»Warten Sie!« hörte ich mich sagen. Ich gab der Bibliothekarin ihren Zettel zurück und lief Deirdre Felix hinterher. Als sie sich umdrehte, merkte ich, daß sie heute kein Make-up trug und älter wirkte als sonst. Sie sah aus wie ein zerknülltes Taschentuch. »Haben Sie da drin meinen, ähm, meinen Vertrag beendet?« fragte ich und zeigte mit dem Daumen auf Marilyns Büro.

»Ich habe einen Termin mit einer neuen Schülerin ausgemacht«. Ihre Stimme klang schleppend, als sei sie mit den Gedanken völlig woanders. In diesem Augenblick konnte ich mir vorstellen, Deirdre Felix zu mögen. Vielleicht weil bei ihrem Unterricht vor allem sie eine Rolle spielte, weniger ich oder eine eventuelle neue Schülerin, die ihr zugeteilt würde. Ich verspürte ein ähnliches Gefühl – es war so etwas wie Neugierde –, wie ich es am Wochenende mit den Workshop-Frauen erlebt hatte. Vielleicht schlummerte in allen

Frauen etwas Verborgenes, vielleicht waren wir alle auf der Suche nach Vollständigkeit. Was immer Deirdre Felix momentan Sorgen bereitete, schien ihr gleichzeitig auch eine gewisse Kraft zu verleihen, zumindest im Umgang mit mir.

Trotz dieser Überlegungen erwiderte ich »Gut« auf ihre Nachricht bezüglich der neuen Schülerin, als sei ich froh darüber, daß dieser Kelch nun an mir vorüberging. Doch dann schien mein Mund ein Eigenleben zu führen, indem er formulierte: »Aber eigentlich ist es gar nicht gut.«

Deirdre Felix wirkte noch immer, als sei sie gedanklich mit anderen Dingen beschäftigt und höre mir kaum zu.

Mein Mund fuhr fort: »Es tut mir leid, daß ich letzte Woche nicht da war. Ich würde es gerne noch einmal versuchen. Das nächste Mal komme ich bestimmt.«

»Beim ersten Termin kamen Sie eine Viertelstunde zu spät, und den zweiten ließen Sie gleich ganz ausfallen. Vielleicht sind Sie zu diesem Schritt doch noch nicht wirklich bereit.«

»Das macht zwei Fehlschläge«, entgegnete ich, froh darüber, ihre Aufmerksamkeit wiedererlangt zu haben. »Beim Baseball scheidet man erst beim dritten Mal aus.«

»Sie sind wie Arnie«, sagte sie und lächelte so, als fände sie das zwar lästig, aber in gewisser Weise auch liebenswert.

Arnie? Ach ja, der Arztgatte. Ich war neugierig. »Wie das?«

»Immer bereit, zu tricksen.«

Diese Frau hatte eine Stunde und ein paar Minuten mit mir verbracht. Warum bildete sie sich ein, mich so gut zu kennen?

Sie sah meinen überraschten Gesichtsausdruck. »Ich lebe schon seit neununddreißig Jahren mit einem Bluffer zusammen. Ich kenne die Anzeichen.«

»Daß Sie glauben, so gut über mich Bescheid zu wissen, finde ich eine ziemliche Anmaßung«, erwiderte ich und kam mir dabei reichlich entblößt vor. Beinahe hätte ich ihr meine alte Leidensgeschichte präsentiert: den Vater, der sich nie lange in einem Job hielt, die Mutter, die ihn hinauswarf, als ich vierzehn war, und mich, die ich als Jugendliche ohne Vater aufwuchs, den einzigen Menschen, der mich jemals bedingungslos geliebt hatte. Ich hatte diese Geschichte stets parat, konnte sie meinem Gegenüber wie schweren Sirup aufs Butterbrot schmieren, und meistens trat der gewünschte Erfolg ein – zumindest war das bei der Mehrzahl der progressiven, wohlmeinenden

LehrerInnen und BeraterInnen so gewesen. Sie waren meistens schon ganz begeistert darüber, daß ich überhaupt etwas erzählte. Die Aussicht, mich möglicherweise wieder auf den rechten Weg zu bringen, bestätigte sie in ihrer jeweiligen Aufgabe. Ich fand es geradezu unglaublich, was man mit Aufrichtigkeit, egal ob sie gespielt war oder nicht, alles erreichen konnte. Manchmal war mir der Unterschied selbst nicht mehr klar.

Ich sah in das unbeteiligte Gesicht dieser Frau, die mit Sicherheit Besseres zu tun hatte, als sich meine Rechtfertigungen anzuhören, und wußte, daß meine Geschichten sie in keiner Weise beeindrucken würden; genauso war mir damals klar gewesen, daß sie bei Mrs. Roach nicht wirkten. Zudem lag meine Schulzeit schon zehn Jahre hinter mir. Hier ging es nicht mehr darum, LehrerInnen etwas vorzumachen. Deirdre Felix sah mich abwartend an, und ich bekam einen Schweißausbruch.

Dann holte ich tief Luft, hielt inne, warf einen Blick zu der Bibliothekarin, die an ihrem Computer beschäftigt schien, atmete noch einmal tief ein und verkündete laut: »Ich würde einfach gerne lesen lernen.«

In diesem Augenblick blieb die Welt stehen. Ich könnte schwören, daß in dieser Sekunde auf der ganzen Erde niemand sich bewegt oder ein Wort gesprochen hatte. Mir war, als habe meine Angst die Wirklichkeit von mir abgeschnitten. Einen Moment lang glaubte ich, ich würde mich in Luft auflösen. Dann aber merkte ich, daß ich Tränen in den Augen hatte, worüber ich mich schämte, und daraufhin kamen mir die Realität, die Geräuschkulisse und meine Körperwahrnehmung mit voller Wucht wieder zu Bewußtsein. Da stand ich also, inmitten dieser erbarmungslosen Welt.

»Na gut«, sagte Deirdre Felix beiläufig, als hätte ich ihr nicht gerade erst mein Innerstes vor die Füße geworfen, als hätte ich nicht laut und deutlich eingestanden, daß ich Hilfe brauchte. »Aber dann fangen wir jetzt sofort an. Ich habe eine Stunde, und ich verschwende nicht gerne Zeit. Punkt drei Uhr gehen Sie wieder.«

»Okay«, krächzte ich und kam mir dabei splitternackt vor.

Die Bibliothekarin, die unser Gespräch ohne weiteres hätte hören können, starrte immer noch auf ihren Bildschirm, allerdings ohne zu tippen.

Mir war kalt, ich zitterte und versuchte dennoch, ihren Blick zu erhaschen, bevor ich Deirdre Felix zum Leseförderraum folgte.

Wenn ich ihr nur einmal zublinzeln könnte, ginge es mir besser. Aber sie sah nicht auf.

Deirdre Felix und ich setzten uns an den Tisch. Da wir keine Bücher hatten, holte sie einen Schreibblock und forderte mich auf, ihr eine interessante Episode aus meinem Leben zu erzählen, die sich kürzlich ereignet hatte. Sie bat mich, langsam zu sprechen, damit sie mitschreiben konnte, und danach sollte ich ihr das Ganze vorlesen. Auf diese Weise würde ich lernen, meine eigene Geschichte zu lesen.

»Gibt es denn keine Lehrbücher?« fragte ich. »Wird Ihnen kein richtiges Material zur Verfügung gestellt?«

»Wir werden auf diese Weise arbeiten.«

Ich starrte sie an. Und wenn ich nicht auf diese Weise arbeiten wollte? Eine altbekannte Wut stieg in mir auf und verlieh mir Kraft. »Na guuut«, erwiderte ich, immer noch wütend. Wenn du Angst hast, fühlst du dich innerlich wie Wackelpudding, Wut dagegen macht aus deinem Körper einen Stahlträger. Ohne einen festen Halt in mir würde ich diese Stunde nicht überstehen.

Nun, Deirdre Felix, was meinst du hierzu? Ich begann mit meiner Geschichte: »Vor etwa vier Monaten machte ich mit meiner letzten Freundin Schluß. Im Augenblick will ich keine richtige Beziehung, sondern suche eher eine, ähm, eine lockere Verbindung.« Ich legte eine Pause ein, damit Deirdre Felix mitschreiben konnte, und lobte mich innerlich dafür, nicht den Ausdruck »eine zum Vögeln« verwendet zu haben. »Am letzten Wochenende fuhr ich an die Küste, zu diesem Workshop über Sexualität.« Sie wollte doch eine Geschichte, also würde sie auch eine bekommen. Deirdre Felix spitzte die Lippen, lehnte sich über ihren Schreibblock und wartete. Sie sah nicht auf. »Ich persönlich finde die Idee von einem Workshop über Sex ja ein bißchen seltsam, aber eine Freundin von mir hatte ihre Partnerin auf diese Weise kennengelernt und mir den Tip gegeben.« Nichts auslassen, rief ich mir in Erinnerung. Deirdre Felix würde von der pinkelnden Dr. Julie Higginboth zu hören bekommen, von steckengebliebenen Dildos und allem, was dazugehört.

»Naja, also am ersten Vormittag fühlte ich mich in der Runde nicht besonders wohl, deshalb bin ich gegangen.« Ich konnte es kaum fassen. Ich hatte sämtliche interessanten Details weggelassen! »Ich weiß auch nicht recht, aber die Vorstellung, Sex zu planen oder irgendwie zu regulieren, hatte meine Libido ganz durcheinandergebracht. Außerdem meinte Mickey neulich, ich würde viel zuviel an Sex denken, und ich fand, daß er recht hatte. Also ging ich einfach fort.

Ich ging spazieren und fühlte mich so richtig wohl. Es war ein wunderschöner Tag und ... ähmmm. Hmm.« Plötzlich war mein Hirn vollkommen leer. Dies lief meiner ursprünglichen Absicht ganz und gar entgegen. Ich wollte Deirdre Felix doch den Sexkram beschreiben, nicht Meer und Himmel, Garten und Vogel.

Nach einer Weile sah Deirdre Felix von ihrem Block auf: »Ist das das Ende Ihrer Geschichte?«

»Nein.«

Vielleicht zum ersten Mal an diesem Tag sah sie mich richtig an. Sie lächelte. Ihre Augen hatten die Farbe von geschmolzenem Zinn, ein weiches, trübes Grau. »Also?« fragte sie.

Mit einem Mal sah ich jenen Nachmittag mit all seinen Einzelheiten deutlich vor mir, und ich fuhr fort: »Auf meinem Weg zum Strand kam ich an einem Haus mit einem üppigen Garten voller wilder Pflanzen vorbei. Es war ja schon Oktober, und trotzdem blühten da all diese vielen Blumen.

Ich stand eine ganz Weile am Zaun und betrachtete mir den Garten. Es gab da eine riesige Pflanze mit stacheligen Blättern und solchen enormen, büschelartigen violetten Blüten, sofern man sie überhaupt als Blüten bezeichnet. Sie sahen aus wie diese altmodischen Rasierpinsel, nur viel größer und eben violett. Die Pflanze war eigentlich total häßlich, aber gleichzeitig wunderschön.

Dann ging ich weiter zum Strand. Dort traf ich eine Frau aus meinem Workshop, die sich ebenfalls aus dem Staub gemacht hatte, und unterhielt mich eine Weile mit ihr. Nachdem sie gegangen war, setzte ich mich in den heißen Sand und betrachtete die Klippen. Ich war innerlich ganz ruhig und friedlich, obwohl es da gleichzeitig auch diese, ähm, diese unheimlich große Sehnsucht in mir gab.«

Warum, fragte eine nüchterne Stimme in mir, erzählst du einer dir völlig fremden Frau eigentlich diesen ganzen persönlichen Kram? Ich kam mir vor wie eine dieser blöden Raumfähren: Ein Teil von mir war fest mit der Erde verankert, und ein anderer Teil wirbelte unkontrolliert irgendwo im luftleeren Raum umher. Ich fuhr fort.

»Als ich da saß, beobachtete ich einen Vogel, der im Sturzflug auf das Ufer hinabstieß, immer wieder, bis er seine Beute schließlich erwischte und mit ihr davonflog. Es war der gleiche Vogel, den Whitney, diese Frau von vorher, gezeichnet beziehungsweise skizziert hatte.

Dieser Nachmittag, die Pflanze mit den violetten Blüten und der herabstoßende Vogel und auch diese innere Sehnsucht lösten in mir etwas aus – den Wunsch nach einem Halt. Ich *wollte* einen Halt finden.«

Ich sah Deirdre Felix an. Die Lippen gespitzt, schrieb sie schnell, um mitzukommen. Dabei sah sie so unbeteiligt aus, als würde sie bei einem Rechtsanwalt zum Diktat sitzen.

»Ich wollte unbedingt einen Halt finden«, wiederholte ich, » in meinem Leben sozusagen.«

Deirdre Felix setzte die i-Punkte und malte einen dicken schwarzen Punkt am Ende des letzten Satzes, als hätte ich kein Leseproblem, sondern einen Sehfehler. Dann schob sie mir das Blatt Papier zu. Sie hatte sehr deutlich geschrieben. Wir lasen meine Geschichte ungefähr fünfmal durch und sahen uns verschiedene Wörter genauer an. Ich hatte das Gefühl, als würde ich diesen Nachmittag in mein Hirn einmeißeln. Am Ende der Stunde fragte sie: »Wie heißt Ihre Geschichte?«

»Einen Halt finden«, antwortete ich.

Sie forderte mich auf, den Titel oben auf die Seite zu schreiben. Dabei kam ich mir völlig bescheuert vor. Ich krallte den Stift, als würde er leben, als sei er eine Schlange mit Tintenkopf, und versuchte, meine Buchstaben ebenso klar zu malen wie sie. Es kam mir vor, als brauchte ich für die Überschrift eine halbe Stunde. Dann gab sie mir eine Liste mit zehn Wörtern – wie *Strand, violett* und *Libido* –, die ich zu Hause ein paarmal schreiben sollte. Sonst nichts, ich sollte sie nur schreiben.

»Darüber hinaus«, sagte sie, »möchte ich, daß Sie herausfinden, wie diese Pflanze mit den violetten Blüten heißt. Und der Vogel im Sturzflug.«

Einen Augenblick lang antwortete ich nicht. Das war viel schwerer, als zehn Wörter ein paarmal zu schreiben.

»Was hat das denn mit Lesen zu tun?« fragte ich.

»Es geht um Disziplin, um den Blick fürs Detail.«

Waren wir hier beim Militär, oder wie? Das war ja wohl ein

Witz. Wie sollte ich denn den Namen der Pflanze herausbekommen? Etwa zu diesem Haus zurückfahren und fragen? Und der Vogel?

Allerdings war klar, daß diesem Feldwebel meine Vorgehensweise ganz offensichtlich egal war. Es wurde einfach erwartet, daß ich es tat. Basta.

5

ALS ICH ERFUHR, daß die Bibliothekarin Pam heißt, war ich enttäuscht. Diesen Namen konnte ich überhaupt nicht leiden. Er klang so schwammig, so fad. Diese Pam dagegen war ein richtiges Energiebündel; sie wirbelte durch die Bibliothek, um mir ein Buch nach dem anderen über Vögel und Pflanzen herauszusuchen, während ich am Tisch saß und mir diejenigen durchsah, die sie bereits vor mir aufgestapelt hatte. Sie machte aus dem im Grunde mühseligen Unterfangen einen nahezu unterhaltsamen Abend. Vielleicht lag das auch an dem Gegensatz zwischen ihr und der muffigen Atmosphäre, die von diesem mit Büchern vollgestopften Raum ausging. Mir war fast, als würde Pams Aura einen Farbenschweif hinter sich lassen, während sie in der Bibliothek hin- und herlief. Sie besaß wirklich jede Menge Energie.

Ich tat ganz cool, beobachtete sie verstohlen, lächelte nur wenig und hielt mich zurück. In meinem Inneren jedoch tobte es – ich war total verknallt. Am liebsten hätte ich einen Teil ihrer Energie selber genutzt und ihr damit eine gewisse Erleichterung verschafft. Ich wußte, daß ich sie dazu bringen könnte, mich zu brauchen. Ich wäre ihr Ruhepol, dem sie sich ganz und gar hingeben konnte.

Ihr Körper war unwiderstehlich, sozusagen vollkommen.

Nach nur einer Stunde hatte ich in einem Buch über Küstenvögel ein Foto des gesuchten Vogels gefunden.

Ich zeigte Pam das Bild, und sie sagte: »Ein Wanderfalke? Wow! Die sieht man ganz selten.«

Sie stand neben mir, beugte sich herunter und stützte sich mit den Ellbogen auf dem Tisch auf, wobei ihre Brüste die untere Buchseite bedeckten. Währenddessen las sie den Text über den Vogel auf der oberen Seitenhälfte.

»Wanderfalke«, wiederholte ich und prägte mir den Namen ein. Als sie fortging, um einem anderen Besucher weiterzuhelfen, schrieb ich die Buchstaben ab. Irgendwie fühlte sich die Verbindung zwischen Hirn und Hand gut an, als ich jeden einzelnen Buchstaben abmalte, als hätte er noch eine weitere Bedeutung. Dieses Gefühl hatte ich in der Schule niemals verspürt. Es war, als gehörten all diese Buchstaben zu einem Vogel, der vor den Klippen hin- und herflog, um Fische aus dem Meer zu erbeuten. Als die erste Hälfte des Wortes – *Wander* – dastand, lächelte ich.

Dann befürchtete ich plötzlich, jemand könne mich beobachten, wie ich so langsam schrieb und den Stift so verkrampft hielt wie ein kleines Kind. Lässig sah ich auf. Pam, die Bibliothekarin, zog ein paar Bücher aus einem Regal und reichte sie einem gelangweilt dreinblickenden Teenager. Ich versuchte, meine Hand zu entspannen und den Stift in der Beuge zwischen Zeigefinger und Daumen ruhen zu lassen, so wie andere Erwachsene das taten.

Als ich mich der zweiten Worthälfte – *falke* – zuwandte, hörte ich, wie sich hinter mir zwei Männer an einen Tisch setzten. Sie lachten, erkundigten sich gegenseitig nach der jeweiligen Gattin und verstummten dann für einen Augenblick, während Papierrascheln und Räuspern zu hören war. Als ich die tiefe, langsame, stockende Stimme des einen Mannes vernahm, wußte ich sofort Bescheid. Ich drehte mich um und sah zwei Afroamerikaner nebeneinander am Tisch sitzen. Derjenige, der las, war etwa in meinem Alter, vielleicht etwas älter, so Mitte Dreißig. Neben ihm saß ein älterer Herr mit weißen Haaren, der ihm ermutigend zunickte. Der Jüngere stützte den Kopf auf die Hände und quälte sich durch ein Kinderbuch. Dabei sprach er die Wörter Buchstabe für Buchstabe laut aus: »D-d-iiiie, ähm, *die*. K-k-k-a-z-z-eee, ähm, *Katze*! Die Katze –« Er lehnte sich in seinem Stuhl zurück und lachte laut, stolz darauf, *»die Katze«* entziffert zu haben. Sein Lehrer klopfte ihm auf den Rücken und meinte: »Gut, Charles, weiter so.«

Mit einem Mal war mir schlecht. In der entgegengesetzten Ecke des Raumes saß noch ein Schülerin-Lehrerin-Paar, das ich bislang geflissentlich übersehen hatte. Die Schülerin war eine Frau um die Fünfzig, die eine alte, vormals weiße und inzwischen gräuliche Stretchhose und ein geblümtes Polyester-T-Shirt trug.

Als sich unsere Blicke trafen, lächelte sie mir zu. Neben ihr saß mit ernster Miene eine junge Frau, vermutlich eine Studentin. Warum hatte mir diese Frau zugelächelt? Hatte sie gemerkt, daß auch ich eine erwachsene Leseanfängerin war?

Dieses Programm war nichts für mich. Ich war anders als diese weiße Frau da drüben in ihrer gräulichen Stretchhose und anders als dieser schwarze Mann, der mitten in der Bibliothek saß und Wort für Wort laut vorlas, als sei es ihm vollkommen egal, daß er damit seine Leseunkundigkeit zur Schau stellte. Ich war schließlich nicht dumm. Zugegeben, ich konnte nicht besonders gut lesen, aber ich war auch keine Analphabetin.

Ohne noch einmal an Pam zu denken, schob ich meinen Stuhl zurück und verließ die Bibliothek.

Am Tag meines nächsten Termins mit Deirdre Felix rief ich Enrique an und sagte ihm, ich habe Fieber und könne nicht zur Arbeit kommen. Ich hatte immer noch nicht den zweiten Teil des Wortes – *falke* – aufgeschrieben und war mir nicht sicher, wie man ihn buchstabierte. Zudem hatte ich ja den Namen dieser buschigen Pflanze mit den violetten Blüten auch noch nicht herausgefunden. Entweder machte ich meine Hausaufgaben, oder ich ging heute abend nicht zu meinem Treffen mit Deirdre Felix. Den ganzen Tag über entschied ich mich um die zwanzigmal, nicht zu gehen. Es war ja der dritte und letzte Versuch, blablabla.

Um sechs Uhr abends jedoch, eineinhalb Stunden vor unserem Termin, betrat ich doch wieder die Bibliothek.

»Hallo!« sagte Pam und strahlte mich an. »Du hast vor ein paar Tagen gar nicht tschüß gesagt.«

Sie sah klasse aus in ihrem schwarzen Minirock und dem roten Pulli. Miniröcke gefallen mir an dicken Frauen noch besser als Steghosen. Den Mut, den das erfordert! Sie könnten genausogut sagen: »Ich wiege ungefähr 80 Kilo, und ich trage einen Minirock, na und?«

»Ich wollte mir noch einmal dieses Buch ansehen, das über die Küstenvögel.«

»Welches denn? Du hattest ja eine ganze Menge auf dem Tisch liegen.«

»Das mit dem Falken.«

»Ach ja! Der Wanderfalke. Was für schöne Vögel. Warte, ich hol's dir.«

Ich setzte mich an den gleichen Tisch wie das letzte Mal und wartete darauf, daß sie mir das Buch brachte. Als sie es mir mit einem Augenzwinkern überreichte, löste sich ein harter Knoten in meinem Bauch auf. Pam in der Bibliothek hatte auf mich den gleichen Effekt wie Milch und Zucker in bitterem Tee. Nachdem sie wieder weggesaust war, blätterte ich in dem Bildband, bis ich das Bild meines Vogels fand, und schrieb die Buchstaben *f-a-l-k-e* ab.

Dann sah ich mich in der Bibliothek um. Die Frau in der Stretchhose war zwar nicht da, wohl aber Charles. Er saß nur einen Tisch weiter. Er trug eine wunderschöne Lederjacke aus butterweichem Leder in einem satten schokoladenfarbenen Braunton und nagelneue Jeans. Dieses Mal war er alleine. Er las wieder in einem Kinderbuch, formte die Worte lautlos mit den Lippen und zeichnete sie mit dem Finger nach. Er hatte die schönen langen, geraden Finger eines Musikers. Ich starrte ihn an. Einerseits fühlte ich mich von seiner Lederjacke und seinen Händen angezogen, andererseits fand ich sein fehlendes Schamgefühl widerwärtig. Schließlich bemerkte er meinen Blick und sah auf. Er zuckte ein paarmal mit den Augen, rieb sie sich und wandte sich wieder seinem Buch zu. Er blätterte ein paar Seiten um, betrachtete sich die Bilder und klappte es zu. Dann sah er noch einmal zu mir, ging in die Kinderbuchabteilung und stellte das Buch wieder ins Regal. Auf seinem direktem Weg zum Ausgang wäre er an mir vorbeigekommen, aber er machte einen großen Umweg durch verschiedene Gänge, bevor er schließlich hinausging.

Ich war peinlich berührt. Er war gegangen, weil er mein eigenes Unbehagen gespürt hatte, davon war ich überzeugt. Gleichzeitig war ich aber auch froh darüber, daß er fort war. Wenn er da neben mir saß und in einem Kinderbuch Worte mit den Fingern nachzeichnete und lautlos aussprach, konnte ich mich einfach nicht konzentrieren.

Ich sah auf die Uhr. Halb sieben. Ich ging zur Toilette, spritzte mir kaltes Wasser ins Gesicht und kehrte zu meiner Arbeit zurück.

Nun also zur Pflanze. Pam und ich blätterten in einem Dutzend verschiedener Bücher, bis wir ein Bild fanden, das meiner Pflanze in etwa entsprach.

Es stellte sich heraus, daß es keineswegs eine Küstenpflanze war – deshalb hatten wir sie in den einschlägigen Büchern auch nicht gefunden – , sondern eine verwilderte Artischockenpflanze! Das wiederum fand Pam, die Bibliothekarin, richtig aufregend, weil Artischockenpflanzen ihrer Meinung nach unglaublich schön waren. Ich bestätigte ihre Auffassung und wies noch einmal auf dieses besondere Exemplar hin, das so groß war wie ein Kalb und violette Blüten hatte. Sie wollte mir kaum glauben, daß eine Artischockenpflanze im Oktober blühte, aber ich war mir ganz sicher, daß dies meine gesuchte Pflanze war. »Sie ist eben eine Spätentwicklerin«, sagte ich zu Pam und schenkte ihr mein gewinnendstes Lächeln.

Gerne hätte ich gewußt, was über den Wanderfalken und die Artischockenpflanze in den Büchern stand, zum einen, weil es mich interessierte, und zum anderen, um Deirdre Felix zu zeigen, daß ich mehr als nur das Nötigste getan hatte. Allerdings wollte ich Pam nicht bitten, mir die Texte vorzulesen. Ich war mir nicht sicher, wieviel sie an jenem Abend von dem Gespräch mit Deirdre Felix mitbekommen hatte, und wollte einfach lieber glauben, daß sie nichts von meinen Leseschwierigkeiten wußte. Schließlich wäre jede andere ja genauso vorgegangen wie ich, um den Namen einer Pflanze oder eines Vogels zu erfahren, oder etwa nicht? Man schaut sich die Bilder an, bis man das Richtige findet. Genau das hatte Deirdre Felix mit ihrer Aufgabe natürlich beabsichtigt. Sie hatte sich überlegt, auf welche Weise ich unbefangen viel Zeit in der Bibliothek verbringen könnte.

Nun mußte ich irgendwie zu diesem Leseförderraum gelangen. Es war eine Minute nach halb acht. Zwischenzeitlich war es in der Bibliothek ruhig geworden, so daß Pam nichts besseres zu tun hatte, als sich mit einer Pobacke halb auf meinem Tisch niederzulassen, ein Buch über Gartengemüse durchzublättern und witzige, zum Teil auch zweideutige Kommentare über ihre Lieblingspflanzen und -gemüsesorten abzugeben. Ihr Minirock war ziemlich weit hochgerutscht.

Ich hatte Deirdre Felix zwar nicht hereinkommen sehen, aber das hieß ja nicht, daß sie nicht da war. Also stand ich auf und sagte: »Bin gleich wieder da.«

So selbstsicher wie möglich ging ich in den hinteren Teil der Bibliothek und öffnete die Tür zum Leseförderraum. Beim Hineingehen dachte ich daran, wie stolz Mickey jetzt auf mich wäre. Ich hatte mich gerade gegen eine heiße Frau entschieden, bei der die Chancen meiner Ansicht nach ziemlich gut standen, und statt dessen ein Treffen mit meiner Lehrerin vorgezogen. Ich versuchte, ein Gefühl der Zufriedenheit zu empfinden, aber leider fühlt sich tugendhaftes Verhalten nie so gut an, wie es das eigentlich sollte.

Ich sah mich in dem leeren Zimmer um, setzte mich dann an einen der Tische und wartete. Fünf nach halb acht. In meinem Magen breitete sich ein flaues Gefühl aus. Versetzte mich meine Lehrerin etwa? Wollte sie mir eine Lektion erteilen? Irgendwie erschrak ich darüber, daß mir das offenbar etwas ausmachte. Ich glitt mit dem Finger über die Wörter *Wanderfalke* und *Artischockenpflanze*, die ich in mein Notizheft eingetragen hatte. Es war ja keine große Sache. Nur zwei ganze Abende, die ich in der Bibliothek verbracht hatte.

Zwanzig vor acht. Viertel vor acht.

Eigentlich hatte ich keine große Lust, mit Marilyn zu reden oder sie überhaupt zu sehen, insbesondere, wenn ich wirklich gerade versetzt worden war. Aber an manchen Abenden arbeitete sie in der Tat länger, und ich vernahm Geräusche aus ihrem Büro. Da die Tür einen Spalt offen stand, spähte ich hinein.

»Marilyn?«

»Ach, Lori, hallo.«

»Ich habe einen Termin mit Deirdre Felix.«

»Hat sie dich nicht erreicht? Sie rief etwa vor einer Stunde an und meinte, sie habe eine Erkältung. Sie wollte dir eine Nachricht auf dem Anrufbeantworter hinterlassen.«

»Oh!« Das war gut, das war echt gut. Nicht ihre Erkältung, sondern daß sie mich nicht versetzt hatte. »Ich war nicht zu Hause.«

»Nächste Woche um die gleiche Zeit, hat sie gesagt.«

»Danke.«

Pam summte vor sich hin und wühlte in einem Papierstapel auf ihrem Schreibtisch, als ich wieder in die Bibliothek kam. Da ich nicht wußte, was ich sagen sollte, nahm ich die Bücher über die Küstenvögel und die Gartengemüse von dem Tisch, auf dem ich sie liegengelassen hatte, und ging zu ihr.

»Kann ich die ausleihen?«

»Ja, natürlich. Hast du eine Ausweiskarte?«

»Nein.« Au weia. Unter anderen Umständen hätte ich das Ganze spätestens jetzt abgeblasen, aber diese Bücher hier wollte ich wirklich gerne mitnehmen.

»Kein Problem.« Sie zwinkerte mir erneut zu. »Füll einfach das hier aus, und dann bekommst du einen Ausweis«, meinte sie und schob mir ein Formular zu.

»Gut«, antwortete ich, während die Buchstaben auf dem Papier vor meinen Augen tanzten. Meinen Namen und meine Adresse konnte ich zwar schreiben, aber es machte mich nervös, daß sie mich dabei beobachtete. Ich schrieb »Lori Taylor« auf die Zeile, unter der »Name« stand. Dann ergriff mich die totale Panik. »Also, ich habe mir vor ein paar Tagen im Geschäft die Hand gequetscht, und sie tut immer noch total weh. Deswegen habe ich auch so langsam geschrieben.« Super, Lori. Damit hast du eine gute Grundlage geschaffen. »Wärst du so nett, weil ich echt einen totalen Krampf habe, und würdest das für mich machen?« Ich schob ihr das Formular zu und fuhr fort: »Ich wohne in der Acton Street ...«

Bingo. Sie nahm mir geradewegs den Stift aus der Hand und füllte meinen Antrag für den Bibliotheksausweis aus. Dann schenkte sie mir ein Lächeln, das sich nur als Flirten im fortgeschrittenen Stadium interpretieren ließ. Als sie mir das Rückgabedatum in meine Gartenbücher stempelte, fragte ich sie, ob sie sich am kommenden Samstag vielleicht diese einzigartige Artischockenpflanze ansehen wolle.

Der schwärmerische Ausdruck in ihren Augen flackerte ein wenig. Sie zog ihre Hände zurück, die noch auf meinem Buch lagen, nachdem ich es ergriffen hatte. »Liebend gerne, aber am Samstag habe ich keine Zeit«, antwortete sie und lächelte noch einmal.

Sollten diese feurigen Blicke und dieser quirlige Enthusiasmus wirklich nur dem Wanderfalken und der wildwachsenden Artischockenpflanze gegolten haben? Aber wegen einiger Bücher würde doch wohl niemand so ausflippen, oder?

Also noch ein Versuch. »Und wie wär's am Sonntag?«

Zögerte sie, oder bildete ich mir das ein? »Ich kann nicht«, antwortete sie schließlich mit fester Stimme. »Aber trotzdem danke.«

Nachdem ich mit meinen Büchern unterm Arm aus der Tür und außer Hörweite war, äffte ich sie mit Falsettstimme nach: »Ich kann nicht, aber trotzdem danke.«

6

MIT MEINEN BEIDEN Büchern fuhr ich geradewegs zum Eisstadion. Pams Zurückweisung machte mir zwar etwas aus, aber nicht allzu viel. Beharrlichkeit ist der Schlüssel zum Flirterfolg. Ich mochte Herausforderungen, und ich würde es ein andermal wieder versuchen.

Zudem spürte ich innerlich dieses verrückte Kribbeln, wenn ich an den Wanderfalken und die Artischockenpflanze dachte, als seien mir die beiden fast wichtiger als eine heiße Frau im Minirock. Was war nur mit mir los? Ich mußte unbedingt alles über diesen Vogel und diese Pflanze wissen. Und zwar noch heute abend. Mickey würde mir die Texte ganz gewiß vorlesen, und er war sicherlich im Eisstadion zu finden.

Vor ein paar Tagen hatte ich ihn gefragt, ob wir nach der Arbeit noch eine kleine Fahrradtour machen wollten. Er antwortete: »Bald ist die Sommerzeit zu Ende. Dann können wir nach der Arbeit ohnehin nicht mehr fahren.«

»Das ist keine Antwort, Mickey«, erwiderte ich. »Ich rede von heute abend. Heute ist es hell genug.«

Er zuckte mit den Schultern. »Wir würden aber nicht weit kommen.«

»Eine kleine Tour ist besser als gar keine.«

Er schwieg.

Dann kapierte ich. Er wollte zum Eisstadion. »Wenn du dich verabredet hast mit Sheri–«

»Sheila«, korrigierte er mich brüsk, als hätte ich sie beleidigt.

»Entschuldige. Sheila also. Dann sag doch einfach: ›Ich habe mich mit Sheila verabredet. Ich kann heute abend nicht mir dir Fahrrad fahren.‹«

»Ich habe mich nicht mit Sheila verabredet.«

»Dann komm mit mir«, sagte ich grinsend und versuchte, fröhlich zu klingen, aber dabei kam ich mir vor wie ein ausgehöhlter Kürbis, grinsend zwar, aber hohl und nur von einer kleinen Flamme beleuchtet.

»Ich gehe Schlittschuhlaufen.«

»Du gehst Schlittschuhlaufen, um dich mit Sheila zu treffen.«

»Ich gehe Schlittschuhlaufen, um Schlittschuh zu laufen. Vielleicht ist Sheila dort, vielleicht aber auch nicht.«

Wenn Menschen verliebt sind, kommen eigenartige Züge ihrer Persönlichkeit zum Vorschein. Edith löst sich in Luft auf, als würde sie einfach überwältigt. Bei Mickey hatte ich mir noch nie überlegt, welche Folgen die Liebe für ihn haben würde. Im allgemeinen war er ja eher romantisch veranlagt, aber dieses Versteckspiel? Das war bislang gar nicht seine Art gewesen. Er mußte mir doch nichts vorlügen, nur weil er mit Sheila zusammensein wollte. Ich stand ihm ja nicht im Weg. Okay, geh doch ins Eisstadion, dachte ich mir an jenem Abend. Dann fahre ich eben alleine, kein Problem.

Aber heute abend brauchte ich Mickey.

Das Eisstadion war voll mit Kindern und Teenagern. Was wollte Mickey nur hier? Erwachsene Männer lernten Frauen normalerweise in Kneipen kennen. Oder vielleicht im Radclub. Oder eine Kundin. Mickey hätte eine nette Unterhaltung mit einer Kundin anfangen und sich mit ihr verabreden können. Ich hätte ihm jemanden vorstellen sollen, eine Hetero-Freundin, eine *erwachsene* Hetero-Freundin. Die Vorstellung, daß mein bester Freund jeden Abend im Eisstadion herumhing, gefiel mir absolut nicht.

Ich kletterte auf die Zuschauertribüne, setzte mich und versuchte, ihn in dem bunten Treiben zu entdecken.

Da war er. Ich hatte keine Ahnung, daß Mickey so gut Schlittschuh laufen konnte. Er hielt eine kräftig gebaute junge Frau an der Hand, deren Gesicht von dunklen Sommersprossen übersät war. Sie hatte kurze braune Haare mit so vielen kleinen Locken, daß es aussah, als würden sie ihren Kopf einzwängen.

Sie fuhr ebenfalls gut. Mit hochroten Gesichtern glitten sie zügig über das Eis und bewegten ihre Arme im gleichen Rhythmus. Viele andere auf dem Eis beobachteten sie, als seien sie die Hauptattraktion, ein Vorbild. Mickey sagte etwas zu ihr, und einen Augenblick später änderten ihre Beine – seine dünn und krumm, ihre stabil und stämmig – gleichzeitig die Richtung. Sie waren wirklich gut! Ich fragte mich, ob die Eltern der jungen Frau wußten, wo sie war.

Als sie auf mich zukamen, stieg ich die Tribüne hinunter und stellte mich an die Bande. Ich setzte ein unverbindliches Lächeln auf, das mir für eine erste Begegnung geeignet schien, und rief laut: »Hallo, Mickey!«

Eis spritzte mir ins Gesicht, als sie nur ein paar Meter von mir entfernt geschickt zum Stehen kamen. Die junge Frau ließ seine Hand los, und er steckte sie in die Tasche, als wolle er die Stelle beschützen, die sie gerade noch berührt hatte. Beide hatten eine ernste, fast feierliche Miene aufgesetzt, als sei Schlittschuhlaufen für sie etwas Heiliges. Mir wurde klar, daß Mickey mich weder gesehen noch gehört hatte und nicht ahnte, daß ich hier war. Einen Augenblick später fuhr er wieder los. Mit zusammengepreßten Knien und nach außen gestellten Füßen blieb Sheila am Rand stehen. Soweit ich das erkennen konnte, zeigte sich in ihrem runden, freudestrahlenden Gesicht keine einzige Falte. Sie preßte ihre rosigen Lippen zusammen und sah Mickey voller Bewunderung zu, als er eine herrlich geschwungene Acht fuhr und dann mit im Fahrtwind flatternden Haaren zu ihr zurücksauste. Noch ein paar Eisspritzer, und dann stoppte er nur wenige Zentimeter von ihr entfernt, so daß seine schmale Brust ihren üppigen Busen beinahe berührte. Er kicherte.

O nein, dachte ich, Mickey ist verliebt.

Ich preßte die beiden Bücher an meine eigene Brust und beschloß, daß es mit dem Vorlesen noch bis morgen Zeit hatte.

Doch beim Verlassen des Eisstadions schwand der ganze Enthusiasmus, der mich zuvor so bewegt hatte, allmählich dahin, und ich wußte, daß ich ihn nicht mehr darum bitten würde.

Ich fühlte mich einsam. Es war die gleiche Einsamkeit, die an jenem Abend am Strand, als ich im Nebel auf der Veranda übernachtete, so ganz und gar von mir Besitz ergriffen hatte. Eine plötzliche, gewaltige Einsamkeit.

Bis vor kurzem war mir der Begriff Einsamkeit völlig fremd gewesen. Angst, ja. Panik, ja. Wut, häufig. Aber nicht Einsamkeit. Zu Hause angekommen, legte ich eine riesige Tortilla auf einen Teller und rieb etwas Cheddar darüber. Dann hackte ich drei extra scharfe Jalapeño-Chilies, zwei mehr als sonst, warf sie darauf und stellte das Ganze in die Mikrowelle. Als der Käse geschmolzen war, rollte ich die Tortilla zusammen und biß ein großes Stück ab. Augenblicklich verbrannte ich mir den Gaumen an dem heißen Käse. Vor Schmerz jaulte ich auf, schnappte nach Luft, und schlagartig wurde mir klar, daß die Chilies meinen gesamten Mund und Rachen in Brand gesetzt hatten. Ich brach in Tränen aus, und in diesem Moment klingelte das Telefon.

Trotz meiner brennenden Kehle ging ich ran.

»Hallo?« sagte ich keuchend.

»Kann ich bitte mit Lori Taylor sprechen?«

»Am Apparat.« Ich hörte mich an, als habe ich ein Emphysem.

»Lori? Hier ist Whitney Yarbrough. Ist bei dir alles in Ordnung?«

»Oh, hallo«, erwiderte ich, von meiner kulinarischen Katastrophe immer noch ganz außer Atem. »Ja, alles klar«, log ich. »Ich bin nur gerade achtzig Kilometer Fahrrad gefahren und daher ziemlich erledigt.«

»Es ist doch schon dunkel.«

»Jaja, ich fahre immer im Dunkeln. Bei meinem Terminkalender stellt sich einfach die Frage: entweder im Dunkeln oder gar nicht fahren.« Bei meinem Terminkalender! Ich war von mir selbst beeindruckt, wie rasch ich zu der Unternehmerin wurde, für die sie mich hielt. Ich öffnete das Gefrierfach, nahm eine alte Packung Hamburger heraus und hielt sie mir an die brennende Zunge.

»Aha.« Ihre Stimme klang kühl, aber nicht ganz und gar geschäftsmäßig, als sie fortfuhr: »Das nächste ASU-Treffen ist am kommenden Donnerstag. Willst du vielleicht mitkommen?«

»Gern, warum nicht?« antwortete ich, ganz von dem Wunsch beseelt, so schnell wie möglich wieder aufzulegen. Bis nächsten Donnerstag war es noch lange hin, und ich könnte den Termin ja jederzeit absagen oder einfach nicht auftauchen.

»Was hältst du davon, wenn ich dich abhole?« schlug Whitney vor. »Wir sind ja eine geschlossene Gruppe und haben es daher am liebsten, wenn eine von uns die neue Frau vorstellt.«

Nun war es ja nicht gerade so, daß in meiner Freizeit ein Termin den nächsten jagte. Inzwischen konnte ich mich ja noch nicht einmal mehr auf Fahrradtouren mit Mickey freuen. »Okay.«

Nachdem wir uns verabschiedet hatten, drückte ich kurz auf die Verbindungstaste und wählte dann Ediths Nummer, nur um zu erfahren, daß der Anschluß nicht mehr bestand und die Teilnehmerin unter einer neuen Nummer erreichbar war. Edith mußte zu ihrer neuen Freundin gezogen sein, ohne mir Bescheid zu sagen. Ich legte auf, ohne mir ihre neue Nummer zu notieren.

7

ICH WOHNTE IM flachen Teil von Berkeley in einem kleinen Hinterhaus in der Acton Street. Im Vorderhaus lebte meine Vermieterin, die jedoch nur selten da war, weil sie zwischen der Ost- und Westküste hin- und herpendelte. Sie unterrichtete an der hiesigen Uni, aber da ihr Mann an der Uni in Boston eine Stelle hatte, war sie häufig unterwegs. In solchen Zeiten benutzte ich hin und wieder ihren Grill, der zusammen mit zwei bequemen Holz-Gartensesseln auf ihrer Veranda stand. Auf dem gepflegten Stück Rasen zwischen der Veranda und meinem Häuschen standen ein paar Obstbäume, die jede Menge Zitronen, Pflaumen und Äpfel hervorbrachten. Mein Haus war zwar klein und ziemlich teuer, dafür aber äußerst gemütlich.

Nicht daß ich glaubte, Whitney Yarbrough damit zu beeindrukken. Sie stand vermutlich mehr auf Oberlichter, strahlend weiße Wände, Glasbausteine, nüchterne moderne Kunst, Kakteen und eine schöne Aussicht auf die Bucht.

Für das ASU-Treffen zog ich meine grüne Jeans an, ein langärmeliges weißes T-Shirt und meine schwarze Strickweste. Die schwarzen Cowboystiefel waren meine einzigen Schuhe mit Absatz, und ich dachte, ein paar Zentimeter könnten nicht schaden. Ich trug große Silberohrringe und ließ meine Haar locker um die Schultern fallen, anstatt sie wie üblich zusammenzubinden.

Vielleicht würde es ja zwischen mir und irgendeiner heißen Frau mit viel Knete funken.

Dann würde ich mich zur Ruhe setzen und für den Rest meines Lebens antike Fahrräder restaurieren; ich würde monatelang nach ausgefallenen Einzelteilen suchen, mich wochenlang mit dem originalgetreuen Nachbau von Schwinn-Bonanzarädern beschäftigen, tagelang ein einziges Schutzblech aus Chrom polieren ...

Träum weiter, Lori.

Ich riß mich von meinem Spiegelbild los. Vor dem Treffen sollte ich eigentlich noch etwas zu mir nehmen, aber Essen ist für mich ein ständiges Problem. Ich hasse kochen, und meine üblichen Mahlzeiten – erstens Müsli, zweitens Quesadillas und drittens Rühreier mit Toast – hingen mir allmählich zum Hals heraus. Wenn meine Vermieterin im Sommer weg war, gab es auch ab und zu gegrilltes Hähnchen. Heute abend hatte ich jedoch weder Müsli noch Tortilla, Käse, Eier oder Brot im Haus, und zum Grillen war es an diesem Abend und auch für die Jahreszeit schon zu spät. Ich überlegte, ob ich mir noch schnell eine Kleinigkeit holen sollte, zum Beispiel ein bißchen Kraftfutter – Radlerslang für Burritos –, aber in einer Viertelstunde wollte Whitney hier sein.

Sie kam fünf Minuten zu früh. Just in dem Augenblick, als sie an die Tür klopfte, sah ich den Zettel auf dem Fußboden neben meinem Bett, auf dem ich je zehnmal in klobigen Lettern meine Übungswörter aufgeschrieben hatte. Mir war, als knallte mein Herz einmal an alle Seiten meines Brustkorbs. Reiß dich zusammen, Lori, sagte ich mir, das ist doch keine Leiche. Ich schnappte den Zettel, schleuderte ihn unters Bett und machte die Tür auf. Whitney hatte beide Arme voller Äpfel. »Die liegen überall im Garten verstreut!« sagte sie. »Sie sehen so gut aus.«

Dankbar für etwas, auf das ich meine Aufmerksamkeit richten konnte und das mich wieder etwas beruhigte, nahm ich einen der Äpfel und hielt ihn ans Licht. Er wirkte nahezu durchsichtig gelb mit knallroten und hellgrünen Flecken. Die vielen Äpfel in ihren Armen verströmten einen süßlichen, erdigen Geruch. Am liebsten hätte ich mein Gesicht in ihnen vergraben, aber vielleicht hatte ich auch einfach nur Hunger. »Willst du hereinkommen?«

»Nimmst du sie zum Kochen und Backen?« fragte Whitney und legte die Äpfel in mein kleines Spülbecken.

»Na klar«, erwiderte ich zum Scherz. Langsam erholte ich mich wieder. »Ich backe ständig Kuchen und mache Kompott, getrocknete Apfelringe, Aufstriche und Apfelstrudel.«

Sie lachte und sah sich in meiner Wohnung um.

Ich bin sehr ordentlich. Auch wenn ich nichts vom Kochen halte, putze ich doch regelmäßig. Mein Häuschen besteht aus zweieinhalb Zimmern. In dem ziemlich geräumigen Bad befindet sich eine freistehende Badewanne mit Klauenfüßen. Im großen Zimmer steht mein Himmelbett, und in dem halben Zimmer ist eine Küchenzeile eingerichtet. Es gibt keinen Herd, nur ein kleines Spülbecken, eine Heizplatte und eine Mikrowelle. Die Hauptattraktion in meiner Wohnung sind drei Fahrräder, die gegenüber vom Bett von der Zimmerdecke herabhängen. Whitney ging direkt auf jenes zu, das ich selbst gebaut hatte. Allein die Einzelteile waren etwa eintausend Dollar wert, und im Geschäft würde das Fahrrad mehrere tausend kosten. Ehrfürchtig berührte sie einen Reifen. Dann fuhr sie mit dem Finger eine Speiche entlang bis über das blitzblanke Schaltwerk. Es mag pervers sein, aber der Anblick einer Frau, die ein tolles Fahrrad streichelt, macht mich immer scharf.

»Ich habe ein Bianchi«, meinte sie.

»Mmmh«, erwiderte ich.

Rasch drehte sie sich um. »Findest du Bianchis nicht gut?«

»Das habe ich nicht gesagt.«

»Aber es hat sich so angehört.«

»Manche Leute finden sie gut. Es kommt immer darauf an, ob das Rad paßt.« Ich fügte nicht hinzu, daß Bianchis nach meiner Erfahrung niemandem so richtig paßten, daß es meiner Ansicht nach Fahrräder für Leute sind, die vom Radfahren keine Ahnung haben, aber ein Markenrad fahren wollen. Etwa vergleichbar mit einem Audi – schon ziemlich nobel, aber doch nicht das Echte.

»Gehen wir?« fragte ich, um das Thema zu wechseln.

Sie nickte. Whitney trug eine graue Bügelfaltenhose und einen rosa Baumwollpulli. Ihre Messingohrringe hatten die Form von kleinen Katzen. Für den Bruchteil einer Sekunde malte ich mir aus, daß ich jetzt mit Pam ausgehen würde, der kräftigen, feurigen Pam im Minirock. Diese Vorstellung nahm mir fast den Atem, und ich bekam weiche Knie.

»Es ist schön bei dir«, sagte Whitney, als ich die Tür abschloß. Sie stupste mit dem Finger an den Dorn einer Rose. »Diese Kletterrose ist ja riesig. Sie bedeckt ja fast dein ganzes Haus. Blüht sie denn auch?«

»O ja, gelb. Im Sommer sieht das wunderschön aus.«

»Das würde ich gerne sehen«, meinte sie und folgte mir auf dem kleinen Fußweg zur Straße, »wenn die Rose blüht.«

Ihre Stimme klang beiläufig, als habe sie nur etwas Nebensächliches von sich gegeben. Und dennoch war es in die Zukunft gerichtet, *Monate* in die Zukunft, wie ein Wunsch.

Während Wein und Blätterteigröllchen gereicht wurden, von denen ich innerhalb der ersten halben Stunde mindestens zwanzig vertilgte, stellte mich Whitney einer Menge netter Frauen vor. Mir fiel auf, daß sie alle weiß waren und einen gesunden, frischen Teint hatten. Das Haus befand sich am oberen Ende der Spruce Street im hügeligen Teil von Berkeley und hatte Oberlichter, strahlend weiße Wände, Glasbausteine und eine schöne Aussicht auf die Bucht; nüchterne moderne Kunst und Kakteen dagegen waren nicht zu sehen. Die ganze Wohnung roch nach Gardenien.

»Was ist das denn?« fragte ich die Gastgeberin, eine gewisse Alix mit lockigen Haaren, und zeigte auf einen langen grünen Stengel der oben tiefrot war und auf dem eine orange Haube mit violettem Stachel saß, so daß das Ganze einem Einhorn ähnelte. Fünf dieser Stengel waren in einer Vase aus dickem violettem Glas arrangiert. Ich war drauf und dran, die Blume zu berühren, zog meine Hand aber im letzten Moment zurück.

»Ach, faß sie ruhig an!« sagte Alix lachend und schüttelte ihre langen braunen Locken. »Das sind Strelitzien. Sind sie nicht hübsch?«

Das waren sie wirklich. Ich fragte mich, ob Deirdre Felix Strelitzien kannte. Als ich ihr bei unserem letzten Treffen in der vergangenen Woche die beiden Namen von Vogel und Pflanze gezeigt hatte, erzählte sie mir, daß sie einen Garten habe und Pflanzen so gerne mochte. Sie sind besser als Tiere, hatte sie gesagt. Ihrer Ansicht nach waren Pflanzen etwas ganz Besonderes, weil sie sich ihre Nahrung aus dem Sonnenlicht selbst herstellten, während Tiere von Natur aus abhängig und gierig waren. Auch wir sind natürlich Tiere, hatte sie hinzugefügt, deshalb mögen wir sie. Aber sie sind nicht so gut wie Pflanzen.

Es war das Ausführlichste und bei weitem Persönlichste, was sie mir gegenüber bislang geäußert hatte. Vermutlich war sie selbst darüber überrascht, denn gleich darauf nahm sie wieder ihre geschäftsmäßige Haltung ein.

Zuvor jedoch durchströmte mich ein warmes Gefühl, eine

freundliche Neugier. In dieser Woche würde ich sie fragen, ob sie in ihrem Garten auch Strelitzien hatte.

»Das ist Joy, meine beste Freundin aus Oberlin«, sagte Whitney. Sie hielt eine Frau mit roten Wangen und einem dunklen Pony an der Hand; ihre langen dunklen Haare waren zu einem Zopf zusammengebunden.

Ich wandte mich von den Strelitzien ab, lächelte höflich und fragte: »Wo liegt das denn?«

»Oberlin«, wiederholte Whitney, um mir auf die Sprünge zu helfen.

»Hast du dort früher gewohnt?«

Das kurze Schweigen zeigte mir, daß ich etwas Dummes gesagt haben mußte.

»Oberlin College«, entgegnete Joy. »Im letzten Studienjahr haben wir im gleichen Zimmer gewohnt.«

»Ach so! Oberlin«, sagte ich glucksend, als wolle ich einen kleinen Ausrutscher überspielen. »Du hast mir gar nicht erzählt, daß du in Oberlin warst. Ich hole mir noch ein Glas Wein. Soll ich euch auch etwas mitbringen?«

Im gleichen Augenblick fragte Whitney, genau wie ich vermutet hatte: »Auf welchem College warst du denn?«

Ich nahm ihr das Glas aus der Hand, obwohl es noch ein Drittel voll war, schenkte Whitneys bester Freundin aus Oberlin mein bezauberndstes Lächeln und ging ohne zu antworten schnurstracks zum Buffet.

Als ich die beiden Weingläser viel zu voll schüttete und mir dabei noch ein paar dieser Blätterteig-Leckerbissen in den Mund stopfte, überkam mich plötzlich ein so starkes, ja körperlich spürbares Verlangen, daß ich die Gläser abstellen mußte.

Ich wollte etwas in den Händen halten, etwas, das ich reparieren konnte, irgendwelche kalten Einzelteile, die mit einem perfekten »Klink« oder »Plopp« zusammenpaßten. Ich dachte an meinen Dad, sehnte mich nach ihm und überlegte, ob ich ihn heute abend noch anrufen sollte. Ob die Nummer, die ich hatte, wohl noch stimmte? Meistens war das nicht der Fall.

»Ist alles in Ordnung?« fragte Whitney neben mir.

»Ja. Ich bin nur etwas schüchtern«, antwortete ich und reichte ihr ein randvolles Glas.

»Komm, wir fangen jetzt an.«

Sie hakte mich unter und zog mich zu einem weißen Ledersofa, das penetrant nach Kuh roch – es war offenbar neu – und nach teurem Leder quietschte, als ich mich setzte. Dabei landeten einige Spritzer Wein auf meiner Hose.

Alix fing an, indem sie ein Gedicht vorlas, das vom Erreichen der eigenen Träume handelte. Danach schilderten die ASU-Frauen nacheinander ihre geschäftlichen Erfolge und Mißerfolge, die sie seit ihrem letzten Treffen vor einem Monat erlebt hatten. Whitney hatte eine Menge zu berichten. »Dieser Monat war für mich unglaublich«, meinte sie. »Ich habe zwei neue wichtige Kunden gewonnen.«

Einige der Frauen klatschten Beifall. Sie lächelte und fuhr fort: »Der erste ist *Garden Variety*, ein Geschäft für New Age und Gartenzubehör.«

»Huuui!« riefen die meisten. »Toll!«

»Dazu mache ich in Zukunft alle Anzeigen und Prospekte für *Sweet Tooth*, den Süßwarenladen im Castro. Und schließlich haben vier neue Läden meine Grußkarten ins Programm genommen.«

»Whitney, das ist ja toll!« Ich war wirklich beeindruckt. Sie war eine so gute Künstlerin und hatte diesen Erfolg eindeutig verdient. Sie lächelte mich vorsichtig an, so daß ich in einem plötzlichen Anfall von Kühnheit ihr Knie zunächst tätschelte und dann drückte.

»Wegen der Karten ist mir etwas mulmig zumute«, fügte sie hinzu. »Es sind die mit den nackten Frauen. Mein Dad wird einen Anfall bekommen.« Sie lachte gezwungen, und ich merkte, daß sie das eigentlich überhaupt nicht lustig fand.

Eine sehr große Frau mit silbrigen Haaren und Igelfrisur meinte: »Langsam wird es was bei dir, Whitney. Bald wirst du ein richtiges Unternehmen haben.«

Ich merkte, wie Whitney ein wenig in sich zusammenfiel. Sie war höchst anfällig für alles, was auch nur im entferntesten nach Kritik roch. Ich stieß sie sanft mit meiner Schulter an, und als sie mich ansah, zwinkerte ich ihr zu.

»Jetzt mußt du zusehen«, riet die silberhaarige Frau, »daß du am Ball bleibst. Mit Hilfe dieser beiden neuen Kunden kannst du noch weitere bekommen.«

Ihr Tonfall verriet, daß sie Whitney den Durchbruch keineswegs zutraute.

»Whitney scheint im Moment ganz gut am Ball zu bleiben«, schaltete ich mich ein.

Ich meinte, ein unterdrücktes Kichern von Joy zu hören, die die silberhaarige Frau gleich darauf fragte: »Wie steht es denn mit deinem Copyshop, Dory?«

»Dory ist eifersüchtig«, flüsterte ich Whitney ins Ohr. »Gratuliere zu deinen beiden neuen Kunden.«

Whitney sah mich nicht an und antwortete nicht, aber sie wurde rot.

Nun stellte Dory wortreich ihre Ergebnisse des vergangenen Monats dar. Sie erwähnte keinerlei Rückschläge und bot mehreren Frauen an, die vor ihr zu Wort gekommen waren, ihnen den einen oder anderen Tip zu geben. Im Laufe ihrer Ausführungen wurde mir klar, daß sie mit ihrem Unternehmen wahrscheinlich fünfmillionenmal mehr Umsatz machte als jede andere dieser Frauen und es daher als ihr Recht oder sogar ihre Pflicht ansah, Vorträge zu halten.

»Ein Copyshop«, meinte ich, als sie endlich die Klappe hielt. »Das ist ja echt pfiffig. Was kann bei einem Copyshop schon schiefgehen? Leicht verdientes Geld.«

Es folgte eine peinliche Stille. Na gut, es war tatsächlich eine spitze Bemerkung gewesen, aber das mußte einfach mal gesagt werden. Zwischen einer Künstlerin, die Fuß zu fassen versucht, und der Besitzerin eines Copyshops besteht einfach ein himmelweiter Unterschied. Whitney könnte genauso absahnen, wenn sie nicht ihre Leidenschaft zum Beruf gemacht hätte.

Alix, die Gastgeberin, schüttelte ihre braunen Locken, als wolle sie damit die Luft reinigen, und schlug ein Abschlußritual vor. Bevor ich herausfand, was es damit auf sich hatte, wurde sie von Dory unterbrochen: »Was ist denn mit unserer neuen Mitfrau? Von ihr haben wir ja noch gar nichts gehört.«

Sämtliche Blicke richteten sich auf mich.

»Whitney hat erzählt, daß du ein Geschäft aufmachen möchtest«, sagte Dory auffordernd.

»Mmh, genau.«

»Erzähl uns etwas davon!« forderte Joy aus Oberlin mich begeistert auf.

»Naja, ähm, also es ist ein gemeinsames Projekt von meinem Freund Mickey und mir. Ein Fahrradladen.« Sie warteten ab, und mir war klar, daß ich ein paar Einzelheiten liefern mußte. Nicht klekkern, sondern klotzen, lautete die Devise.

»Wir gehen davon aus, daß wir circa zweihundert Quadratmeter brauchen werden.«

»Das ist ja riesig!« rief jemand aus.

»Ein ehrgeiziges Projekt«, meinte Dory und warnte damit vor dem Scheitern.

Ich sah ihr in die Augen, und mit einem Mal gewann die Schaumschlägerin in mir die Oberhand. »Stimmt. Warum sollten wir klein anfangen? Wenn du eine gute Idee hast und von ihr überzeugt bist, mußt du auch alles dransetzen. Mickey und ich wollen den Laden im ersten Jahr zu zweit machen. Wir werden schuften bis zum Umfallen, aber wir kommen gut miteinander aus und arbeiten beide gerne.«

»Aber wenn die Flitterwochen erst einmal vorbei sind –«, setzte Dory dagegen.

Ohne auf sie zu achten, fuhr ich fort: »Ich möchte sowohl gute Fahrräder für AnfängerInnen anbieten als auch die gehobene Ausstattung für alle mit etwas mehr Erfahrung. Der Laden soll einladend wirken, aber nicht so aufgemotzt wie einige der Geschäfte im Stadtzentrum. Irgendwann später möchten wir dann auch noch einen Ladenclub aufmachen, und zwar nicht für Profis, sondern für Leute, die in ihrer Freizeit regelmäßig trainieren.« Jedes einzelne Wort, das da aus meinem Mund kam, war mir neu. Ich hatte mir das alles spontan ausgedacht, aber es klang meiner Meinung nach ziemlich gut.

»Was ist mit dem Startkapital?« bohrte Dory weiter.

»Haben wir.«

Sie hob die Augenbrauen. Obwohl sie auf der anderen Seite des Zimmers saß, merkte ich, wie sich ihre Haltung veränderte, wie sie sich allmählich auf meine Seite schlug. Dory war offensichtlich eine Frau, deren Herz bei dem Wort »Kapital« aufging, insbesondere, wenn darauf die Worte »Haben wir« folgten.

»Habt ihr euch schon nach einem Geschäftsraum umgesehen?« fragte Joy.

»Ja«, log ich, »aber wir haben bislang noch nichts Geeignetes gefunden.«

»Wollt ihr zunächst mit einem Teilsortiment eröffnen oder mit vollem?«

Ein Augenblick der Panik, aber dann preschte ich vor. »Ganz gewiß mit vollem.«

Sie schleuderten mir eine Frage nach der anderen an den Kopf, und ich schmetterte sie nacheinander alle ab. Parallel zu meinem zunehmendem Selbstbewußtsein stieg ihre Bewunderung. Dory fing an, auf den Fingernägeln herumzukauen.

Joy lehnte sich so weit vor, daß sie nur noch auf dem Stuhlrand saß. »Zu Beginn solltet ihr auf jeden Fall rasch einen guten Kundenstamm aufbauen, um die hohen Investitionskosten und die Miete auszugleichen. Wir können ja mal gemeinsam überlegen, wie das zu leisten wäre.« Anders als bei Dory gründete sich ihr Ratschlag auf Begeisterung und Unterstützung. Das fühlte sich gut an.

Nun übertrafen sich die Frauen gegenseitig mit originellen Ideen. Man hätte fast annehmen können, daß sie in ihrem Leben nichts anderes getan hatten, als Fahrräder zu verkaufen.

Whitney reichte mir Zettel und Bleistift. »Vielleicht willst du dir ein paar dieser Vorschläge aufschreiben«, schlug sie vor.

»Oh, nein danke«, entgegnete ich und schob Zettel und Stift von mir fort. Plötzlich war mein Hochgefühl verschwunden. Wieder wurde es still im Raum; meine Reaktion hatte wohl hochmütig geklungen, so als interessierten mich ihre Ideen nicht wirklich. »Also, ich habe nämlich ein wahnsinnig gutes Gedächtnis. Ich kann mir alles behalten. Also am besten kann ich zuhören, wenn ich nicht mitschreibe. Also wenn ich nur zuhöre.«

Verdammt, die Alsos waren wieder da. Jetzt hörte ich mich an, als hielte ich mich für ein Genie, als besäße ich ein fotografisches Gedächtnis oder so etwas. Die Frauen rutschten auf den Stühlen herum, drehten an ihren Knöpfen und räusperten sich. Dann beschlossen sie offenbar, daß ich in Ordnung sei und doch nicht ganz so arrogant, wie ich mich angehört hatte, denn nun setzte erneut ein Schwall an hilfreichen Vorschlägen ein.

Es fühlte sich wirklich gut an. Ihre Begeisterung und ihre Bereitschaft, mir weiterzuhelfen, berührten mich, aber zugleich hatte ich auch ein schlechtes Gewissen, weil sie mir mit so viel Offenheit begegneten und ich ihnen etwas vormachte. Irgendwann, vielleicht in einem halben Jahr, lange nachdem ich das letzte Mal auf einem der Treffen war, würde eine von ihnen sagen: »Was ist eigentlich aus dieser Frau geworden, die einen Fahrradladen aufmachen wollte?«

»Sie hatte so einen zielstrebigen Eindruck gemacht«, würde eine andere antworten. Und Dory würde einmal verächtlich schnauben, als habe sie die ganze Zeit gewußt, daß ich niemals einen Fahrradladen eröffnen würde.

Ich betrachtete die Frauen um mich herum – sie gestikulierten lebhaft, wippten mit dem Körper und diskutierten mit leuchtenden Augen, und das alles meinetwegen. Sie waren ganz und gar bei der Sache, diese vor Gesundheit strotzenden, euphorischen Unternehmerinnen, aber jetzt konnte ich ihnen nicht länger zuhören. Ich hatte diese Begeisterung zwar ausgelöst, aber im Prinzip war ich der Sache gar nicht gewachsen. Ich empfand die gleiche Panik wie früher, als ich noch Drogen nahm, wenn die Wirkung allmählich nachließ und es da nur noch mich gab, nichts weiter.

Ein paar Minuten lang hatte ich tatsächlich einen Fahrradladen gehabt, und zwar einen unheimlich erfolgreichen.

Es war spät, als Whitney mich zu Hause absetzte. An diesem Abend hatten wir beide eindeutig im Mittelpunkt gestanden, sie wegen ihrer kürzlichen Erfolge und ich wegen meiner tollen Ideen. »Nochmal herzlichen Glückwunsch«, sagte ich beim Aussteigen. »Jetzt weiß ich, zu wem ich gehen muß, wenn ich Anzeigen für den Fahrradladen schalten möchte.«

Sie lächelte, antwortete nicht und sah mich etwas zu eindringlich an. Hoffentlich wollte sie damit nicht zum Ausdruck bringen, daß sie gerne mit hereinkommen würde. Whitney Yarbroughs Gegensätze machten mir angst. Sie war rosa und grau, samtweich und steinhart. Sie löste in mir Beschützerinstinkte aus – wenn ihr Selbstvertrauen schrumpfte und die Meinung ihres Vaters ihr Sorgen bereitete –, aber gleichzeitig vermittelte sie mir ein Gefühl der Unzulänglichkeit. Trotz ihres schrumpfenden Selbstvertrauens war alles, was sie anpackte, am Ende von Erfolg gekrönt, und die gleiche Erwartung stellte sie auch an andere, auch an mich. Vor meinem geistigen Auge sah ich mich bereits bei dem Versuch, sie zu retten und ihr gleichzeitig zu imponieren – eine ungünstige Mischung.

Ich nahm mir fest vor, mich mehr um Pam zu bemühen. Sie mußte einfach darauf eingehen. Einer Frau wie ihr, einer runden, vollständigen Persönlichkeit, würde ich mich hingeben können.

»Dankeschön fürs Mitnehmen«, sagte ich und schlug die Tür etwas zu fest zu.

8

»LIEBEND GERNE, aber an diesem Abend habe ich schon etwas anderes vor«, sagte ich, als Whitney eine Woche später anrief und mich fragte, ob ich mit ihr das neue Kunstmuseum in San Francisco besuchen wolle.

Ich hatte nicht gelogen. An diesem Abend fand mein fünftes Treffen mit Deirdre Felix statt. Andererseits schlug ich auch keinen anderen Termin vor. Ich bewunderte Whitney. Ich hatte mir in der Buchhandlung sogar ein paar ihrer Grußkarten gekauft, zart kolorierte Strichzeichnungen von Frauenkörpern, die ich so schön fand, daß ich sie im Bad auf die Fensterbank stellte – aber Bewunderung alleine reicht eben nicht. Gedanken an Whitney lösten in mir nicht das gleiche Wohlbehagen aus wie die Vorstellung von Pam, der kräftigen Pam mit ihrer Vorliebe für auffällige Kleidung und ihrer Hallo-Leben-hier-bin-ich-Haltung. Pam war eine echte Herausforderung, sie hatte wirklich was zu bieten – auch rein körperlich gesehen –, und auf sie konzentrierten sich meine Gedanken beim Einschlafen.

Den ganzen November über regnete es. Abends saß ich vor dem Fernseher und überlegte, ob ich Edith unter ihrer neuen Telefonnummer anrufen sollte, hörte Mickey zu, wenn er nach dem Schlittschuhlaufen vorbeikam und seine nächtlichen Loblieder auf Sheila anstimmte – er war eindeutig verliebt – und genoß mitternächtliche Sessions in meiner geliebten Badewanne, bei denen ich mir meine Wortkarten ansah.

»Entschuldigen Sie bitte diese Karten«, hatte Deirdre Felix gesagt. »Sie erinnern mich immer an die Grundschule und Sie vermutlich auch. Aber es ist einfach die beste Methode, um neue Wörter zu lernen. Sie müssen sie sich nur immer wieder ansehen, das ist alles.«

Die Wortkarten erinnerten mich tatsächlich an die Grundschule, und ich fand sie gräßlich, aber da Deirdre Felix zugegeben hatte, daß sie sie selbst auch nicht mochte, fiel es mir um so schwerer, mich dagegen aufzulehnen. Ich sollte sie jeden Abend durchlesen, was ich stets bis zuletzt vor mir herschob. Manchmal schlief ich darüber ein und träumte dann von riesigen »Es« und »S«, die im Universum umherschwebten wie für mich unerreichbare Ideen.

Die Wortkarten, meine Wahrnehmung des Stiftes in meiner Hand, der Anblick linierten Papiers und Deirdre Felix selbst, ja, ganz besonders Deirdre Felix selbst lösten in mir völlig widersprüchliche Gefühle aus. Sie waren eindringlich und verwirrend, und ich war nicht in der Lage, sie als eindeutig positiv oder negativ zu identifizieren – ich wußte nicht, ob ich Deirdre Felix liebte oder haßte. Ganz offensichtlich entstand allmählich eine Verbindung zwischen uns, aber zuweilen schien sich diese bei mir nur auf Wut zu gründen, als sei Deirdre Felix der Auslöser dafür, daß ich langsam ausrastete. Innerhalb von nur zehn Sekunden konnte ich zärtliche Gefühle für sie hegen und mir vorstellen, in welcher Lage sie schlief, und im nächsten Moment sah ich mich mit einer Machete in ihrem Garten wüten. Jede Woche war ich überzeugt davon, das Projekt abzublasen und nicht mehr zu den Treffen zu gehen, und in der letzten Sekunde machte ich mich dann doch auf den Weg.

Eines Nachmittags im November, nachdem ich nach einer Radtour auf meinem Mountainbike naß und durchgefroren nach Hause gekommen war und mich in der heißen Wanne wieder aufgewärmt hatte, lag ich auf meinem Bett und versuchte, die Wortkarten zu studieren. In einer Stunde hatte ich einen Termin mit Deirdre Felix.

Während ich eine Karte nach der anderen betrachtete, jede mit ihrem Geflecht aus Buchstaben, die aussahen wie kleine schwarze Spinnen, wurde ich unruhig.

Deirdre Felix hatte mir einmal den Rat gegeben, die Buchstaben zu berühren und mit den Fingern nachzuziehen, sobald ich dieses Kribbeln an meinem Rücken verspürte.

Ich streckte meinen Mittelfinger aus – den Stinkefinger –, legte ihn auf den ersten Buchstaben des Wortes *Durchhaltevermögen* und malte das *D* nach.

Plötzlich schleuderte ich den ganzen Stapel Wortkarten durchs Zimmer. Sie flatterten wie Tauben und landeten auf dem Teppich und dem Fußboden in der kleinen Küche, manche von ihnen mit der Vorder , andere mit der Rückseite nach oben. Ich funkelte die Karten böse an, drohte ihnen, wollte aufstehen und alle so umdrehen, daß ich kein einziges Wort mehr sehen mußte. Ich haßte sie. Ich haßte jedes einzelne Wort, das Deirdre Felix jemals auf eine solche Karte geschrieben hatte. Beim Lernen dieser Wörter hatte ich das Gefühl, als stecke mein Kopf in einem Bleistiftspitzer, als sollten sich all meine Gedanken auf einen stecknadelkopfgroßen Punkt fixieren.

Ich schloß die Augen und stellte mir vor, wie die füllige, weiche Pam auf mir lag und dieses Stecknadelgefühl in meinem Hirn mit heißer, feuchter Lust erstickte. Ich spürte ihren Mund an meinem Hals und ihre Hände auf meinen Rippen. Ihre Pobacken sahen aus wie bei jenen Frauen, die Whitney zeichnete, rund und voll und prall, Pobacken, bei denen dir das Herz aufgeht und sich das Gehirn ausschaltet. Ich fragte mich, was sie beim Liebesspiel wohl am liebsten mochte, und stellte mir dann die Aufgabe, mir zehn vollkommen verschiedene Möglichkeiten auszudenken, um sie zum Orgasmus zu bringen. Als ich bei Nummer acht angelangt war, einer ziemlich exklusiven, körperlich sogar recht schwierigen Stellung, riß mich die Sirene eines Polizeiwagens aus meinen Träumen. Da lag ich nun auf dem Bett, zart, verletzlich und heftig erregt und völlig unfähig, mich zu rühren. Pam war nicht hier. Warum nicht? Warum war ich alleine? Warum flirtete sie seit zwei Monaten gnadenlos mit mir und gab mir doch jedesmal einen Korb, wenn ich mich mit ihr verabreden wollte? Ich hatte es mindestens schon viermal versucht.

Ich sah seitwärts auf die Uhr neben meinem Bett. Mir blieb noch eine halbe Stunde bis zu dem Termin mit Deirdre Felix. Der Rausch, den ich vor einem Monat empfunden hatte, als ich dem Wanderfalken und der Artischockenpflanze auf die Spur gekommen war, kam mir nun vor wie ein Hologramm – als könne ich das Bild zwar vor mir sehen, es aber nicht berühren.

Was sollte das Ganze eigentlich? In meinem Alter würde ich ohnehin nicht mehr so fließend lesen lernen, daß es einen großen Unterschied machte. Nichts würde sich dadurch ändern, daß ich ein Dutzend Wörter kannte. Niemals würde ich im Sessel sitzen und dicke Romanschinken lesen, und mein nächstes Auto würde ich auf die gleiche Weise kaufen wie beim letzten Mal. Der Typ in der Bank schob mir ein paar Formulare zu, die so eng bedruckt waren, daß das Ganze aussah wie ein Ameisenhaufen. Ich überflog die fünf Seiten, gab vor, sie zu lesen und setzte schließlich meine Unterschrift darunter. Zu Hause angekommen, versuchte ich dann tatsächlich, den Kreditvertrag zu entziffern. Bereits nach einem Satz hatte ich das Gefühl, als drücke mir jemand ein Kissen aufs Gesicht. So einen Scheiß würde ich niemals lesen können, egal wieviele Jahre Deirdre Felix mir ihre Wortkarten unter die Nase hielt. Wenn ich einfach auf meinem warmen, trockenen Bett liegenbliebe, würde ich unseren Termin verpassen, und die Sache wäre gelaufen.

Dann fragte ich mich, was Pam heute wohl anhatte.

Ich hievte mich vom Bett, vor sexueller Erregung immer noch zitternd, und zog mir eine frischgewaschene Jeans und ein übergroßes kiwifarbenes Sweatshirt an. Dann putzte ich meine Brille, kämmte mich und beschloß, die acht Blocks bis zur Bibliothek zu laufen. Schließlich nieselte es ja nur.

Ich war gerade zwei Straßenblöcke von zu Hause entfernt, als es anfing zu schütten, und als ich endlich bei der Bibliothek ankam, waren meine Haare und Jacke völlig durchnäßt. Ich schüttelte den Kopf wie ein Hund, bevor ich das Gebäude betrat. Pam stand am Empfangstresen und legte gerade den Telefonhörer auf.

»Na, wie geht's?« fragte ich und lehnte mich an den Tresen.

»Gut. Und selbst?«

»Super, nur ein bißchen naß.«

»Es gibt solche Tage«, antwortete sie mit einem kokettem Lächeln. Dann stützte sie sich mit den Ellbogen auf den Tresen und beugte sich vor. Am liebsten hätte ich eine ihrer dichten schwarzen Augenbrauen gestreichelt.

»Stimmt«, pflichtete ich ihr bei und versuchte in meiner unsittlichen Art, in ihrer Bemerkung eine Zweideutigkeit herauszuhören. Gerade als ich ansetzte, um für nachher einen Kinobesuch vorzuschlagen, legte sie mir eine Hand auf den Arm und meinte: »Sekunde.« Dann drehte sie sich zu ihrer Kollegin um, die von hinten etwas rief. Dort, wo ihre Finger mein Handgelenk berührt hatten, zischte es, als würde Luft aus einem Reifen entweichen. Während sie mit ihrer Kollegin beschäftigt war, ließ ich meinen Blick ausgiebig auf ihr ruhen. Sie sah irgendwie verändert aus. Vielleicht hatte sie zugenommen, ihr Gesicht wirkte jedenfalls ein wenig aufgedunsen. Auch ihre Haut schien verändert, irgendwie leuchtender. Sie glühte fast, so als würde sie von hinten angestrahlt. Ich redete mir ein, daß möglicherweise ich die Ursache für dieses Glühen war, und der Gedanke verlieh mir Selbstvertrauen. Als sie sich mir wieder zuwandte, legte ich meine Hand auf ihre und sagte: »Hör mal, Pam, ich würde dich wirklich gerne mal außerhalb der Bibliothek sehen. Was hältst du davon, wenn wir nachher ins Kino –«

»Hallo«, dröhnte eine Stimme direkt in mein Ohr.

Viel zu dicht neben mir, höchstens fünfzehn Zentimeter von meiner Schulter entfernt, stand die etwa fünfzigjährige Frau aus dem Leselernprojekt, die ich bereits an meinem allerersten Abend in der Bibliothek und seither häufig gesehen hatte. Mittwochs abends, wenn ich meinen Termin mit Deirdre Felix wahrnahm, war auch sie meist mit ihrer Lehrerin im Leseförderraum.

»Wir sehen uns jede Woche«, sagte sie laut, »haben uns aber noch nicht vorgestellt. Ich heiße Lillian!«

Ich beachtete ihre ausgestreckte Hand nicht weiter, tat so, als wäre ich ihr in meinem ganzen Leben noch nie begegnet, und sagte kühl: »Lori.«

»Schön. Na dann, bis gleich!« erwiderte Lillian und marschierte fröhlich auf den Projektraum zu.

Ich sah Pam an und zuckte mit den Schultern, als hätte ich keine Ahnung, wer diese offenbar verrückte Frau war, und meinte: »Ich muß los.« Dabei vergaß ich völlig, daß ich gerade dabei gewesen war, mich mit ihr zu verabreden.

Ich folgte Lillian nicht in den Projektraum, wo mit Sicherheit die stets pünktliche Deirdre Felix saß, auf mich wartete und dabei alle zehn Sekunden auf die Uhr schaute. Statt dessen verließ ich die Bibliothek. Ich würde es nicht ertragen, mich eine weitere Stunde all dem auszusetzen und mir dabei wie die letzte Idiotin vorzukommen. Ich war einfach anders als diese vergnügte Frau in der Polyesterbluse und sah auch keine Gemeinsamkeiten mit den übrigen Leuten dieses Programms. Das war einfach nichts für mich. Ich wollte Deirdre Felix nicht enttäuschen, wirklich nicht, aber im Augenblick wollte ich einfach nur, daß Pam auf mir lag. In diesem Moment konnte ich nichts anderes denken beziehungsweise fühlen, denn mit Denken hat Sex ja glücklicherweise nichts zu tun.

Im strömenden Regen ging ich den Bürgersteig entlang, schlug mit der flachen Hand immer wieder gegen die nasse Leichtbetonmauer des Bibliotheksgebäudes und sagte dazu jedesmal

»Scheiße«. Die University Avenue war völlig verstopft. Mit ihrem Hupkonzert wollten die Autofahrer offenbar erreichen, daß sich das Wetter besserte. Ich war kaum zehn Meter gegangen, da hörte ich hinter mir zunächst lautes Hupen und gleich darauf quietschende Bremsen. Ich drehte mich um und sah, wie ein neuer, hellbrauner BMW den ganzen Verkehr aufhielt, um direkt vor der Bibliothek rückwärts einzuparken. Das Auto hinter ihm, das so scharf gebremst hatte, fuhr langsam vor und keilte den BMW so ein, daß dieser nicht in die Parklücke paßte.

Im grünlich-flackernden Licht einer kaputten Straßenlampe ging der Kampf weiter. Der BMW setzte langsam zurück, und der Wagen hinter ihm fuhr gleichzeitig vorsichtig vor, bis sich die beiden Stoßstangen berührten. Nach weiterem Hupen sprang schließlich eine kleine Frau auf der Beifahrerseite des BMW heraus. Im weißen Tennisrock und einem pastellfarbenen Tennisoberteil, aber ohne Jakke trat sie in das flackernde grünliche Licht und den strömenden Regen. Es war Deirdre Felix.

Sie landete mitten in einem Sturzbach, der entlang der Bordsteinkante hinabströmte und ihre weißen Tennisschuhe durchtränkte. Wo war der 67er Saab, mit dem sie sonst unterwegs war? Sie riß die Hintertür des BMW auf und zog daraus eine große Leinentasche und einen Tennisschläger hervor. Kopf und Schultern immer noch im Inneren des Wagens, fuchtelte sie mit dem Tennisschläger hinter sich herum und schrie den Fahrer an, den ich nicht sehen konnte. Ich verstand zwar nicht, was sie sagte, aber ihre aufgebrachte Stimme überschlug sich fast und hatte etwas Endgültiges an sich. Sie beendete ihre Tirade mit einem heftigen, bedauernden Schluchzer, kam dann ganz heraus und schlug krachend die Tür zu. Wer immer diesen BMW fuhr, verlor keine Zeit, um sich augenblicklich wieder in den Verkehr einzufädeln, was noch mehr Hupen und erneut quietschendes Bremsen verursachte. Deirdre Felix duckte sich und stürmte durch den Regen auf die Eingangstür der Bibliothek zu.

Obwohl es mir eine gewisse Genugtuung verschaffte zu sehen, daß Deirdre Felix eine Viertelstunde zu spät kam, tat sie mir auch leid, weil sie so schutzlos wirkte – im strömenden Regen ohne richtige Klamotten und offensichtlich in Aufruhr wegen des BMW-Fahrers.

Und ich hatte angenommen, in ihrem Leben liefe alles glatt!

Ich rannte zurück zur Bibliothek und sauste an Pam vorbei

schnurstracks auf den Leseförderraum zu. Deirdre Felix war noch nicht da. Vermutlich ging sie zunächst zur Toilette. Ich setzte mich mit dem Rücken zu Lillian und ihrer Lehrerin, die in der anderen Ecke des Raumes saßen, an einen Tisch und versuchte so auszusehen, als wartete ich bereits eine Viertelstunde. Ich hob den Arm, sah auf meine Armbanduhr und verharrte in dieser Pose, bis Deirdre Felix pitschnaß und mit weit aufgerissenen Augen hereinstolperte.

Ohne mich zu begrüßen, zog sie einen Stuhl heran, ließ ihre große Tasche fallen, öffnete den Reißverschluß und holte ihren Schreibblock, ein paar Stifte und ihr Segelbuch hervor. Als ihr das Wasser aus den Haaren auf den Block tröpfelte, sagte sie: »Verdammt.«

»Ist alles in Ordnung?« fragte ich. »Wo ist denn Ihre Jacke?« Ich wollte nicht zugeben, daß ich sie bei ihrem Streit mit dem BMW-Fahrer beobachtet hatte.

»*Pffh*«, machte sie, als sei es völlig normal, in klatschnasser Tenniskleidung zum Unterricht zu erscheinen. »Ja, alles ok. Es ist eine lange Geschichte. Jedenfalls, als ich heute morgen zum Tennisspielen aus dem Haus ging, hat es nicht geregnet. Und eigentlich wollte ich lange vor diesem Termin wieder zu Hause sein. Es tut mir leid, daß ich mich verspätet habe.«

»Nun, das ist dann wohl Ihr Fehlschlag Nummer Eins, hmh?«

Das war als Scherz gemeint, als Versuch, die Stimmung ein wenig aufzulockern, aber sie reagierte anders. Sie setzte sich gerade hin und sah mich an. An einer Stelle unter ihrem Auge war etwas Wimperntusche verschmiert, und es sah aus wie eine schwarze Träne.

»Ganz genau«, antwortete sie ernst, und in ihrem Tonfall schwang eine Spur von Wut mit. »Fehlschlag Nummer Eins.« Dann nahm sie einen Stift zur Hand und schlug ihre nackten Beine übereinander. An der Außenseite des einen verliefen Krampfadern, und an beiden Oberschenkeln war Orangenhaut sichtbar.

»Möchten Sie sich nicht vielleicht ein bißchen abtrocknen?« fragte ich vorsichtig. Es tat mir leid, daß ich sie verärgert hatte. »Ich könnte Ihnen eine Tasse Tee bringen. Ich glaube, Marilyn hat in ihrem Büro heißes Wasser.«

»Nein. Es ist schon in Ordnung. Fangen wir an.«

Sie schlug das Segelbuch auf, das wir in den letzten beiden Wochen gelesen hatten. Ich war immer noch beim ersten Kapitel. Die Anhäufung von gedruckten Buchstaben erinnerte mich daran, daß ich noch vor ein paar Minuten auf meinem Weg aus der Bibliothek gewesen war und das Programm aufgeben wollte. Warum hatte mich der Anblick einer Deirdre Felix in Nöten eigentlich umgestimmt?

Ich sah hinüber zu Lillian, die sich immer noch laut lachend mit ihrer Lehrerin unterhielt. Jede Woche hörte ich, wie sie das Lesen hinauszögerte, indem sie ausführlich von ihren Enkelkindern erzählte, aber ihre Lehrerin hatte offenbar nichts dagegen.

Ich zeigte mit dem Finger auf die Stelle, wo ich das letzte Mal aufgehört hatte, dachte an Charles, zog den Finger wieder zurück und fing an zu lesen. Während ich den Abschnitt in Angriff nahm, knurrte Deirdre Felixs Magen zweimal.

Lillian plapperte weiter.

Mein Finger bewegte sich wieder in Richtung Buch. Ich riß ihn zurück.

Direkt vor der Tür drang Pams Stimme an mein Ohr.

Wieder knurrte Deirdre Felixs Magen.

Mittlerweile hatte ich etwa zehn Wörter entziffert, ohne auch nur die geringste Ahnung davon zu haben, worum es überhaupt ging.

Ich legte meinen Finger auf das nächste Wort und versuchte, mich zu konzentrieren.

Dann dachte ich daran, wie Whitney den Rosendorn mit ihrem Finger angestupst hatte. Ich stellte mir vor, wie ich Pam meinen Finger auf den Mittelpunkt ihres Seins legte.

Deirdre Felixs Magen knurrte, und Lillian schwafelte *immer noch* von ihren Enkelkindern.

Ich betrachtete meinen Finger auf dem Wort. Ich dachte daran, wie Charles mit seinem Finger Wörter entzifferte. Ich sah Whitneys Finger auf den Speichen meines selbstgebauten Rennrads vor mir.

»Das ist schwachsinnig«, verkündete ich und schob das Buch von mir fort wie einen Teller mit vergammeltem Essen.

Warum war ich nicht einfach im Regen nach Hause gegangen? Warum mußte ich einer klatschnassen Dame in Tennisklamotten hinterherlaufen?

Deirdre Felix wischte sich das eine Auge und verschmierte somit noch mehr Wimperntusche auf ihrer Schläfe.

»Was ist daran schwachsinnig?« fragte sie. »Haben Sie nicht gesagt, daß Sie Abenteuergeschichten mögen?«

Ihre Stimme klang unbeteiligt, monoton, als leiste sie hier gerade ihre Pflichtstunde ab.

»Erstens geht es um einen Mann«, antwortete ich. »Ständig tauchen irgendwelche Jungs auf, und es findet eine Eroberung nach der anderen statt. Eine Frau würde diese Geschichte ganz anders erzählen.«

Sie starrte mich an.

»Zweitens finde ich Segeln langweilig.«

»Aha.«

»Und drittens: Sie haben offensichtlich einen schlechten Tag. Der Termin paßt Ihnen ganz und gar nicht. Warum sind Sie überhaupt hergekommen? Es macht mir nichts aus, wenn Sie mal nicht können.«

Mein Tonfall war das Letzte. Eigentlich wollte ich nett sein. Ich wollte ihr etwas *geben* und nicht immer nur nehmen. Aber das war gegen die Abmachung, denn hier war sie die Gebende und ich die Nehmende. Es kotzte mich an. Ich wollte ihr eine Tasse Tee kochen, ihr einen warmen Pulli besorgen oder sonst irgend etwas Vernünftiges tun. Anstatt in dieser grotesken Situation zu verharren, daß zwei klatschnasse Frauen am Tisch sitzen und so tun, als würde die eine der anderen lesen beibringen.

Deirdre Felix fuhr mit der Hand einmal über den feuchten Schreibblock, schlug das Segelbuch zu und betrachtete den Umschlag, auf dem ein sportlicher weißer Typ zu sehen war, der am Rand eines kleinen Segelbootes hing und von einer großen Welle naßgespritzt wurde. Ich fuhr mir mit den Fingern durch die nassen Haare. Sie fuhr sich mit den Fingern durch die nassen Haare. Sie sah so traurig aus. Und alt.

»Nun, dann erzählen Sie mir doch noch eine Geschichte«, meinte sie schließlich. »Ich schreibe sie auf und –«

»Dazu habe ich keine Lust mehr. Das haben wir auch schon dreimal gemacht.«

Ich war völlig durcheinander. Hin- und hergerissen zwischen der Sehnsucht nach Pam, der Angst vor Lillian und diesem unbestimmten Gefühl gegenüber Deirdre Felix, würgte ich an einem emotionalen Haarknäuel. Ich wollte zwar nicht wieder in pubertäre Verhaltensweisen zurückfallen, spürte aber, wie sich die Teenagerin in mir zum Angriff bereit machte. Vermutlich sah das auch Deirdre Felix, denn sie lehnte sich zurück und schüttelte den Kopf.

»Ach, Lori«, meinte sie. Alle Anspannung wich aus ihrem Gesicht, und sie fiel ein wenig in sich zusammen.

»Was?« fragte ich. »Was?« Plötzlich schoß mir der Gedanke durch den Kopf, daß sie mich vielleicht tatsächlich brauchte, daß sie aus irgendeinem Grund wirklich hier sein wollte. Aber dann sagte sie: »Sie haben recht. Es ist kein guter Tag für mich. Entschuldigen Sie mich bitte. Nächste Woche dann, ja?« Sie packte ihre Leinentasche und ging. Ich wünschte, ich hätte ihr wenigstens noch eine bessere Woche gewünscht oder so etwas ähnliches.

Ich hörte Lillian zu, die sich endlich durch ihre Lektion arbeitete, aber dann fragte ich mich auf einmal, wie Deirdre Felix wohl nach Hause kam. Ich sprang auf und rannte wieder an Pam vorbei durch die Bibliothek bis hinaus auf die Straße. Einen Block weiter, an der Ecke zwischen University Avenue und San Pablo Avenue, stand Deirdre Felix im strömenden Regen an der Bushaltestelle. In ihrem weißen und mintfarbenen Tennis-Outfit, mit ihren nackten Armen und Beinen, sah sie klein und schutzlos aus, wie eine Obdachlose, die vom Gewitter überrascht worden war, und keineswegs wie eine Arztgattin, die ein großes Haus oben in den Hügeln besaß.

Mir fiel ein, daß ich zur Bibliothek gelaufen war, also kein Auto dabei hatte, aber zumindest konnte ich ihr meine Jacke leihen. Während ich sie auszog und dabei zur Haltestelle rannte, fuhr ein Bus vor und stieß eine schwarze Kohlenmonoxid-Wolke aus. Deirdre Felix stieg ein. Durch die regenverschmierten Fenster sah ich, wie sie sich in der Nähe des Busfahrers auf einen Sitz fallen ließ. Sie blickte hinaus. Ich lächelte, hielt meine Jacke hoch und zeigte mit der anderen Hand auf sie. Sie lächelte nicht zurück, schüttelte aber den Kopf und machte eine kleine Geste, als winke sie mir zaghaft zu. Der Bus fuhr an und ratterte los in Richtung Yachthafen. Das war mit Sicherheit nicht der richtige Bus. Dieser Bus würde sie auf keinen Fall nach Hause zum Skyline Boulevard bringen.

Ich stand in der Dunkelheit im Regen und sah Deirdre Felix in dem klapprigen, schmutzigen Bus nach, der in die völlig falsche Richtung fuhr, und plötzlich hatte ich ein Gefühl absoluter Klarheit. Mir war, als würde die äußere Hülle dieser Welt einreißen und mir das Innere der Dinge offenbaren anstatt wie üblich bloß ihre Oberfläche. Die Welt fühlte sich extrem glatt an, als wäre jede Reibung ganz und gar verschwunden, als befände ich mich auf einem rasenden Karussell, und dürfte noch eine ganze Weile nicht aussteigen.

Ich war mir sicher, daß Deirdre Felix mich auf dieser Fahrt begleitete.

9

IN DER DARAUFFOLGENDEN Woche, am ersten Mittwoch im Dezember, erschien Deirdre Felix in einer grauen Flanellhose, einem roten Wollblazer und einem *London Fog*-Regenmantel. Sie wirkte so ausgeglichen und elegant, als sei ihr kläglicher Auftritt und ihre Flucht im Bus in der Woche zuvor nichts als ein Hirngespinst gewesen. Sie sagte nichts dazu, daß ich am Busfenster aufgetaucht war und ihr meine Jacke angeboten hatte, als habe das alles gar nicht stattgefunden.

»Übrigens haben Sie ganz recht mit Ihrer Ansicht über dieses Segelbuch«, sagte sie vorneweg. »Eine Frau hätte diese Geschichte völlig anders geschrieben. Dieser Mann war nicht wirklich an seinen Erfahrungen interessiert, sondern nur an seinen Errungenschaften. Ich mußte an Ihren Wanderfalken und die Artischockenpflanze denken. Dieser Mann hätte solche eindrucksvollen Details überhaupt nicht bemerkt.«

Mir wurde ganz heiß. War das etwa ein Kompliment?

Dann präsentierte sie mir ihre Idee mit dem Kassettenrekorder. Sie wollte, daß ich ein Tagebuch auf Band führte und täglich fünf Minuten daraufsprach.

Mir wurde schlagartig klar, daß das Kompliment mit den »eindrucksvollen Details« ein Köder gewesen war.

»Was hat das denn mit Lesen zu tun?« fragte ich.

»Es geht um Disziplin, um den Blick fürs Detail.«

»Was meinen Sie damit?«

Sie antwortete nicht. Statt dessen blätterte sie die Wortkarten mit meinem Vokabular durch und hielt schließlich eine hoch. Wie üblich kannte ich das Wort nicht. Mittlerweile arbeitete ich schon zwei Monate mit ihr, ohne irgendeinen sichtbaren Erfolg. Woche für Woche die gleichen Wörter auf Wortkarten in kleine Geschichten verpackt, die ich entweder diktierte oder die sie aufschrieb, und dennoch erkannte ich sie nicht – beziehungsweise sie kamen mir vielleicht bekannt vor, aber entziffern konnte ich sie trotzdem nicht. Ich kam mir vor wie der sprichwörtliche alte Hund, dem man keine neuen Tricks beibringen konnte.

Natürlich war ich in der Lage, etwas auf Band zu sprechen, dachte ich später, als ich mit meinem neuen Kassettenrekorder vom Elektronikmarkt nach Hause fuhr. Reden war schon immer meine Stärke gewesen. Bluffen heißt quatschen. Lori Taylors herausragendes Kennzeichen ist nun einmal ihr Mund. Vermutlich hatte Deirdre Felix Ähnliches im Sinn gehabt, als sie mir diese Aufgabe stellte.

Ich und meine »eindrucksvollen Details«.

Ich stellte den Rekorder im Badezimmer auf meine Korb-Wäschetruhe, ließ die Badewanne voll laufen und ließ mich in das dampfend heiße Wasser gleiten. Dann drückte ich auf »Aufnahme«. Das Gerät fing an zu surren, ich hielt das Mikrofon an meinen Mund, aber es kam kein einziges Wort heraus. Ich drückte auf »Stop« und dann auf »Wiedergabe« und hörte zehn Sekunden lang meinen eigenen schweren Atem und im Hintergrund das Plätschern meiner Füße im Wasser.

Ich drückte noch einmal auf »Aufnahme« und rang mir ein paar Worte ab, doch dann sprudelte es plötzlich aus mir heraus: »Mickey flippt aus. Er ist total durchgeknallt. Auf der Arbeit bewegt er sich nur noch wie in Trance. Manchmal ist er dabei ganz aufgekratzt, und dann wieder legt er diese feierliche Miene an den Tag, als würde die Liebe ihn irgendwie tiefgründiger machen. Es ist echt nicht mehr witzig. Bevor er mit ihr ins Bett ging, rief er mich jeden Abend an und erzählte mir jedes einzelne Wort, das Sheila von sich gegeben hatte. Aber wenn ich ihm jetzt mal etwas auf den Zahn fühlen will, tut er so, als sei Sex etwas Heiliges, als würde ich ihn allein durch meine Frage beleidigen. Eigentlich erzählt er überhaupt kaum noch etwas, und für schmutzige Witze hat er schon gar nichts mehr übrig.« Ich spürte, wie mir die Tränen in die Augen schossen und wollte gerade auf »Stop« drücken, tat es dann aber doch nicht. Der Rekorder vermittelte mir das Gefühl, als habe ich ein Publikum, als höre mir jemand zu, allerdings anders als bei einem Gespräch mit einer Freundin. Auf Band bekamen die Worte – meine Worte – etwas Endgültiges, etwas Verbindliches. Ich schniefte direkt aufs Band und fuhr fort.

»Wegen Mickey habe ich diese ganze Lese-Geschichte doch nur angefangen, und jetzt interessiert er sich überhaupt nicht dafür. Ich habe ein paarmal versucht, ihm von Deirdre Felix zu erzählen. Das ist irgendwie schwierig zu erklären. Sie ist einerseits so distanziert, so streng, aber dann hat sie mir heute erzählt, daß sie eine Bibliothekarin – ob es wohl Pam war? – nach Büchern von lesbischen Autorinnen gefragt hat, weil sie meinte, die würden mich vielleicht mehr interessieren. Das ist doch echt cool. Ich meine, sie ist stockhetero, eine Dame, mehr als doppelt so alt wie ich, die ins Ballett geht und so, aber ich glaube, sie hat viel mehr Tiefgang, als ich vermutet habe. Das ist witzig, weil ich zu Anfang dachte, daß sie mir gegenüber engstirnig sein würde, dabei war ich es, die ihr gegenüber engstirnig war. Jedenfalls hört Mickey mir zwar zu, wenn ich ihm diesen ganzen Kram erzähle, und macht sogar ein paar Bemerkungen, aber ich merke, daß ihm das alles im Grunde völlig egal ist. Selbst als ich versucht habe, ihm Dr. Julie Higginboth und den Sex-Workshop zu beschreiben – Geschichten, die er früher förmlich aufgesogen hätte – hat er so von oben herab reagiert, als wäre alles, was mir gerade passiert, oberflächlich im Vergleich zu seinem Leben.« Ich drückte auf »Stop« und holte tief Luft. Dann drückte ich noch einmal auf »Aufnahme« und sagte: »Ich vermisse ihn. Ich vermisse Mickey total.«

Diesmal rief Whitney Yarbrough an und fragte, ob ich mit zum nächsten ASU-Treffen gehen wolle. »Liebend gerne«, antwortete ich, »aber an dem Abend habe ich keine Zeit.«

Sie schwieg. Offenbar wägte sie das »liebend gerne« genauso ab wie ich damals bei Pam.

War ich ehrlich? überlegte ich. Warum sagte ich ihr nicht einfach, sie solle mich nicht mehr anrufen?

»Möchtest du, daß ich dir beim nächsten Treffen Bescheid sage?«

Ich hasse es, wenn Frauen so etwas tun, wenn du versuchst auszuweichen und sie dich festnageln. »Klar«, meinte ich, »gerne. Wir telefonieren.«

Ich legte auf und kam mir vor wie ein richtiger Waschlappen. Ich hatte echt keinen Mumm in den Knochen.

Als sie mich eine Woche später anrief und fragte, ob ich mit ihr zum *Bank of the West Classic*-Tennisturnier gehen wolle, war ich kurz versucht, ja zu sagen. Es war nämlich Martinas letztes Turnier in unserer Gegend. Aber dann erzählte ich ihr, ich würde an diesem Tag wegfahren. Eine völlig blöde Ausrede, denn ich wäre wirklich gerne zum Turnier gegangen, aber nun konnte ich nicht aus Angst, Whitney zu begegnen – dann wäre klar gewesen, daß ich sie angelogen hatte.

»Warum ist es dir wichtig, was sie denkt, wenn du sie noch nicht einmal magst?« fragte Mickey. Wie immer war er ungeduldig, wenn es um meine in seinen Augen belanglosen Angelegenheiten ging.

Es war ein kalter Dezemberabend, und wir hatten gerade Feierabend gemacht.

»Ich mag sie schon«, entgegnete ich, während Mickey sich im Schaufenster betrachtete und seine Frisur richtete. »Sie ist hartnäkkig. Das mag ich bei Frauen. Zeigt, daß sie Charakter haben.«

Ich lachte, Mickey nicht.

»Dann spielst du mit ihr«, erwiderte er und blickte die Straße auf und ab. Offensichtlich wartete er auf *sie*.

»Aha, bist du jetzt der Fachmann für Aufrichtigkeit, oder wie? Weißt du eigentlich, daß du in letzter Zeit ziemlich voreingenommen bist?«

»Komm schon, Lori. Okay, vielleicht ist mir Aufrichtigkeit wichtiger, als alles immer nur oberflächlich zu streifen. Wenn du diese Frau magst, dann verabrede dich mit ihr. Und wenn nicht, tu's nicht. Aber halte sie nicht hin.«

Das tat weh. Mickey hatte einfach kein Verständnis, und ich wußte nicht, wie ich ihm das Durcheinander, das mein Leben in letzter Zeit beherrschte, erklären sollte. Denn das alles ging ja viel tiefer. Es war viel komplizierter als die Frage, ob ich Whitney mochte oder nicht, viel komplizierter als irgendwelche Spielchen zu spielen. Ein Teil von mir wurde gerade zerstört, als würde eine riesige Abrißbirne hin- und herschwingen und sämtliche vertrauten Strukturen kaputtmachen, bis ich nicht mehr wußte, wer ich eigentlich war. Mein Schutzwall brach zusammen, ohne durch etwas anderes ersetzt zu werden. Nur eine einzige alte Vorstellung blieb bestehen, eine Vorstellung, die wahrscheinlich immer dagewesen war, nur hatte ich sie mit meinen ganzen Ausreden stets verdeckt: Ich war niemand, wenn ich nicht lesen konnte. Und ich konnte nicht lesen. Also war ich niemand, nichts. Mein Leben lang hatte ich mich bemüht, nicht enttarnt zu werden, so daß niemand dieses Loch in mir entdekken würde. Aber jetzt, da ich Woche für Woche zu meinem Termin mit Deirdre Felix ging, wurde dieses Loch allmählich immer größer, immer weiter. Die Leere kam mir genauso vor wie diese Sehnsucht, die ich an jenem Tag am Strand empfunden hatte, dieses schmerzliche Verlangen, doch mittlerweile war daraus ein richtiger Krater geworden, der jede Woche ein Stück weiter aufriß. Es war einfach undenkbar, daß ich etwas mit Whitney Yarbrough anfing!

Enrique kam aus dem Laden, schloß ab und fragte uns, wie sehr wir mit den Reparaturen im Rückstand waren.

»Es ist nicht so schlimm, wie es aussieht«, versicherte ich ihm. »Da warten zwar eine Menge Aufträge, aber das sind alles eher Kleinigkeiten.«

Enrique hakte die Schlüssel wieder an seiner Gürtelschlaufe fest und sah uns an, als seien wir zwei unartige kleine Kinder. In Wahrheit waren wir noch nie so im Rückstand gewesen wie jetzt. Dabei gab es im Dezember immer am wenigsten zu tun. Mickey telefonierte entweder mit Sheila oder gab sich seinen Tagträumen hin.

Und ich verbrachte Stunden damit, Werkzeuge und Geräte auseinanderzunehmen, zu ölen und wieder zusammenzusetzen, anstatt mich um die Reparaturaufträge zu kümmern. Ich starrte auf Enriques Füße, die aussahen wie zwei große Laibe Brot, und fühlte mich in diesem Moment wieder einmal vollkommen unzulänglich.

Neben seiner massiven Erscheinung kam ich mir vor wie ein heißer Lufthauch. Ich hatte stets dieses Bedürfnis, seinen Körper zu befühlen, zum Beispiel seine kräftigen Oberschenkel oder seine muskulösen Arme, als erhielte ich durch diese Berührung wichtige Informationen darüber, wie sich Ideen in die Tat umsetzen ließen.

Normalerweise schaute ich Enrique nur selten in die Augen, erstens, weil sie so weit oben waren, und zweitens, weil mich seine beeindruckende Figur immer so ablenkte. Nun aber sah ich auf zu diesen beiden grünen Fenstern. Grün wie Deirdre Felixs Pflanzen, die ihre Nahrung selbst herstellen konnten. Grün wie Dollarnoten.

Als hätte er meine Gedanken gelesen, zog Enrique seine Brieftasche hervor, holte daraus zwei säuberlich gefaltete Schecks und reichte uns je einen.

»Weihnachtsgeld. Und ich möchte, daß das Regal bis Freitag leer ist.«

Mit seinen am Gürtel klimpernden Schlüsseln schlenderte Enrique davon.

Mickeys Miene erhellte sich, und ich hob die Hand, um ihn abzuklatschen, und rief übermütig: »Das müssen wir feiern!«

Dann sah ich die junge Frau auf uns zukommen und begriff, daß Mickeys freudiger Gesichtsausdruck ihr gegolten hatte, nicht dem Scheck. Sie hatte Militärstiefel an und ein kurzes Kleid mit winzigem Blumenmuster. Aufgrund ihres von Sommersprossen übersäten Gesichts sah sie aus dieser Entfernung von Kopf bis Fuß getupft aus. Über der einen Schulter trug sie einen Rucksack, in dem sich anscheinend mehrere dicke Bücher und Ordner befanden. Beim Gehen hüpften ihre großen Brüste auf und ab. Sie brauchte einen besseren BH.

O Mickey. Ich sah meinen Freund an. Wenn er sich in letzter Zeit nicht so sehr um maskulines Auftreten bemühen würde, wäre er Sheila wahrscheinlich in Zeitlupe entgegengerannt, so wie der Typ in diesem einen Werbespot für Haarfärbemittel. Er tat mir leid, aber ich mir mindestens genauso. Wir hatten uns gegenseitig in dieses neue Leben geworfen. Hatten wir da vielleicht einen Riesenfehler gemacht?

»Okay, Mick«, sagte ich und versuchte, noch für eine Sekunde seine Aufmerksamkeit zu erlangen. »Dann gehe ich jetzt. Übrigens denke ich, du hast recht. Ich sollte zu Whitney offener sein.«

»Bis morgen«, meinte Mickey und ging erhobenen Hauptes auf seine Freundin zu. Er muß gespürt haben, daß ich ihm nachsah, denn plötzlich hielt er an und drehte sich noch einmal um.

»Alles klar?« fragte er, und als ich den Kopf schüttelte, kam er zurück und umarmte mich. Ich hielt ihn fest, bis er sich aus der Umarmung löste.

»Wir müssen mal wieder zusammen zum Vietnamesen gehen«, sagte er. »Unser Weihnachtsgeld feiern.«

»Gerne«, antwortete ich. Glaubte er wirklich, daß wir bei einer gemeinsamen Nudelsuppe all das wieder kitten könnten, was in letzter Zeit kaputtgegangen war, auch wenn es sich um eines unserer alten Rituale handelte? »Wann?«

»Bald«, rief er über die Schulter zurück. Einen Augenblick später nahm er seine große Teenager-Freundin in die Arme.

Ich sah den beiden Liebenden nach, wie sie die Straße hinunterschwebten, bis sie aus meinem Blickfeld verschwanden.

An diesem Abend beschloß ich, es doch einmal bei Edith zu probieren. Ich suchte ihre neue Telefonnummer heraus und rief an.

»Kennst du mich noch?« fragte ich und hörte mir ihre ausschweifenden Erklärungen an, warum sie sich so lange nicht bei mir gemeldet hatte. Dabei wußten wir beide, daß der eigentliche Grund ihre neue Liaison war. Um ihr Interesse zu wecken – schließlich sog sie Liebesgeschichten immer begierig in sich auf –, erzählte ich ihr, ich sei mit einer Bibliothekarin zusammen. Sie meinte, sie würde sich gerne mal wieder mit mir treffen, und so verabredeten wir uns für ihren nächsten freien Abend in drei Wochen.

Dann unternahm ich einen letzten Versuch, meine Geschichte mit der Bibliothekarin wahr werden zu lassen. Wenn Pam wieder nein sagte, würde ich das Ganze abblasen.

Da es Montagabend war, bestand keine Gefahr, daß Lillian mir noch einmal einen Strich durch die Rechnung machen würde. Charles, der Typ, der mit dem Finger las, war zwar dort, aber er würde mich gewiß nicht ansprechen. Zunächst sah ich sie nicht, entdeckte sie dann aber alleine zwischen den Regalen. Sie trug einen flauschigen blauen Pulli und ...

Mein Gott. Warum hatte ich diese Wölbung an ihrem Bauch vorher nur nicht bemerkt?

»Hallo«, sagte sie. »Wie geht's? Meine Kollegin ist krank, so daß ich auch noch die ganzen Bücher einräumen muß.«

»Du bist schwanger«, sagte ich vorwurfsvoll.

Sie lächelte sanft, ja sogar schon ein wenig mütterlich-geheimnisvoll. »Ja«, antwortete sie beschwingt.

»Bist du hetero?«

»Nein, natürlich nicht.«

»Hast du eine Freundin?« Diese Frage hätte ich schon vor ein paar Monaten stellen sollen.

»Ja«, erwiderte sie nicht mehr ganz so überschwenglich. Ihr verschlagener Gesichtsausdruck verriet eindeutig: Sie wußte, daß sie mit mir gespielt hatte.

»Und bestimmt habt ihr eure Partnerschaft auch eintragen lassen, mit richtiger Zeremonie und so.« Es war nur so ein Gefühl.

Sie strahlte.

Zum ersten Mal fielen mir ihre Zähne auf, die viel zu breit und sogar ein bißchen gelblich waren. Ihre Haare, einst total kurz, waren jetzt länger und hingen in dünnen Fransen herab. War es wirklich nur Einbildung, daß alle Lesben, die Kinder bekommen, ihre Haare wachsen lassen und sich ab sofort heteromäßiger kleiden? Ihre Emsigkeit, die ich in den vergangenen Wochen so liebenswert fand, kam mir im kalten Licht meiner Wut nur noch idiotisch vor.

»Viel Spaß im Kinderzimmer«, meinte ich und wandte mich zum Gehen.

»Moment mal! Warum bist du so zynisch?«

»*Pffh*«, entgegnete ich wie Deirdre Felix. Dann ging ich zur Sportabteilung – sie folgte mir nicht – und nahm ein Buch mit einem Fahrrad auf der Umschlagsseite aus dem Regal. Ich blätterte darin herum und entdeckte Zeichnungen von verschiedenen Fahrradteilen, Dinge, mit denen ich mich bestens auskannte. Das erhöhte mein Selbstbewußtsein. Mit dem Buch unterm Arm ging ich geradewegs zum Ausgang.

Als der Alarm losging, machte ich einen Satz von ungefähr drei Metern. Ich ließ das Buch fallen, hob es voller Panik gleich wieder auf und drehte mich einmal um mich selbst, als sei ich eingekreist. Ich hatte das gleiche Gefühl wie damals in der neunten Klasse, als ich in der Schultoilette beim Dope-Rauchen erwischt worden war. Pams Stimme drang wie durch einen langen Tunnel zu mir: »Der Alarm wurde durch dein Buch ausgelöst. Du hast vergessen, es dir am Schalter einscannen zu lassen.«

Ich weiß nicht warum, aber ich rannte einfach los. Mein Fahrradreparaturbuch unter den Arm geklemmt, raste ich durch die Tür und mindestens drei Straßenzüge weit, bis mir einfiel, daß mein Auto auf dem Bibliotheksparkplatz stand. Ich beschloß, es später am Abend abzuholen, wenn Pam mit Sicherheit nicht mehr dort wäre. Dann ging ich die University Avenue entlang bis zu meiner Straße, überquerte sie und marschierte weiter bis zur Shattuck Avenue. Von dort aus nahm ich einen Bus südwärts in Richtung Oakland. Deirdre Felix, die in letzter Zeit immer mit dem Bus kam, wie mir aufgefallen war, mußte auf ihrem Nachhauseweg von der Bibliothek mindestens zweimal umsteigen. Warum nahm sie sich nicht einfach ein Taxi? Fuhren die Busse überhaupt bis in ihr Viertel hinauf? Ich ging vor zum Busfahrer und fragte: »Tag, wie kommt man mit dem Bus hoch zum Skyline Boulevard?«

»Der Bus hier fährt ins Zentrum von Oakland.«

»Ich weiß. Aber wenn ich in die Hügel möchte, wie komme ich da hin?«

Mit dem Kopf deutete er auf einen Stapel Zettel, die neben der Fahrkartenausgabe in einem Ledersack steckten. »Die Fahrpläne sind da.«

»Danke.« Ich blätterte die Pläne durch, tat so, als hätte ich gefunden, was ich suchte, und ging wieder in den hinteren Busteil. In dem zerschlissenen Sitz lehnte ich mich ganz zurück und kam mir auf einmal genauso leer vor wie dieser alte Bus, der nun die Shattuck Avenue hinaufratterte. Ich betrachtete die Straßenlampen und die Leuchtreklame, und um nicht an die schwangere und verheiratete Pam zu denken, konzentrierte ich mich ganz auf die Frage, wie Deirdre Felix wohl per Bus von der Bibliothek nach Hause kam. Kurze Zeit später waren wir am Busbahnhof in Oakland angekommen, wo der Busfahrer mich zum Aussteigen aufforderte, weil seine Route hier zu Ende war.

Ich hatte weder genug Geld für ein Taxi noch für eine weitere Busfahrt und dachte zu spät daran, den Fahrer nach einem billigeren Umsteigeticket zu fragen. So saß ich mit mehreren Obdachlosen im Busbahnhof und rief Mickey alle halbe Stunde an, wodurch meine restlichen fünfundsiebzig Cent, die ich noch in der Hosentasche gefunden hatte, schnell zur Neige gingen. Ich hinterließ ihm drei Nachrichten auf seinem Anrufbeantworter und bat ihn, mich abzuholen, aber eigentlich erwartete ich ihn nicht wirklich. Aufrecht auf einer Bank sitzend, stellte ich mir vor, was Deirdre Felix wohl von ihrer Schülerin halten würde, die völlig grundlos eine Nacht im Busbahnhof von Oakland verbrachte. In diesem Augenblick befand sie sich wahrscheinlich östlich und etwa fünfhundert Meter oberhalb von mir, in ihrem Haus hoch oben auf dem Gipfel der Oakland Hills, und saß mit einem Glas Wein vor dem Fernseher. Nein, sie las eher ein Buch oder diskutierte mit Arnie über Kunst und Politik.

Um ein Uhr morgens stürmte Mickey durch die Eingangstür des Busbahnhofs. Er sah total sauer aus. So verzerrt hatte ich sein Gesicht noch nie gesehen. Ich kam mir vor wie seine Tochter, die er auf dem Strich erwischt hatte. Er sagte tatsächlich: »Los, steig ins Auto.«

Schweigend fuhren wir zu meiner Wohnung. Ich wußte nicht, was ich sagen sollte, und merkte auch deutlich, daß es ihn ohnehin nicht interessierte. Bevor ich ausstieg, lehnte ich mich zu ihm hinüber, um ihn zu umarmen.

Er legte einen Arm lose um mich und fragte schließlich eher

ärgerlich als besorgt: »Was ist eigentlich los, Lori? Du verhältst dich so komisch.«

Ich hatte keine Erklärung, fand aber, daß er sich mindestens genauso komisch verhielt. Früher wäre er vielleicht auch sauer gewesen, aber er hätte gelacht und mich gefragt, wie ich plötzlich mitten in Oakland landen konnte, und ich hätte mit Sicherheit eine gute Ausrede parat gehabt. Aber heute abend hatte ich natürlich auch keine gute Ausrede. »Gute Nacht«, antwortete ich daher schlicht und: »Danke.«

10

LAUT MARILYN, der Leiterin des Leseförderprojektes, sollten sich Lehrerin und Schülerin stets an einem neutralen Ort wie der Bibliothek treffen, aber Deirdre Felix schlug vor, daß ich künftig zu ihr kommen sollte, wenn es mir nichts ausmachte.

Es machte mir nichts aus, im Gegenteil. Ich war sogar erleichtert. Der Zeitpunkt hätte nicht besser sein können. Ich wollte Pam am liebsten nie wieder über den Weg laufen, dieser hinterlistigen Schlange. All die vergeudeten Monate. Ich wünschte, Frauen würden einfach sagen: »Du blöde Nuß, bildest du dir wirklich ein, ich wäre auch nur im geringsten an dir interessiert?« anstelle von: »Das klingt sehr nett, nur leider habe ich im Moment überhaupt keine Zeit.«

Vermutlich hätte ich mir das Ungesagte denken können, aber ich wollte wohl lieber glauben, daß sie all die netten Dinge tatsächlich gerne unternehmen würde, sobald sie wieder mehr Zeit hätte.

Und trotzdem, an jenem Abend auf meinem Weg zu Deirdre Felixs Haus sehnte ich mich inständig nach Pam. Ich wollte sie zwar nicht sehen, aber meine Phantasien mit ihr wollte ich auch nicht aufgeben. Bislang war bei meinem Lesetermin in der Bibliothek vermutlich meine Lust der eigentliche Antriebsmotor gewesen, nun aber mußte ich es ohne sie schaffen. Heute waren da nur Deirdre Felix, ich und die Bücher.

Ich war spät dran, weil ich Schwierigkeiten hatte, im strömenden Regen ihr Haus in den Oakland Hills zu finden. Dort oben herrschte die reinste Wildnis, düsterer Wald und keinerlei Straßenbeleuchtung – für mich etwas zuviel Natur, zumindest bei Nacht.

Ich war erst um viertel vor sieben dort, parkte auf der Straße und folgte dem mit Steinplatten gepflasterten, geschwungenen Pfad durch einen waldähnlichen Garten bis zur Haustür. Bevor ich klingelte, sah ich mich noch einmal um und betrachtete die riesigen Pflanzen rechts und links des Wegs, von deren Ästen das Regenwasser tropfte. Warum wohnte sie nicht wie normale Leute in einer schönen Mietwohnung oder einem eigenen Haus mit einem einfachen Rasen davor? Als ich auf den Klingelknopf drückte, krachte direkt über mir ein Donnerschlag. Ich schauderte und erwartete fast, daß Lurch, der gruselige Butler der Addams Family, mir die Tür öffnete.

Deirdre Felix trug einen dunkelgrünen Fleecepulli, hellbraune Jeans und Collegeschuhe. Ihre legere Kleidung verblüffte mich – wo waren der Blazer und die Flanellhose? Der Flur, in dem es nach frischgehacktem Holz roch, strahlte eine dunkle, warme Gemütlichkeit aus. Auf dem Weg in ihr Arbeitszimmer, in das sie mich eilig bugsierte, sah ich in alle Räume hinein. Auf den Fußböden lagen überall Orientteppiche, und an den Wänden hingen echte Gemälde. Auf ausgefallenen kleinen Tischen waren jede Menge Kunstgegenstände zu sehen. Im Wohnzimmer stand ein riesiger Weihnachtsbaum, der bereits zum Teil mit altmodischem, vermutlich antikem Zierat geschmückt worden war. Um ihn herum lagen auf dem Fußboden verstreut mehrere Schachteln. Ich fragte mich, ob Arnie ihr wohl beim Schmücken des Weihnachtsbaumes geholfen hatte und ob der Architektensohn über die Feiertage nach Hause kam. Aus dem Obergeschoß tönte klassische Musik.

»Woher haben Sie all diese Kunstgegenstände?« fragte ich.

»Überwiegend von unseren Reisen.«

»Wo waren Sie denn schon überall?«

Deirdre Felix beantwortete nicht gerne Fragen, zumindest nicht meine. Zuweilen hätte ich allein die Andeutung einer kurzen, netten Unterhaltung als Polster zwischen mir und *Der Unterrichtsstunde* schön gefunden, aber keine Chance. Sie war eine unglaublich verantwortungsbewußte Frau, und bei mir lautete ihre Verantwortung eben: unterrichten.

Als wir an einer großen Tür aus Redwood-Holz ankamen, die geschlossen war, meinte sie: »Vielen Dank, daß Sie bereit sind herzukommen. Ich habe im Augenblick kein Auto.«

»Ich weiß«, erwiderte ich, ein bißchen beschämt darüber, daß ich nicht selbst an diese Möglichkeit gedacht hatte, die für sie eine enorme Erleichterung bedeuten mußte.

»Wie kamen Sie eigentlich per Bus zur Bibliothek?«

»*Pffh*«, antwortete sie.

»Was ist mit Ihrem Auto?« unternahm ich noch einen Versuch.

Eine Sekunde lang zeigte sich auf ihrem Gesicht eine Gefühlsregung – Wut? Abscheu? Angst? Dann sagte sie: »Totalschaden.«

»Ist Ihnen etwas passiert? Sind Sie gefahren?«

»Es geht mir gut«, antwortete sie, öffnete die große Tür und führte mich in einen nicht besonders einladend wirkenden Raum, den sie als ihr Arbeitszimmer bezeichnete. Die Polstersessel waren viel zu wuchtig. Im Kamin verbrannte gerade ein halber Baumstamm, und das lodernde Feuer schien jeden Moment außer Kontrolle zu geraten. Ich sah mich nach einem Feuerlöscher um, konnte aber keinen entdecken. An allen vier Wänden standen mächtige, vom Boden bis zur Decke mit Büchern vollbepackte Regale, die mich ganz schwindelig machten. Ich stand im Türrahmen und fühlte mich mit der klassischen Musik verbunden, die an mein Ohr drang wie eine hereinströmende Welle, die mich im Rückzug mit sich nehmen könnte.

»Machen Sie bitte die Tür zu«, forderte Deirdre Felix mich auf und setzte sich an einen schweren, dunkel gebeizten und fast feindselig aussehenden Tisch. Sie wirkte zu klein für diesen Raum, wie eine Maus, die sich in einer Bärenhöhle eingerichtet hatte. Dennoch war ich mir sicher, daß es nicht Arnies Arbeitszimmer war. Die so entschieden geschlossene Tür und die Art und Weise, wie Deirdre Felix diesen grimmigen Raum ausfüllte, wie sie, den Rücken vertrauensvoll der Feuersbrunst zugewandt, am Tisch saß, vermittelte mir die Gewißheit, daß sie sich in diesem Zimmer wohler fühlte als sonst irgendwo im Haus. Dieses mit überdimensionalen Stühlen, einem Sekretär und diesem gnadenlosen Tisch ausgestattete Büchergrab war auf eine bestimmte Weise Balsam für ihre Seele. Das erkannte ich an ihrer Haltung, ihrem entspannten Unterkiefer und einer Gelöstheit in ihrem Körper, die mir fremd war. Am liebsten hätte ich mich ganz dicht neben sie gesetzt.

Ich machte die Tür zu und schnitt damit die hereinströmende Musik ab.

»Der Tee«, sagte sie und stand noch einmal auf. Sie goß kochend heißes Wasser aus einer Kanne in eine große Tasse und reichte sie mir. »Süßholz«, meinte sie.

»Der Tee?«

»Ja. Setzen Sie sich dort hin«, sagte sie und deutete an das eine Ende des Tisches. »Wie klappt es mit dem Tagebuch?«

»Gut«, antwortete ich wahrheitsgemäß. Bislang hatte ich jeden Abend mindestens fünf Minuten in den Rekorder gesprochen, manchmal sogar länger. Es machte mir richtig Spaß, kreativ mit Worten umzugehen, und ich war froh darüber, ihr den Erfolg mitteilen zu können. Ich hatte sogar eine Kassette extra für sie aufgenommen, eine mit vielen »eindrucksvollen Details«, die mir im Fahrradladen aufgefallen waren. Meine eigentlichen Bänder konnte ich ihr nicht geben, weil ich zuviel über sie sprach. Ich zog die für sie gedachte Kassette aus der Tasche.

»Oh, ich möchte sie mir gar nicht anhören.« *Pffh*, machten ihre Lippen, und mit einer Handbewegung wedelte sie die Luft vor ihrem Gesicht weg. Wahrscheinlich die Bedeutungslosigkeit meiner Aufnahme. Reden konnte schließlich jeder. »Die Kassette ist ganz allein für Sie«, sagte sie und reichte mir die gleiche Geschichte, die ich bereits letzte Woche erfolglos zu lesen versucht hatte. Sie hatte sämtliche schweren Wörter aufgeschrieben, mit denen wir dann fast die gesamte Unterrichtsstunde verbracht hatten. Demnach müßte ich heute eigentlich in der Lage sein, die Geschichte fließend vorzutragen.

Ich fing an zu lesen. Erstaunlicherweise schaffte ich es ziemlich gut durch die ersten Sätze, bei dem Wort *Durchhaltevermögen* jedoch geriet ich zum billionsten Mal ins Stocken. Deirdre Felix seufzte. »Macht nichts«, sagte sie, nahm mir das Blatt aus der Hand und legte es auf den Tisch. Dann stand sie auf, ging hinüber zu einem der Bücherregale und sah sich, die Hände in die Hüften gestemmt, die Buchrücken an.

Ich rührte mich nicht. Sie wollte sich meine Kassette nicht anhören. Ich konnte die Geschichte nicht lesen. Was nun?

Der Wind klatschte Regentropfen an die Fensterscheibe, was sich anhörte, als würde jemand klopfen. Ein Blitzstrahl tauchte das Arbeitszimmer einen Augenblick lang in grelles, elektrisches Licht und verlieh Deirdre Felix, die sich stirnrunzelnd die Bücher besah, etwas Diabolisches.

Irgend etwas an dieser kleinen, älteren Frau in diesem finsteren Bücherverlies wirkte unstimmig.

Möglicherweise war sie eine Serienmörderin, die Schülerinnen und Schüler aus dem Leseförderprogramm unter einem Vorwand in ihr Arbeitszimmer lockte, und wenn ihr Frust über deren Inkompetenz einen bestimmten Höhepunkt überschritt ...

Ich fuhr zusammen, als Deirdre Felix sagte: »Genau. Dieses hier.« Sie nahm ein Buch aus dem Regal, setzte sich in einen der großen Polstersessel, und zeigte auf den anderen. »Dort sitzen Sie gemütlicher.«

Ich stand vom Tisch auf und ließ mich in den Sessel sinken.

»Hören Sie mir einfach zu«, forderte sie mich auf. Sie erwartete also von mir, mich hinzusetzen, diesen seltsamen Tee zu trinken und ihr zuzuhören, während sie mir vorlas.

Ich hörte ihr nicht wirklich zu. Die Worte gingen ineinander über. Ich betrachtete ihr Gesicht und überlegte, wo Arnie wohl war. Was sie sonst noch in diesem Arbeitszimmer machte. Wer der Fahrer des BMW gewesen war, über den sie sich so geärgert hatte. Wer ihren Saab zu Schrott gefahren hatte. Warum sie sich überhaupt die Mühe machte, wenn sie mich doch offensichtlich nicht leiden konnte. Warum ich mir überhaupt die Mühe machte, wenn ich doch offensichtlich nicht weiterkam.

Dennoch saß ich hier in diesem merkwürdigen Arbeitszimmer und hörte dieser Frau zu, die einen angespannten und zugleich traurigen Eindruck machte.

Zuweilen flackerte das Feuer auf und tauchte das Arbeitszimmer in helles Licht. Während sie las, mußte ich darüber lächeln, daß sie mir gerade noch diabolisch vorgekommen war. Wohl kaum. Sie stützte sich zum Feuer hin auf die Armlehne ihres Sessels und las ganz ruhig vor. Ihre grauen Augen wirkten im Flammenlicht wie zwei Feuersteine, und bei bestimmten Wörtern hob sie die Augenbrauen. Obwohl sie nicht lächelte, strahlten ihre schmalen Lippen eine gewisse Wärme aus, als habe sie gerade eine angenehme Erinnerung. Ihre Nase war klein – früher in der High-School wäre sie als keß bezeichnet worden –, und ihre runde Wangen sahen aus wie kleine Kissen. Ganz offensichtlich mochte sie die Geschichte. Der Wind rüttelte wieder an den Fenstern, und jetzt lächelte sie bei den Worten: » ... der Ast einer Tanne, der sich in dem aufheulenden Sturm an meinen Fensterladen drückte, wodurch die trockenen Tannenzapfen an die Scheibe klopften ...«

Unruhig sah ich aus dem Fenster, lauschte den Klopfgeräuschen und fragte mich, ob das wohl trockene Tannenzapfen waren. Dann versuchte ich, mich auf ihre Worte zu konzentrieren, aber sie waren altertümlich, und ich war viel zu angefüllt mit Eindrücken – der Hitze des Feuers, dem Süßholzaroma auf meiner Zunge und dem *Klang* der Worte mehr noch als deren Bedeutung. Deirdre Felix hatte eine angenehme Stimme, die mich regelrecht einlullte, so daß ich ganz meinen eigenen Gedanken nachhing.

Ich war mir sicher, daß sie mir nach der Lektüre entsprechende Verständnisfragen stellen würde, bei denen ich gewiß eine ebenso klägliche Figur abgab wie beim Entziffern von Buchstaben, aber ich hatte mich geirrt. Am Ende unserer Stunde schlug sie das Buch zu und sah mich an. Zweifellos wußte sie, daß ich mit den Gedanken woanders gewesen war. »Nächste Woche wieder?« fragte sie.

Ich stand auf. Eigentlich müßte ich ihr sagen, daß es so nicht funktionierte. Es war für sie die reinste Zeitverschwendung. Vielleicht machte es ihr ja Spaß, in diesem Zimmer zu sitzen und zu lesen, ich aber kam mir von diesen ganzen Wörtern geradezu gefesselt und geknebelt vor, eingesperrt von vier Bücherwänden und gelähmt ob meiner Unfähigkeit, mich auf ihre Worte zu konzentrieren. Ich folgte ihr durch den langen Flur und ging hinaus, ohne ein Wort zu sagen.

Drei Tage später, am Samstagmorgen, rief Deirdre Felix mich an. Die Sonne war herausgekommen, und ich lag trotz der Kälte bei offener Wohnungstür bäuchlings auf dem Bett. In meinem Zimmer breitete sich ein intensiver Geruch nach nasser Erde aus, und durch die Tür fiel kalter Sonnenschein. In einer Puddingform vor mir auf dem Bett lag, in sämtliche Einzelteile zerlegt, die Armbanduhr meines Vaters, die ich nur zum Spaß auseinandergenommen hatte, um zu sehen, ob es mir gelang, sie wieder zusammenzubauen. Dazu brauchte ich aber sowohl eine dieser Lupen, die man sich vors Auge klemmt, als auch höchstens zahnstocherbreite Finger, sonst würde ich es wahrscheinlich nicht schaffen.

Ich zwängte den Hörer zwischen Schulter und Kiefer und fummelte weiter an der Uhr herum.

»Ich muß für ein paar Wochen verreisen«, sagte sie. »Ich weiß nicht genau, wann ich wiederkomme, aber vermutlich Mitte Januar. Dann würden nur drei Sitzungen ausfallen.«

»Kein Problem«, antwortete ich, erstaunt über meine augenblickliche Enttäuschung. Müßte ich nicht eher erleichtert sein? »Wo fahren Sie denn hin?«

»Meine Schwester wohnt in New York. Ich rufe Sie an, wenn ich wieder hier bin.«

»Gut, okay«, erwiderte ich in einem gekünstelt vergnügten Tonfall und legte auf. Ich war überzeugt davon, daß sie mich nicht anrufen würde, wenn sie wieder da war. Meiner Meinung nach waren alle Menschen im Grunde ihres Herzens Feiglinge. Pam schaffte es nicht, mir von ihrer Freundin und dem Baby zu erzählen, ich konnte Whitney Yarbrough nicht sagen, daß sie mich nicht interessierte, und sogar Deirdre Felix, von der ich Ehrlichkeit am ehesten erwartet hätte, war zu feige, um mir zu sagen, daß sie mich nicht mehr unterrichten wollte.

Das war ja okay. Kein Problem. Es war sogar *gut* – wie eine Entlassung aus dem Hirnknast. Ich feierte den Anlaß, indem ich meine gesammelten Wortkarten in die Mülltonne warf. Dann fuhr ich mit dem Fahrrad zu *Cactus Taqueria* und verzehrte köstliches vegetarisches Kraftfutter. Danach fuhr ich zu dem einzigen Uhrenfachgeschäft, das im Zeitalter der Digitaltechnik in unserer Gegend noch existierte, und erstand eine dieser Lupen und eine winzige Pinzette. Der Typ hielt mich für vollkommen verrückt. »Es ist billiger für Sie, wenn Sie mir Ihre Uhr zur Reparatur bringen«, meinte er und verkaufte mir die Werkzeuge zu einem völlig überhöhten Preis. Aber es hatte sich trotzdem gelohnt. Den ganzen Nachmittag verbrachte ich damit, klitzekleine Federn, Zahnräder und Klammern zusammenzusetzen – und um sechs Uhr tickte das Teil wieder.

Am folgenden Mittwochabend war ich ganz ruhelos. Sobald sich Ratten einmal an eine bestimmte Strecke gewöhnen, laufen sie sie entlang, egal wieviele Hindernisse man ihnen in den Weg legt. Das tun alle Tiere. So auch die Karibus in Alaska, die einfach über die Pipeline springen, die zuvor so vielen Menschen Kopfzerbrechen bereitet hatte. Vermutlich war das mit meinen Unterrichtsstunden am Mittwochabend ähnlich.

Obwohl ich mich dabei unbehaglich und eingeengt fühlte, hatte ich mich an diese gemeinsame Zeit mit Deirdre Felix gewöhnt.

Ich mochte ihre Leidenschaft für Bücher und war regelrecht fasziniert davon, wie sie in dem dunklen, wuchtigen Arbeitszimmer in eine ganz andere Welt eingetaucht war. Bücher zu studieren, war zwar nicht meine Sache, aber allmählich fand ich Gefallen daran, Deirdre Felix zu studieren. Oder es zumindest zu versuchen.

Im Verlauf des Abends mußte ich ständig an sie denken und fragte mich, ob sie wohl wirklich nach New York gefahren war. Wenn dem so war und sie mich in drei Wochen tatsächlich anrufen würde, hätte ich sicherlich ein total schlechtes Gewissen, weil ich die Wortkarten weggeworfen hatte, die ich übrigens sogar ein bißchen vermißte – oder wenigstens das Gefühl, diese großen viereckigen Karten in der Hand zu halten. Es ging mir nicht um das hirnzermarternde Gefühl beim Versuch, sie zu entziffern, sondern um den eigentlichen Stapel in meinen Händen, die Art und Weise, wie eine Karte auf der anderen lag, wie ich die Wörter beiseite legte, die ich am Ende doch gelernt hatte und wirklich beherrschte, und wie dieser eigene kleine Stapel allmählich immer größer wurde – mein kleiner Siegesstapel.

Eine ganze Stunde lang zappte ich mich durch die Fernsehkanäle, bereitete mir Gourmet-Spiegeleier, was bedeutete, daß ich Knoblauchpulver und Zwiebelflocken darüberstreute, und hörte mir ein paarmal die Ansage auf Mickeys Anrufbeantworter an. Er ging überhaupt nie mehr ans Telefon. Letzte Woche auf der Arbeit hatte ich ihm von der Geschichte mit Pam sowie von meinem unbeabsichtigten Buchdiebstahl und der darauf folgenden Busfahrt erzählt. Er lachte zwar an den richtigen Stellen, bemerkte dann jedoch, das alles sei trotzdem keine Erklärung dafür, warum ich mitten in der Nacht im Busbahnhof von Oakland saß, und wechselte das Thema.

Gegen zehn Uhr entschied ich mich, etwas gegen meine innere Unruhe zu tun. Ich nahm mein Mountainbike vom Haken und fuhr durch die Stadt. Durch die Nacht zu sausen fühlte sich gut an. Es regnete zwar nicht, aber es war naßkalt. Als ich Whitney damals erzählte, ich würde nachts oft Fahrrad fahren, hatte ich gelogen. Eigentlich tue ich das nie. Es ist dumm und gefährlich. An meinem Fahrrad hatte ich weder Licht noch Reflektoren, so daß die Autos mich erst sahen, wenn sie mich sozusagen schon überfahren hatten. Heute abend jedoch genoß ich dieses Gefühl, ein Geist zu sein, nahezu unsichtbar. Ich hatte nur einen einzigen Beinahe-Unfall, und das war bereits weit außerhalb der Stadt, als ich die Tunnel Road bergauf fuhr. Ein paar Kurven unterhalb von mir hatte ich bereits quietschende Reifen gehört und angenommen, daß da ein paar betrunkene Jugendliche unterwegs waren. Sicherlich wäre es besser, abzusteigen und am Straßenrand zu warten, bis sie mich überholt hatten. Aber ich fuhr weiter, bis sie direkt hinter mir mit heulendem Motor um die Kurve brausten. Beim Vorbeifahren streifte mich die Autotür ganz sachte, wie ein Metallkuß. Wahrscheinlich hatte mich der Autofahrer noch nicht einmal bemerkt.

Oben an der Kreuzung mit der Grizzly Peak Road fuhr ich weiter südwärts auf dem Skyline Boulevard den Bergrücken entlang. Da der Mond zu Dreiviertel voll war, gab es zumindest in den baumlosen Abschnitten ausreichend Licht.

Als ich mein Ziel erreichte, hielt ich am Steinplattenweg an. Das Fahrrad zwischen meine Beine geklemmt, stand ich da und versuchte, durch die Pflanzen hindurch zum Haus zu sehen. Auf jeden Fall waren ein paar Lichter an, und während ich hinsah, wurden zwei von ihnen ausgeschaltet. In der Einfahrt stand der hellbraune BMW.

Ich versteckte mein Fahrrad unter einem Busch mit roten Beeren und ging den Steinplattenweg entlang. Was wollte ich hier eigentlich, etwa klingeln? Vor dem Haus angekommen, begab ich mich in den Garten und quetschte mich zwischen zwei Bäumen hindurch zur Seite des Hauses. Die Erde unter meinen Füßen fühlte sich jetzt weich und feucht an, ich mußte mich also bereits in dem an den Garten angrenzenden Wald befinden. Ich hockte mich an einen nassen Uferrand und hörte nicht mehr als drei Meter unterhalb von mir einen Bach plätschern. Von weiter oben warf ein helles Lichtquadrat seinen warmen goldenen Glanz auf die immergrünen Pflanzen. Schritt für Schritt schob ich mich langsam am Ufer entlang bis zu einem Fenster, durch das ich in die Küche sah. Drinnen war eine junge blonde – eine umwerfende junge blonde Frau - in einem dunkelblauen Abendkleid gerade dabei, kleine runde Brotscheiben mit einem braunen Aufstrich zu beschmieren. Sie legte sie auf einen dekorativen Teller, nahm dann eine offene Flasche Rotwein und ging aus der Küche. Deirdre Felix hatte nichts von einer Tochter gesagt. Vielleicht die Frau ihres Sohnes? Deirdre Felix würde doch nicht nach New York fahren, wenn Sohn und Schwiegertochter über Weihnachten zu Besuch kämen.

Mit einem Mal ganz außer Atem, ging ich unterhalb des Fensters in die Knie und lehnte mich ans Haus. Dabei hatte ich einen dieser lichten Momente, in denen man sich selbst bei einem im Grunde unmöglichen Verhalten ertappt, aber dennoch nicht aufhören kann. Mickey – mein guter, ehrenwerter Freund Mickey – würde sicherlich nichts mehr mit mir zu tun haben wollen, wenn er wüßte, daß ich heimlich Leute beobachtete.

Trotzdem mußte ich unbedingt wissen, ob Deirdre Felix zu Hause war oder nicht – ob sie mich angelogen hatte. Daher kroch ich zur Rückseite des Hauses, um von dort möglicherweise einen besseren Blick ins Innere zu bekommen. Gerade als ich auf allen Vieren um die Ecke bog und mich dabei wie eine Krabbe nahe am Boden fortbewegte, berührte mich etwas Pelziges an Schulter und Arm. Ich schrie auf und machte einen Sprung vom Haus weg.

Im selben Augenblick gingen gestapomäßig mehrere Scheinwerfer an, und einen Moment lang verharrte ich regungslos und blinzelte in das grelle Licht. Dann hastete ich in den Wald hinterm Haus, stolperte und fiel in ein Bett aus nassen Blättern und Tannennadeln. So unbeweglich wie möglich blieb ich auf dem Bauch liegen.

Jemand mußte eine Tür geöffnet haben, denn nun drang leise klassische Musik in die dunkle Nacht hinaus. Ich vernahm eine tiefe Männerstimme: »Hallo? Ist da jemand? Hallo? Hallo?«

Ich preßte mich am Rande des Lichtkegels auf den feuchten Boden und spürte, wie die Nässe allmählich meine warmen Leggings und meine Fleecejacke durchdrang. Nicht daß ich großen Wert darauf gelegt hätte, daß irgend jemand aus der Familie Felix mich in ihrem Garten auf dem Boden liegend entdeckte, aber bei der Vorstellung, dieses Pelztier – ein Opossum? ein Waschbär? – könnte jeden Augenblick zurückkehren, wurde mir ganz schlecht. Als ich mich zur Seite drehte, schlug etwas Hartes, Schlangenähnliches an meine Kniekehle. Ein langer, schuppiger Opossumschwanz. Ich unterdrückte ein Würgen. Das harte Ding blieb an meiner Kniekehle liegen, und plötzlich wurde mir klar, daß sich kein im Wald lebendes Tier freiwillig an einen Menschen ankuscheln würde. Also griff ich nach hinten und schlug den Stock weg.

Eine Minute später gingen die Lichter wieder aus. Eigentlich hielt ich es für das Beste, noch möglichst lange abzuwarten, aber als ich dicht neben mir etwas rascheln hörte, rappelte ich mich schnell auf. Möglichst nahe am Haus, um den Bewegungsmelder nicht noch einmal auszulösen, schlich ich bis zum Vorgarten. Von dort aus hoffte ich, durch die dichte Bepflanzung bis zu meinem Fahrrad kriechen zu können.

Aber als ich mich zwischen den beiden Bäumen hindurchquetschte, gingen die Lampen wieder an, so daß ich mit einem Satz auf den Gehweg sprang, wo man mich zwar sehen konnte, ich aber auch schneller war, und rannte zur Straße.

Ich zog mein Fahrrad unter dem Busch mit den roten Beeren hervor, sprang auf und trat fest in die Pedale. Wenn der Mann mit der tiefen Stimme oder diese blonde Tussi die Polizei rief, wäre ich vielleicht bald tot. Schießen die Bullen nicht am liebsten auf bewegliche Ziele? Wie eine Verrückte raste ich die Tunnel Road hinunter und nahm die Kurven im großen Bogen, um nicht zu stürzen, während die Innenseite der Pedale funkensprühend auf der Straße schleifte. Hoffentlich hatte ich keinen Gegenverkehr. Meine Adrenalinausschüttung war dermaßen hoch, daß ich in dieser Nacht auch die Tour de France hätte fahren können.

Als ich endlich zu Hause ankam, fühlten sich meine Füße an wie Eisklötze, und mein ganzer Körper bebte vor Kälte und Anstrengung. Ich schloß mich ein und hängte mein Fahrrad an den Haken. Dann ließ ich dampfend heißes Wasser in die Wanne laufen, setzte mich hinein und fing an zu weinen. Ich weiß nicht, warum, aber ich weinte und weinte und weinte.

11

»GUTEN MORGEN«, erzählte ich meinem Kassettenrekorder. »Dies ist ein Bericht der zentralen Überwachungsstelle. Mittlerweile haben wir ganz offiziell die Grenze zum Land des Wahnsinns überschritten. Ich gehe neuerdings auf Streifzug. Einen Vorteil hat das Ganze allerdings: Mickey hat mir früher immer vorgeworfen, ich würde jedes Thema sexualisieren. Nun, inzwischen bin ich zu anderen Perversionen übergegangen, indem ich beispielsweise in städtischen Busbahnhöfen herumlungere und andere Leute bei Nacht in ihrem Haus beobachte.

Was gibt es sonst noch zu berichten? Außer daß ich für meine neue Laufbahn als Einbrecherin trainiere, eigentlich nicht viel. Heute abend treffe ich mich mit Edith. Unser großes Wiedersehen. Echt super. Es wird aus anderthalb Stunden liebeskranker Geschichten bestehen – Betonung auf krank –, und dann muß sie wieder los. Die beiden sind jetzt seit einem halben Jahr zusammen. Da sollte man eigentlich annehmen, daß der Honeymoon vorbei ist. Ich setze darauf, daß Edith etwa fünf Kilo zugenommen hat – das tut sie bei jeder neuen Beziehung – und darauf schwört, daß diese Frau ›ganz anders‹ ist. Ich werde mir anhören, daß sie die alten Muster endgültig durchbrochen hat und wie toll diese – wie heißt sie nochmal? – für sie ist und so weiter und so fort.

Ach, hör schon auf, Lori. Es wird mir gut tun, Edith zu sehen. Ich freue mich darauf.«

Das Telefon klingelte. Ich stoppte die Aufnahme und hörte, wie sich mein Anrufbeantworter einschaltete. Edith erklärte, daß sie und ihre Freundin sich mit einer beginnenden Erkältung herumplagten. Ich hätte sicherlich dafür Verständnis. Was hielte ich von einem neuen

Termin am Mittwoch, dem zwanzigsten Februar? Sie wolle mich unbedingt sehen. Ich könne sie ja mal anrufen.

»Grundsatz Nummer Eins bei neuen Beziehungen«, sagte ich zu Mickey später am gleichen Tag im Fahrradladen: »Vernachlässige deine Freundinnen und Freunde nicht, wenn du dich verliebt hast. Der Hauptunterschied zwischen Freundinnen und Geliebten ist, daß letztere irgendwann gehen. Erstere nicht, wenn du sie gut behandelst.«

Mickey hob ein Fahrrad auf den Montageständer und meinte: »Komm schon, Lori, stell dich dem Leben.«

Jäh schmetterte ich meinen Schraubenschlüssel auf den Zementboden. »Verdammt, Mickey. Nur weil du mit dieser fetten Teenagerin bumst, bist du noch lange kein Fachmann fürs Leben. Und nur weil ich nichts anderes tue als zu arbeiten und mir selbst etwas auf Kassette zu sprechen, heißt das noch lange nicht, daß in meinem Leben nichts passiert.« Zu meiner eigenen Überraschung sackte ich auf dem Fußboden neben dem Schraubenschlüssel zusammen und fing an zu schluchzen.

»Lori! Mein Gott, es tut mir leid.«

Sobald ich einmal angefangen hatte zu heulen, konnte ich nicht mehr aufhören. Mickey tätschelte mir die Schulter. Er hatte mich noch nie weinen sehen.

»Schließlich hast du doch immer gesagt, daß Sex nicht alles sein kann«, schniefte ich. »Und jetzt bist du dermaßen mösensüchtig, daß du überhaupt nicht mehr an deinen Fahrradladen denkst.«

Mickey setzte sich neben mich auf den Fußboden, und ich lehnte mein Gesicht an seine Schulter. Er legte beide Arme um mich, sagte nichts weiter und ließ mich weinen, bis Enrique zur Tür hereinkam.

»Lori, Mickey, ich brauche mal eure Hilfe bei –« Durch meine Schluchzer drang Enriques Stimme zu mir. Ich sah auf und erkannte seine mächtige Erscheinung im Türrahmen. Da ich meine Brille abgesetzt hatte, nahm ich ihn zwar nur verschwommen wahr, spürte aber, daß ihn der Anblick von Mickey und mir, die wir uns auf dem Zementfußboden in den Armen lagen, schockierte.

»Gleich«, sagte Mickey, woraufhin Enrique verschwand. Einen Augenblick später kam er zurück, ließ vor mir ein Päckchen Tempotaschentücher auf den Boden fallen und ging wieder hinaus.

»Es tut mir leid, Mickey. Ich weiß nicht, was mit mir los ist.« Von nahem sah Mickey wunderschön aus mit seinen braunen Augen, die so suß und verführerisch waren wie Schokolade, und seinem verrückten asymmetrischen Mund. Ich kuschelte mich an ihn.

»Ist etwas mit deiner Bibliothekarin passiert? Wie heißt sie noch? Paula?«

»Pam. Nein, das habe ich dir erzählt. Mit ihr ist ganz und gar nichts passiert.«

»Ah, verstehe.«

»Nein, du verstehst überhaupt nichts!« widersprach ich heftig und brach erneut in Tränen aus. Ich klammerte mich an Mickeys hagere, muskulöse Arme und fragte mich, wie ich es ihm nur erklären sollte. Ja, es tat weh, von Pam einen Korb bekommen zu haben. Aber noch schlimmer war, daß Deirdre Felix das gleiche getan hatte. Das konnte ich sogar vor mir selbst kaum zugeben.

»Wir könnten doch heute abend zusammen essen gehen«, meinte er. »Ich lade dich ein. Zu unserem Vietnamesen.«

Es war so ein einfacher Vorschlag, einerseits genau das, was ich brauchte, aber gleichzeitig völlig daneben. Alles ging zur Zeit irgendwie daneben. Wahrscheinlich weil ich selbst nicht wußte, was das Richtige war.

»Aber nur, wenn du dir weder Innereien noch Fischaugen bestellst«, sagte ich. »Dabei vergeht mir immer der Appetit.«

»Versprochen.«

»Okay«, murmelte ich und fügte kleinmütig hinzu: »Aber wenn du dich mit Sheila verabredet hast, können wir uns auch morgen abend oder an einem anderen Tag treffen.«

»Hmm, neinnein«, erwiderte er, aber ich hatte sein kurzes Zögern bemerkt. »Gehen wir heute abend.«

Ein paar Minuten später war er hinten in der Ecke am Telefon und sagte leise sein Date mit Sheila ab.

Das Nudelsuppenessen beim Vietnamesen mit Mickey brachte mir meine gute Laune zurück. Ich machte mich lustig über ihn, weil er sich die Haare wachsen ließ. Sie waren jetzt gerade so lang, daß er sie mit einem Lederband zu einem kurzen Pferdeschwanz zusammenbinden konnte. Die Strähnen, die dafür noch nicht lang genug waren, fielen ihm jedoch permanent in die Augen.

Ich hoffte inständig, daß Sheila ihn ebenso liebte wie er sie.

Das ganze Essen hindurch versuchte Mickey, mich zu einer Verabredung mit Whitney Yarbrough zu überreden. »Was ist schon dabei?« wollte er wissen. »Du magst sie, stimmt's?«

»Stimmt«, antwortete ich.

Auf dem Heimweg überlegte ich mir Grundsatz Nummer Zwei bei neuen Beziehungen: Wenn dich deine Freundinnen und Freunde vernachlässigen, weil sie verliebt sind, dann verabrede auch du dich mit jemandem.

Noch am gleichen Abend rief ich sie an, und sie hob noch vor Ende des ersten Klingelzeichens ab. Ich schlug vor, Freitagabend zusammen zu essen. Sie schwieg einen Augenblick, was mich nicht weiter überraschte. Natürlich fragte sie sich, warum ich es mir plötzlich anders überlegt hatte und mich doch mit ihr treffen wollte. Dann aber zeigte sie sich der neuen Situation durchaus gewachsen und sagte: »Ich koche uns etwas.«

»Wir gehen essen.« Diesmal stellte ich die Bedingungen, und ich zahlte auch. Ausschlaggebend war das richtige Tempo, denn dieses Treffen sollte ganz nach meinen Vorstellungen ablaufen.

Ich lud Whitney in ein vornehmes und teures italienisches Restaurant in den Oakland Hills ein, ganz in der Nähe von Deirdre Felixs Haus. Wegen meiner Motive kam ich mir schon ein bißchen schäbig vor. Hatte ich mich mit Whitney verabredet, weil ich wußte, daß sie ja sagen würde? Weil Pam mir einen Korb gegeben hatte und ich jetzt etwas Bestätigung brauchte? Vielleicht. Aber nicht nur. Whitney war eine eindrucksvolle Frau, sehr gewandt und durchaus bemüht, diese Gewandtheit noch zu perfektionieren. Jetzt, da es Deirdre Felix und meine wöchentlichen Dummchenstunden mit den Wortkarten nicht mehr gab, kam ich mir ihr gegenüber gleichwertiger vor. Und ich konnte mich eher wieder auf meine innere Doña Juanita besinnen.

Whitney sah toll aus an diesem Abend. Sie trug einen goldbraunen Overall aus Rohseide, der supergut zu ihren blonden Haaren paßte, einen schwarzen Gürtel und schwarze hochhackige Schuhe. Hochhackige Schuhe! So etwas hätte ich der sanften Whitney Yarbrough gar nicht zugetraut, und ich freute mich darüber. Wer weiß, welche Überraschungen sie sonst noch bieten würde? In gewisser Weise machte es sogar mehr Spaß, mit einer Frau auszugehen, in die ich nicht total verknallt war. So hielt ich die Zügel fest in der Hand und wurde nicht von meinen eigenen Gefühlswallungen hin und herkatapultiert.

Die Bestellung verlief reibungslos. »Welchen Salat würden Sie empfehlen?« »Welchen Fisch haben Sie heute?« »Sehr gut, dann nehme ich den.« Selbstsicher und butch – so stellte ich mich dar. Whitney studierte die Speisekarte ausgiebig und nannte bei der Bestellung die genauen Namen der Speisen. Ich schlug vor, sie solle einen Wein aussuchen, den sie mochte, woraufhin sie einen roten bestellte.

Sie erzählte mir viel von ihren Grußkarten, ihrem Job als selbständige Graphikdesignerin und ihrem Vater. Ihre Mutter war ein Jahr zuvor an Krebs gestorben. Zur gleichen Zeit hatte ihre damalige Freundin sie verlassen, und seitdem war sie keine Beziehung mehr eingegangen. Sofort sah ich mich als die kühne Retterin und mußte mich zwingen, wieder herunterzukommen. Schließlich war Whitney bei weitem nicht hilflos. Sie fragte mich nach meiner Familie, und ich sagte ihr die Wahrheit. Meine Mom lebte zusammen mit ihrem dritten Ehemann in Barstow in der Mohave-Wüste. Mein Vater hatte die Familie verlassen, als ich vierzehn war, und rief mich ein- bis zweimal im Jahr an. Ich erzählte ihr, daß ich meinen Vater wirklich gern mochte und alles Wichtige einst von ihm gelernt hatte. »Das ist seine Uhr«, sagte ich und hob den Arm, um ihr die silberne Männerarmbanduhr zu zeigen.

»Und ihr seht euch nie?«

»Wir telefonieren.«

»Einmal im Jahr?«

»Manchmal auch öfter.«

Ich wußte, worauf sie hinauswollte. Warum sollte ich einen Mann bewundern, der mich und meine Mutter verlassen hatte, einen Vater, den ich selten bis nie zu Gesicht bekam? Ähnlich wie Mom glaubte wohl auch Whitney, daß meine Gefühle für meinen Vater einseitig waren. Aber das stimmte nicht. Ich wußte, daß er mich liebte. Die genauen Einzelheiten, warum er damals ging, kannte ich nicht, und ich hatte meine Mutter auch nie danach gefragt, weil ich mit Sicherheit eine äußerst voreingenommene Antwort bekommen hätte. Ich bin nun mal die Tochter meines Vaters, und ich weiß, wie es ist, etwas einfach nicht durchzustehen. Anders als meine Mutter. Ihr steht die Zielstrebigkeit auf der Stirn geschrieben. Wie auf Trittsteinen springt sie von einem Ziel zum nächsten. In diesem Jahr ist es Teppichweben, im folgenden der Job als Avon-Beraterin. Ich mag meine Mutter auch, aber sie stapelt ihre Erfolge um sich herum wie Barrieren. Obwohl ich mit ihr alle zwei Wochen telefoniere, finde ich es viel schwieriger, einen Draht zu ihr zu bekommen als zu meinem Vater.

Wir bestellten beide Espresso – Whitney einen koffeinfreien –, und dann teilten wir uns noch einen köstlichen Nachtisch: mit lekkerem, süßem Frischkäse gefüllte Cannelloni mit bittersüßer Schokoladensoße und frischen Himbeeren.

»Wie steht's mit dem Fahrradladen?« fragte sie.

»Gut«, antwortete ich und stopfte mir einen großen Löffel schokoladigen Käse in den Mund in der Hoffnung, damit ihre nächste Frage abzuwenden.

»Wie ist denn der aktuelle Stand?«

Seit jenem ASU-Treffen waren ein paar Monate vergangen. In der Zwischenzeit hätte einiges passieren können. Dem war aber nicht so. Meine Gedanken schweiften ab, als mein Blick auf einen halben Zentimeter ihres Brustansatzes im sommersprossigen Dekolleté fiel, der über dem obersten Knopf ihres beigen Overalls hervorlugte.

»Habt ihr schon Räume gefunden?« fragte Whitney.

Ich dachte scharf nach und kam zu dem Schluß, daß ich einfach die Wahrheit sagen konnte. »Mein Geschäftspartner – Mickey – hat sich verliebt. Dadurch ist die ganze Sache etwas ins Stocken geraten.«

»Oh, wie schade!« erwiderte sie etwas zu leidenschaftlich. Ich fragte mich, warum sie so sehr an meinem nicht existierenden Fahrradladen interessiert war.

Um das Thema zu wechseln, schlug ich eine Spazierfahrt mit dem Auto vor. Ich hielt ihr sogar die Autotür auf, aber die Art und Weise, wie sie »Danke, schon gut« sagte und den Griff packte, um die Tür selbst zuzuschlagen, vermittelte mir den Eindruck, als sei das doch etwas zu albern – oder vielleicht auch zu butchmäßig – für sie gewesen.

Ich fuhr die Tunnel Road entlang und bog dann in den Skyline Boulevard ein. »Ziemlich unheimlich hier, oder?«

»Es ist schön, es gefällt mir.«

Als wir an Deirdre Felixs Haus vorbeikamen, fuhr ich rechts an den Rand. Was Whitney wohl sagen würde, wenn ich ihr erzählte, daß hier meine Lehrerin wohnte, daß ich jetzt, im Alter von achtundzwanzig Jahren, Leseunterricht nahm – oder vielmehr genommen hatte. Statt dessen sagte ich: »Es wäre schön, in so einem Haus zu wohnen, oder?«

»Diese vielen Pflanzen!«

»Mmh, Wahnsinn.« Durch die Vegetation hindurch versuchte ich, zum Haus zu sehen. Wieder waren einige Zimmer erleuchtet.

Einen Augenblick lang kam mir mein Auto – vielleicht aber auch mein ganzes Leben – vor wie ein Käfig, der zwar schon immer existiert hatte, mir aber erst durch Deirdre Felix bewußt geworden war. Und jetzt blieb mir nichts anderes übrig, als an den Gitterstäben zu rütteln, aber eigentlich wollte ich das gar nicht tun. Eigentlich wollte ich mein altes Leben zurückhaben, in dem die Dinge leichter und gut gepolstert schienen – und Einzelheiten nicht so wichtig waren. Ich kurbelte das Fenster herunter, sog die kalte Winterluft ein und meinte: »Ja, ganz schön viele Pflanzen.«

Dann löste ich die Handbremse, drehte um und fuhr die Tunnel Road zurück. Ursprünglich hatte ich vorgehabt, mit Whitney zu einem der abgelegenen Parkwege zu fahren, aber heute waren da gewiß jede Menge Teenager in ihren Autos zugange. Ziemlich daneben für das erste Mal.

»Möchtest du mit hereinkommen?« fragte Whitney, als wir bei ihr zu Hause ankamen. »Ich habe mir ein paar Videos ausgeliehen.«

»Nein, danke«, entgegnete ich. Ihre Direktheit und ihre Vorausplanung waren mir in diesem Moment einfach zuviel. »Ich habe morgen einiges zu tun.«

Ich sah an ihren Augen wie sie innerlich zurückschreckte. Whitney spielte keine Spielchen. Ihr Gesicht spiegelte ganz klar ihre Gefühle wider. Gerne hätte ich ihre Wange gestreichelt, den offenen Blick wieder in ihre Augen gebracht und ihr gesagt, daß sie vor mir keine Angst haben mußte. Dann hörte ich mich hinzufügen: »Wie wär's denn mit einer Radtour am Sonntag? Mit dir und deinem Bianchi?«

»Okay«, erwiderte sie ein wenig unsicher. In meiner Stimme schwang ein forscher Unterton mit, dem geradlinige Menschen wie Whitney nicht ganz vertrauten.

»Gut. Paßt es dir vormittags? Dann treffen wir uns doch einfach am Wasserreservoir oben an der Spruce Street – du weißt schon, wo der Wildcat Canyon anfängt. Sagen wir neun Uhr. Dann nehmen wir vom Inspiration Point aus den befestigten Radweg.«

Unwillkürlich merkte ich, wie ihre leicht schmollende Unterlippe ein wenig zuckte. Ganz sachte berührte ich ihr Kinn und sagte Gute Nacht.

Whitney war schon vor mir am Reservoir, obwohl ich ausnahmsweise einmal pünktlich erschien. Sie trug eine kurze glänzendschwarze Radlerhose und eine rote Fleecejacke. Ich lehnte mein Fahrrad an das Stopschild und half ihr beim Abladen ihres Bianchis. In der Annahme, daß an ihrem Rad einiges zu tun war, hatte ich vorsorglich Werkzeug mitgenommen, und ich hatte richtig vermutet. Zunächst säuberte ich die Kette und ölte sie, dann pumpte ich die Reifen auf, zog die Bremsen nach und nahm eine Feineinstellung am Schaltwerk vor – letzteres eher, um damit anzugeben, als daß es wirklich nötig gewesen wäre. Wenn ich mit Werkzeug hantierte, wurde ich innerlich immer völlig ruhig und ausgeglichen. Und sobald sich diese tiefe Zufriedenheit einmal einstellte, wollte ich sie einfach nicht wieder aufgeben. Ich war dann ganz besessen. Am liebsten wäre ich auf der Stelle mit Whitney nach Hause gefahren und hätte in ihrer Wohnung alles mögliche repariert.

Statt dessen setzten wir unsere Helme auf, und ich klickte mich in meine Pedale ein. Um ihr zu imponieren, legte ich ein zügiges Tempo vor.

»Nicht so schnell«, rief sie.

»Fahr du vor«, erwiderte ich. »Dann passe ich mich deiner Geschwindigkeit an.« Mit einem entschiedenen Zug um den Mund, den ich richtig süß fand, fuhr sie an mir vorbei.

Mickey hatte mir einen klugen Tip gegeben. Das Zusammensein mit Whitney fühlte sich richtig an, nein mehr noch, es fühlte sich gut an. Genau wie das Wegwerfen meiner Wortkarten. Und beides hatte in der Tat miteinander zu tun. In Gegenwart von Whitney Yarbrough fühlte ich mich wie eine echte Butch – überlegen, stark und machtvoll.

Bei Deirdre Felix dagegen, zumindest bei dem, was wir miteinander taten, kam ich mir unsicher, leer und machtlos vor. Ich hatte die Wortkarten weggeworfen und wollte nicht mehr über sie nachdenken. Da ich ihr nun nicht mehr jede Woche gegenübersitzen mußte, stellte ich mehr Gemeinsamkeiten zwischen mir und Whitney Yarbrough fest als zwischen mir und Charles oder Lillian.

Als Whitney und ich am Inspiration Point ankamen, fuhren wir den befestigten Radweg entlang und genossen den herrlichen Ausblick auf die Bucht mit den vielen Brücken, die sich kraß von dem blauen Winterhimmel abhoben. Nach mehreren Kilometern war der befestigte Weg zu Ende. Da wir mit Trekkingrädern und nicht mit Mountainbikes unterwegs waren, konnten wir nicht weiterfahren.

»Komm mit«, sagte ich zu ihr. Ich schob mein Fahrrad einen Feldweg hinauf zu einem mit Gras bewachsenen Hügel und weiter bis zu der Stelle, die uns eine herrliche Aussicht auf Richmond, die Bucht, den ganzen Marin-Bezirk und noch einige Orte nördlich davon bot.

Ich legte mein Fahrrad auf die Erde und ließ mich in das fahle Gras fallen.

»Fährst du auch Rennen?« fragte sie und setzte sich neben mich.

»Nö.«

Sanft berührte sie mich gerade oberhalb meines Knies. »Ganz schön feste Muskeln vom Radfahren.«

Ich starrte zum Mount Tamalpais, tat so, als konzentrierte ich mich dort auf etwas Bestimmtes, und faßte Mut. Dann drehte ich mich etwas zu hastig um und küßte sie auf ihre Unterlippe. Offenbar überrascht, zuckte sie ein wenig zurück. Ich legte mich zurück ins Gras, unterdrückte krampfhaft mein Zittern und betrachtete den Himmel. In dem blaßblauen Dunst kreisten zwei Falken.

Ich hatte die Augen geschlossen, als sie mein Brustbein berührte und sich langsam bis zu meinem Bauch tastete. Dort zögerten ihre Finger ein wenig, doch dann hob sie meine Jacke an und berührte meine Haut. Ich öffnete die Augen. Sie lag neben mir, auf einen Ellbogen gestützt, und sah auf mich herab. In romantischen Situationen war ich normalerweise die Bestimmerin, und ich war mir nicht sicher, ob mir ihre erhabene Stellung gefiel. Sie beugte sich herab und küßte mich auf den Mund.

Ein süßer Kuß.

Als sie sich wieder aufrichtete, atmete ich den Duft des trockenen Grases um uns herum ein und spürte, wie dabei meine Brust aufriß, als würde ein Windstoß meine Lungen durchpusten. Ich setzte mich aufrecht hin und drehte sie sanft auf den Rücken. Sie lächelte schüchtern, aber mit einer eindeutig lustvollen Komponente. Dies war die sexuelle Variante dieser Ambivalenz, die ich schon zuvor bei ihr beobachtet hatte – daß sie auf der einen Seite unsicher und vorsichtig wirkte, aber zugleich auch entschieden und selbstbewußt. Sie drückte meine Schulterblätter wieder zu Boden und küßte mich erneut.

Bislang hatte mich noch nie eine Frau auf den Rücken gedrückt, nicht mit Gewalt und schon gar nicht ohne meine vorherige Zustimmung. Ich forderte mich auf, diesem Kuß ein Ende zu setzen, aber ich tat es nicht. Wir küßten uns immer weiter, und ich lag immer noch auf dem Rücken. Whitney preßte ihr Knie zwischen meine Beine. Auch das ließ ich zu.

Ich ließ noch viel mehr zu.

12

»BOAH«, ERZÄHLTE ICH meinem Kassettenrekorder ein paar Minuten, bevor Whitney zum Essen kommen wollte. Obwohl es erst Januar war, hatte ich Hähnchen und etwas Gemüse gekauft, um das Ganze auf dem Grill meiner Vermieterin zu garen. »Die Sache mit Whitney geht mit Riesenschritten voran. Wir sind ja erst seit ein paar Wochen zusammen, aber mir kommt es vor, als seien es schon Monate.

Was soll ich dazu sagen? Mickey tut es. Edith tut es. Warum nicht auch ich? Es fühlt sich wirklich gut an, sich mit so etwas Menschlichem zu beschäftigen. Insbesondere nach ein paar Monaten mit nichts als Fernsehen, Arbeit und Wortklauberei. Anscheinend ist Sex das einzige noch wirklich Natürliche im Leben. Und im Bett ist es mit Whitney wunderschön. Hat mich überrascht. Wir sind so unterschiedlich. Ich hatte sie viel zahmer und zurückhaltender eingeschätzt.

Und ihre großen Rehaugen. Sie sind süß, aber machen mir auch irgendwie angst. Sie wirken einladend, aber ich weiß nicht genau, was sich hinter ihnen verbirgt. Und es ist, als könnte sich hinter dem rechten Auge das eine befinden und hinter dem linken etwas anderes. Tür Nummer Eins und Tür Nummer Zwei. Ich kann mir den Preis aussuchen.

Ob ich mich verliebe? Auf jeden Fall bin ich auf dem besten Weg dahin. In gewisser Weise«

Es klopfte an meine Tür. Ich drückte auf »Stop« und dann aus Spaß wieder auf »Aufnahme« und schob den Rekorder unters Bett. Dann öffnete ich die Tür und begrüßte Whitney.

»Hallo Süße«, sagte sie und gab mir einen Kuß.

»Süße?«

»Ach, komm schon, ich darf dich doch wohl mal ›Süße‹ nennen, wenn ich will.«

»Das vielleicht«, entgegnete ich. »Wohingegen ich nicht weiß, ob du die hierlassen darfst.« Ich nahm ihre Zahnbürste, die sie in meinem Badezimmer vergessen hatte, aus der hinteren Hosentasche und hielt sie ihr vors Gesicht. Hunde pinkeln in Ecken, um ihr Revier zu markieren, und Frauen lassen ihre Zahnbürste liegen.

»Hab nicht dran gedacht«, meinte sie und schnappte sich die Zahnbürste. »Es ist einfach passiert, okay?«

Im Grunde machte ich mir mehr Sorgen darüber, daß mich diese Zahnbürstengeschichte wirklich nur am Rande nervös machte. In den drei Tagen hatte ich mir doppelt so oft wie sonst die Zähne geputzt und jedesmal ihre Bürste benutzt.

»Überraschung!« sagte sie.

»Was denn?« So wie ihre Augen blitzten, mußte sie sich entweder eine Brustwarze gepierct oder zumindest Champagner mitgebracht haben.

Sie öffnete die große schwarze Leinentasche, die sie stets mit sich herumschleppte, und holte einen Laptop hervor. »Wo ist eine Steckdose?«

»Was hast du vor?«

»Wir werden ein erstes Konzept für euer Unternehmen entwerfen. Das wird euch beflügeln, Mickey und dich.«

Vergeblich versuchte ich, etwas einzuwenden, aber Whitney war ganz mit der Suche nach einer Steckdose beschäftigt. »Es ist doch kaum zu glauben, daß du noch nicht mal einen Tisch hast«, sagte sie. »Wo ißt du denn? Wo schreibst du?« Dann entdeckte sie die Steckdose neben meinem Bett. »Die hier ist prima. Das wird total gemütlich. Wir setzen uns zusammen aufs Bett und arbeiten.«

Dann erst sah sie mein Gesicht, das sich anfühlte, als würde die Haut über eine Folterbank gespannt. »Lori, das macht bestimmt Spaß! In zwei Stunden haben wir das Konzept fertig, und dann wirst du froh darüber sein.«

»Nein.«

»Lori –«

»Nein.«

»Ich dachte nur –«

»Wir haben eine Affäre. Ich habe dich nicht als meine private Geschäftsführerin angestellt.«

Das Telefon klingelte, und ich ging dran, um diesem Gespräch zu entkommen.

»Lori, wie geht es Ihnen?«

Es war Deirdre Felix.

Ich drehte Whitney den Rücken zu. »Gut.«

»Nun, ich bin wieder in der Stadt. Es tut mir leid, daß ich eine Woche länger als geplant verreist war. Ich würde gerne einen neuen Termin mit Ihnen ausmachen.«

»Jetzt gerade habe ich nicht viel Zeit.«

»Dann machen wir's kurz. Was halten Sie von nächstem Mittwoch? Wenn es Ihnen paßt, können wir gerne bei mittwochs abends bleiben.«

Whitney ging im Zimmer umher und stellte sich so hin, daß sie mein Gesicht sehen konnte.

»Ich weiß nicht, ob ich im Augenblick kann.«

»Warum nicht?«

»Es ist zur Zeit einfach ungünstig. Ich würde lieber zurückrufen.«

Deirdre Felix zögerte und meinte dann: »Ja, natürlich. Ich freue mich darauf, bald von Ihnen zu hören«, wobei sie das Wort bald betonte. Ich legte auf. Mein Gesicht war von einem dünnen Schweißfilm bedeckt.

»Wer war das?« fragte Whitney.

Mir fiel keine einzige Lüge ein, wer Deirdre Felix hätte sein können.

Whitney trat einen Schritt zurück. »Hör mal, Lori. Wir kennen uns jetzt erst seit ein paar Wochen, und ich weiß, daß wir keinerlei Abmachungen getroffen haben. Aber trotzdem würde ich gerne wissen, ob du was mit anderen Frauen hast. Ich möchte, daß wir ehrlich zueinander sind.«

»Es gibt keine andere«, erwiderte ich matt. »Das war nur jemand von der Arbeit. Ich soll Überstunden machen. Das ist alles.«

Sie sah zwar nicht hunderprozentig überzeugt aus, aber zumindest besänftigt. Ich wollte wütend sein. Das wäre ich früher gewesen. Was bildete sich Whitney eigentlich ein, mich zu fragen, wer mich anrief und mit wem ich zu tun hatte? Aber ich war nicht wütend, eher verwirrt. Ich wünschte, Whitney wäre nicht so verdammt ehrlich. Ihre Aufrichtigkeit strahlte von innen heraus, wie ihr rosa Teint. Ich wünschte, ich könnte ihr von Deirdre Felix erzählen, aber das schaffte ich einfach nicht. Noch nicht.

Der Laptop – mittlerweile eingeschaltet – stand surrend auf meinem Bett. Ich bückte mich und riß den Stecker aus der Steckdose.

»Hey, das ist nicht gut für den Computer.«

Ich ging zu Whitney hinüber, küßte ihr Schlüsselbein und knöpfte rasch ihr Baumwollhemd auf. Beim dritten Kuß stöhnte sie. Das mochte ich wirklich an ihr, wie sie sich augenblicklich – und vollständig – dem Genuß hingab.

Eine Stunde später lagen wir nebeneinander auf dem Bett, nackt und erschöpft. »Ich liebe dich«, sagte Whitney, und ich spannte mich innerlich an, bis sie hinzufügte: »Zumindest beim Sex.« Sie lachte, und ich kuschelte mich an sie und lachte mit.

Dann meinte sie völlig unvermittelt: »Mir ist ein Job angeboten worden, in einem bekannten Grafikbüro.«

»Ein Job? Was willst du denn damit? Dein eigenes Unternehmen kommt doch gerade in die Gänge.«

»O ja, ich weiß. Ich nehme ihn auch nicht an.« Ihre Stimme kam aus ihrem Mund, ohne daß sich die Lippen sichtbar bewegten.

Ich strich ihr eine schweißnasse Haarsträhne aus dem Gesicht, während sie an die Decke starrte. Wieder einmal erinnerte sie mich an eine Muschel, eine trompetenförmige weißrosa Muschel, und ich legte mein Ohr auf ihre Brust, um das Meeresrauschen zu hören.

Was ich an der Gegend um San Francisco wirklich mag, ist die Art und Weise, wie der Frühling pünktlich am ersten Februar Einzug hält. Plötzlich fangen die Pflaumenbäume und Magnolien an zu blühen. Gerade noch denkt man, es herrsche der dickste Winter, und auf einmal zwitschern die Vögel und tun so, als sei Frühling. Und dann erst merkt man, daß er tatsächlich da ist.

Deirdre Felix rief mich Anfang Februar zweimal an.

Sie nicht zurückzurufen, machte mir zu schaffen. Immer wieder sah ich sie vor mir, wie sie in dem großen klapprigen Bus durch das regennasse Fenster hinaussah mit nichts als nassen Tennisklamotten am Leib. Oder wie sie in dem riesigen Polstersessel saß und das Feuer in ihrem Arbeitszimmer flackerte. Ich konnte mir nicht vorstellen, daß sie an meiner Stelle nicht zurückrufen würde. Schließlich beschloß ich, dieser Quälerei ein Ende zu setzen und sie anzurufen. Ich wollte ihr lieber mit Worten als durch Schweigen mitteilen, daß ich das Leselernprogramm abbrechen würde. Gut drei Monate lang hatte ich es versucht – von Mitte September bis Mitte Dezember –, und der Stein war einfach nicht ins Rollen gekommen. Ihr das von Frau zu Frau zu sagen, wäre sicherlich das Beste.

Als sie sich meldete, sagte ich: »Hier ist Lori Taylor« und wartete auf ihre Reaktion.

»Schön«, entgegnete sie. »Paßt es Ihnen am kommenden Mittwoch abend?«

»Ich habe meine Wortkarten weggeworfen.«

»Warum?«

»Ich habe nicht damit gerechnet, daß Sie mich nochmal anrufen, als Sie gesagt haben, Sie würden nach New York fahren. Also, ich dachte, unser Unterricht wäre zu Ende.«

Ich wartete auf ihr verächtliches *Pffh*. Aber statt dessen klang ihre Stimme jetzt etwas gereizt: »Ich habe Ihnen gesagt, daß ich mich nach meiner Rückkehr melden würde.«

Als ich nicht antwortete, fuhr sie fort: »Naja, das mit den Wortkarten macht ja nichts. Ich mag Neuanfänge.«

Widerwillig mußte ich lächeln. Ich nämlich auch.

»Mittwoch«, sagte sie, »um halb sieben.«

»Punkt halb sieben«, ergänzte ich.

Danach rief ich Edith an, um unser geplantes Treffen am Mittwoch, dem zwanzigsten Februar, zu verschieben. »Hallo Edith«, sprach ich ihr aufs Band. »Hier ist Lori. Wegen Mittwochabend: Es tut mir leid, aber mir ist etwas dazwischengekommen. Wir müssen einen neuen Termin ausmachen. Aber ich würde dich wirklich gerne wiedersehen. Was hältst du vom fünften Mai? Ruf mich doch mal an.«

13

EINEN MONAT SPÄTER erzählte ich meinem Kassettenrekorder: »Seit Deirdre Felix aus New York zurück ist, machen wir praktisch jede Woche dasselbe. Ich versuche zu lesen, etwa eine Viertelstunde lang, und dann gibt sie auf und liest mir vor.

Eines hat sich allerdings verändert: Inzwischen höre ich ihr zu, auch wenn ich so tue, als sei ich in Gedanken woanders, damit sie mir keine Verständnisfragen stellt. Während sie liest, habe ich das Gefühl, als würden diese ganzen Wörter einen Käfig um mich herum bilden. Es ist der gleiche Käfig, den ich in jener Nacht gespürt habe, als ich mit Whitney vor Deirdre Felixs Haus im Auto saß. Nur komme ich mir jetzt wie ein Gorilla vor, wie so ein riesiges Vieh, das für diesen Käfig viel zu groß ist. Diese ganzen Wörter engen mich ein. Es ist als würde jemand ein total grelles Licht anmachen, und ich sehe plötzlich, daß die Welt neunzig Prozent größer ist, als ich immer gedacht habe. Aber ich befinde mich immer noch in diesem engen Käfig.

Übrigens, obwohl *sie* noch nichts dazu gesagt hat, mache ich doch allmählich klitzekleine Fortschritte. Hier liegt schon ein ganzer Stapel Wortkarten, die ich nicht mehr durcharbeiten muß, weil ich sie in- und auswendig kenne. Und ich habe den Eindruck, daß ich die Wörter mittlerweile auch besser herausbekomme. Besonders wenn ich gut drauf bin.

Mein Problem ist eher, daß ich mich nicht an die Wörter erinnern kann, nachdem ich sie einmal entziffert habe, auch wenn sie ein paar Sätze später wieder auftauchen. Und wenn ich mich ganz darauf konzentriere, die Wörter zu lesen, dann geht der Inhalt völlig an mir vorbei. Eine scheiß Auffassungsgabe, kann man da nur sagen. Wenn

Deirdre Felix mich benoten müßte, würde ich bestimmt immer noch durchfallen.«

Ich stellte das Gerät aus und schaltete es dann noch einmal ein, um meine rituelle Schlußbemerkung daraufzusprechen, die zu meinem Mantra geworden war, wie ein Gebet: »Ich vermisse Mickey.«

An diesem Abend saßen Whitney und ich draußen und genossen den ungewöhnlich warmen Frühlingsabend. Die Kletterrose bedeckte mit ihren prallen Knospen bereits mein ganzes Häuschen, und ich mußte an Whitneys Bemerkung im vergangenen Herbst denken, daß sie sie so gerne in Blüte sehen wollte. Damals war ich mir sicher gewesen, daß das nicht geschehen würde, und jetzt saßen wir hier zusammen in den Holz-Gartensesseln meiner Vermieterin und atmeten die süßliche, nach Vanille duftende Frühlingsluft ein.

»Das ist der Jasmin«, sagte Whitney.

»Ja, ich weiß«, log ich. »Hör mal, kannst du dich noch daran erinnern, daß du sehen wolltest, wie die Rose blüht? Es kann jeden Tag soweit sein.«

»Du wolltest das damals nicht«, erwiderte sie.

»Hast du das gemerkt?«

»Du hast nicht gerade versucht, deinen Widerstand gegen mich zu verbergen.«

»Kann schon sein.«

»Und was denkst du jetzt?«

»Ich habe nichts dagegen, wenn du deine Zahnbürste hierläßt, oder?«

Sie lächelte.

»Moment mal«, sagte ich und ging ins Haus. Mit einem Gedichtband, aus dem Deirdre Felix mir vorgelesen hatte, kam ich zurück. Ich reichte ihn Whitney und forderte sie auf: »Lies mal eines von ihnen.«

»Jetzt?« fragte sie.

»Mmh.«

»Soll ich es vorlesen?«

»Warum nicht?«

»Ich wußte gar nicht, daß du Gedichte liest«, meinte Whitney offensichtlich erfreut. »Mary TallMountain. Von ihr habe ich noch nie etwas gehört.«

»Nein? Sie ist eine indigene Dichterin der Athapasken. Lies doch mal das Gedicht über den Wolf.« Dank Deirdre Felix hörte ich mich wunderbar belesen an.

Ich schloß die Augen, als Whitney anfing zu lesen. Es war ein Experiment. Hier unter meiner gelben Kletterrose, die sich an meinem Häuschen emporrankte, in der mit süßem Jasminaroma angereicherten Luft, wo ich frei atmen konnte, wollte ich herausfinden, wie es war, Gedichte zu hören.

Whitney las nicht halb so schön vor wie Deirdre Felix. Ihre Stimme klang flach, aber in gewisser Weise war das besser so, weil ich mich von ihren Worten nicht einlullen ließ. In letzter Zeit war mir in bezug aufs Lesen noch etwas anderes aufgefallen außer dem unangenehmen Käfig, der sich um mich herum aufbaute: Ich mochte den *Klang* von Wörtern, insbesondere wenn Deirdre Felix vorlas. Man konnte ihnen fast zuhören wie einem Musikstück. Ich meine nicht dieses Segelbuch für Jungs, sondern Autorinnen, die Deirdre Felix mir vorgelesen hatte, wie Mary TallMountain und andere.

»Lies du mir jetzt eins vor«, sagte Whitney und reichte mir das Buch.

Ich drehte es ein paarmal in den Händen hin und her, blätterte dann ein wenig darin herum, wie Deirdre Felix das tat, und sah mir scheinbar die Überschriften an. Diesmal verspürte ich keine Kolibris in meinem Bauch und sah auf den Seiten auch keine blinkenden Lichter. Statt dessen sah ich Wörter. Nur Wörter.

»Ich habe Hunger«, meinte ich dann und schlug das Buch zu. »Ich wollte einfach diese Gedichte mit dir teilen.« Manchmal bin ich echt so platt – genau die gleichen Worte hatte Deirdre Felix mir gegenüber benutzt.

»Wollen wir einen Burrito essen gehen?«

»Nein«, antwortete Whitney. Sie stand auf, kam zu mir herüber und setzte sich auf mich.

Ich war mir nicht sicher, ob meine Vermieterin außer Haus war, aber einen Augenblick später war es mir gleichgültig. Whitney und ich liebten uns in der Jasminluft neben den dornigen Rosen gleich dort im Gartensessel und später noch einmal auf dem Zementfußboden der Veranda.

Unser erster Streit war nicht weiter tragisch. Zumindest oberflächlich betrachtet.

Whitney fragte: »Warum willst du dich eigentlich mittwochs abends nie mit mir treffen?«

Uuui, dachte ich, sagte aber nur: »Will ich das nicht?«

»Nein.«

»Aha.«

»Du weichst den Mittwochabenden genauso aus wie den ASU-Treffen.«

»Die ASU-Treffen finden einmal im Monat statt, und wenn ich dann gerade etwas anderes vorhabe –«

»An diesem Abend hast du seit Monaten etwas anderes vor.«

»Vielleicht bin ich an den ASU-Treffen nicht interessiert.«

»Vielleicht bist du nicht daran interessiert, einen Fahrradladen aufzumachen.«

»Vielleicht bist du eher an dem Fahrradladen interessiert als an mir.«

Das gab ihr einen Augenblick lang zu denken. »Das stimmt nicht«, sagte sie dann. Lange Pause. »Bei diesem Treffen damals warst du so begeistert. Ich finde es einfach so unendlich schade, wenn du deinen Traum aufgibst.«

Es war Mickeys Traum, nicht meiner, aber ich erwiderte: »Wer gibt denn auf?«

»Du tust jedenfalls nichts dafür.«

Als ich nicht antwortete, meinte sie: »Was machst du mittwochs abends?«

»Ich habe geilen Sex mit meiner Zweitfreundin.«

»Das ist nicht witzig.«

»Was möchtest du denn hören?«

»Die Wahrheit.«

»Ich bin nicht verpflichtet, dich stündlich über meinen Tagesablauf zu unterrichten.«

Jetzt sah sie aus wie eine Seeanemone, auf die ich gerade mit einem Stock eingeschlagen hatte.

»Whitney«, sagte ich und versuchte, sie zu küssen.

Sie wandte sich ab. »Ich weiß nicht, Lori. Du läßt mich an einem großen Teil von dir gar nicht teilhaben. Du machst ein richtiges Geheimnis daraus.«

Ich versuchte erneut, sie zu küssen. »Aber dabei haben wir doch tollen Sex, oder?«

Der Hauch von einem Lächeln.

»Oder?«

»Ja.«

»Siehst du.« Endlich ließ sie den Kuß zu. Bald, dachte ich, als ich ihre Gürtelschnalle öffnete, bald werde ich ihr alles erzählen.

»Sind Sie das?« fragte ich und nahm ein eingerahmtes Foto von Deirdre Felixs Kaminsims. Darauf war eine junge Frau mit einem vollen Gesicht im schwarzen Abendkleid zu sehen, die mit einem Cello zwischen den Beinen auf einem Stuhl saß. Hinter ihr standen drei junge Männer, zwei mit Geigen und der dritte mit einem Kontrabaß. Sie trugen Krawatten im Stil der fünfziger Jahre.

»Ja.«

»Und wer sind die Männer?«

Deirdre Felix nahm das Buch zur Hand, das sie für diese Woche ausgesucht hatte, und blätterte die ersten Seiten vor, bis sie an den Anfang der Geschichte kam. Ich blieb standhaft, stellte das Foto nicht zurück und setzte mich auch nicht hin, um ihr zuzuhören. Stattdessen betrachtete ich das Bild genauer. Deirdre Felixs Ausdruck war ganz weich – eine intensivere Variante des Blicks, den sie manchmal beim Vorlesen hatte.

»Der große mit der Geige, das ist Arnie.«

Ich nickte, ohne aufzusehen in der Hoffnung, sie würde fortfahren.

»Unser Streichquartett am College.«

Auf dem Bild neigte sie den Kopf ein wenig in Richtung des großen Mannes mit der Geige.

»Geigerhände.« Hatte sie mit sich selbst gesprochen? Sie strich mit der Hand den Buchfalz entlang und meinte: »Sind Sie bereit?«

»Eigentlich schon«, antwortete ich, woraufhin sie zu lesen begann.

Später am Abend, als ich mich verabschiedete, ging Deirdre Felix mit mir hinaus und den Steinplattenweg hinunter. Von einigen glänzenden grünen Pflanzen hingen gigantische weiße Blüten herab, die wie Musikinstrumente aussahen, während der Boden mit kleinen violetten Blüten übersät war.

Obwohl sie wunderschön waren, betrachtete ich mir die Blumen nicht allzu intensiv, aus lauter Furcht, sie dann in der Bibliothek nachschlagen zu müssen.

Wieder war klassische Musik aus einem der Zimmer im oberen Stockwerk zu hören.

»Ich habe für morgen abend fürs Ballett noch eine Karte übrig«, sagte sie. »Möchten Sie vielleicht gehen??«

Wie seltsam, dachte ich. Sehe ich so aus, als ginge ich gerne ins Ballett? Dann überlegte ich, daß Whitney sicherlich ziemlich beeindruckt wäre, wenn ich ihr von einem Ballettbesuch erzählte. Daher sagte ich: »Okay.«

»Dann holen Sie mich doch am besten um sieben Uhr ab.«

»Ach, Sie gehen auch?«

Deirdre Felix lachte. »Ja.«

Ich hatte angenommen, sie habe eine Karte übrig, weil sie selbst etwas anderes vorhatte. In den vergangenen Monaten war sie immer so geschäftsmäßig gewesen. Warum wollte sie plötzlich mit mir ins Ballett gehen? Waren wir hier mitten in *My Fair Lady*? Sah sie es etwa als ihre Aufgabe an, mich in die Welt der Kultur einzuführen? So etwas kotzte mich an. Und außerdem, worüber sollten wir überhaupt reden?

»Da fällt mir ein, daß ich mich morgen schon verabredet habe«, sagte ich.

Deirdre Felix sah mich ein wenig betreten an. Jetzt erst wurde mir bewußt, wie unhöflich ich gerade gewesen war: Ich wäre hingegangen, aber nicht mit ihr.

»Naja, ich gehe auf jeden Fall nicht alleine«, sagte sie bestimmt, als habe sie das soeben mit sich selbst abgemacht. »Es ist mir recht, wenn Sie die Karten mit jemand anderem nutzen wollen. Ich möchte Ihnen nichts aufdrängen, aber ich glaube, es würde Ihnen gefallen. In der jetzigen Nebensaison werden nicht so traditionelle Stücke geboten.« Als sie lächelte, zeigten sich in ihren Augenwinkeln kleine Falten.

»Aber Sie gehen doch gerne ins Ballett«, sagte ich. »Sie sollten nicht darauf verzichten.«

»*Pffh*.« Mit einer Geste wischte sie das Ballett von sich.

»Ich bin gar nicht verabredet«, gab ich zu. »Warum gehe ich nicht mit Ihnen ins Ballett? Ich bin einfach unsicher geworden.«

Sie starrte mich einen Augenblick lang an, offensichtlich verärgert, und meinte dann mit einem Seufzer: »Das legt sich mit der Zeit.«

»Was denn?«

»Daß Sie alles so ernst nehmen. Das Ballett wird Ihnen nicht weh tun. Vielleicht mögen Sie es sogar.«

Fast hätte ich eine spitze Bemerkung über ihre herablassende Art von mir gegeben, aber dann wiederum war das wohl nur die Revanche für meine Unhöflichkeit. »Okay, okay«, sagte ich. »Um sieben Uhr morgen abend. Ich hole Sie ab.«

Auf der Fahrt nach Hause fiel mir ein, daß ich morgen abend tatsächlich etwas vorgehabt hatte. Ich war mit Whitney verabredet, und diesmal würde sie meine Absage ganz bestimmt nicht begrüßen.

Deirdre Felix trug einen violetten Hosenanzug aus Seide und dazu eine weiße Bluse. Sie sah gut aus, insbesondere im Vergleich zu den anderen Frauen in der Davies Hall in ihren Pelzen und silbernen Lamé-Abendkleidern. Ich hätte schwören können, daß eine sogar ein Diadem trug. »Sie haben mir gar nicht gesagt, daß Lady Di auch hier sein würde«, flüsterte ich Deirdre Felix zu, woraufhin sie laut lachte. Ich hatte mich für meine beste Hose entschieden, ein Paar schwarze Jeans, und für ein seidig-glänzendes Polyesterhemd aus den siebziger Jahren. Der etwa fünfzehn Zentimeter lange, spitze Kragen war fast schon wieder modern, allerdings nicht in diesen Kreisen. Deirdre Felix kannte einige Leute und stellte mich ihnen als ihre Freundin vor. Wegen der ständigen Fahrradschmiere unter meinen Fingernägeln nickte ich immer nur, sagte: »Angenehm« und gab vor, die ausgestreckte Hand nicht zu bemerken.

»Hier ist Ihr Programm«, sagte sie und reichte mir ein gefaltetes Blatt Papier, als wir unsere Plätze einnahmen. Vorsichtig hielt ich es in der Hand.

»Ist Arnie geschäftlich unterwegs?« fragte ich und strich über meine dunkelrot gepolsterte Armlehne.

»Nein.«

»Ich nehme an, Ärzte gehen nicht auf Geschäftsreisen«, unternahm ich den weiteren Versuch einer Unterhaltung.

Sie schwieg. Ich seufzte hörbar. In was für ein Dilemma hatte ich mich da gebracht, indem ich sie ins Ballett ausführte. Vielleicht sah sie die Sache ja eher so, daß sie mich ausführte, aber auch das war noch lange kein Grund, so einsilbig zu sein.

Bald darauf gingen die Lichter aus, und das Orchester setzte mit dem ersten Stück ein. Ich hatte zwar schon hin und wieder im

Fernsehen Ballettaufführungen gesehen, aber noch nie live. Daher erwartete ich federleichte Damen in Tutus, die von schwulen Männern über die Bühne getragen wurden. Doch während des ersten Stücks trugen die Tänzerinnen und Tänzer normale Klamotten, schicke Anzüge und Kleider im Stil der vierziger Jahre, und die Männer tanzten mindestens ebenso viel wie die Frauen, wenn nicht sogar mehr. Ihre Bewegungen waren so geschmeidig, so sinnlich, daß ich beim Zuschauen das Gefühl hatte, als reiße mich eine haushohe Welle mit in die Tiefe. Am liebsten hätte ich Whitney das alles erzählt, aber wegen der Art und Weise, wie ich unser Treffen abgesagt hatte, konnte ich schlecht mit meinem Ballettbesuch prahlen.

Daß sie nicht gerade erfreut gewesen war, wäre eine Untertreibung. Wir hatten vorgehabt, mit Joy aus Oberlin und ihrer Freundin ins Kino zu gehen. Die ganze Zeit vorher hatte ich Verabredungen mit Joy oder Whitneys anderen Freundinnen stets vermieden. Vermutlich hatte ich irgendwie Angst vor ihnen. Von daher war es schon etwas Besonderes gewesen, als ich diesem Kinobesuch zustimmte. Und darum hatte ich diesen Plan wahrscheinlich auch völlig verdrängt, als ich mich mit Deirdre Felix zum Ballett verabredete.

Ich habe keine Ahnung, warum ich Whitney nicht einfach erzählte, eine Cousine meiner Mutter sei unverhofft in die Stadt gekommen, oder etwas ähnlich Entschuldbares. Sobald das Gespräch auf Deirdre Felix kam, konnte ich einfach nicht lügen. Dann sagte ich höchstens so etwas wie: »Mir ist etwas Wichtiges dazwischengekommen«, was mehr als verdächtig klang. Ich hatte vor, Whitney von Deirdre Felix und dem Leseförderprogramm zu erzählen. Später. Vielleicht sogar bald. An guten Tagen freute ich mich richtig darauf und stellte mir vor, daß Whitney mir beim Lernen behiflich sein könnte. Aber ich brauchte noch etwas Zeit. Ich würde es ihr erzählen, aber noch nicht jetzt.

Beim zweiten Stück, das mir von allen am besten gefiel, kamen die Tänzerinnen und Tänzer im Sportdress auf die Bühne und beim dritten in Militärkleidung. Mit ihrem Körper erzählten sie ganze Geschichten von Blut, Muskeln, Schweiß und Hitze. Das Programm fest mit beiden Händen umklammert, saß ich auf meinem Stuhl und hatte das Gefühl, als ströme mein eigenes Blut in Übereinstimmung mit ihren Bewegungen. Die Tanzenden vermittelten mir eine tiefe Einsicht, ein völlig neues und gleichzeitig uraltes

Wissen, das meinen ganzen Körper bis hin zu den kleinen Zehen zum Vibrieren brachte.

Als wir die Davies Hall verließen, war ich ganz und gar mit Helium angefüllt. Deirdre Felix ging langsam, als sei sie müde, ich dagegen hatte Schwierigkeiten, mit den Füßen auf dem Boden zu bleiben. Ich öffnete die Autotür für sie, wie ich es für die praktisch veranlagte Whitney mittlerweile nicht mehr tat, woraufhin Deirdre Felix lächelte und »Dankeschön« sagte.

Als wir bei ihr zu Hause ankamen und ausstiegen, hätte ich sie am liebsten umarmt, bevor ich zu meinem eigenen Wagen ging. Ich weiß nicht warum, es war einfach dieses Gefühl, das ich auch manchmal in ihrem Arbeitszimmer verspürte, wo sie lockerer war und nicht nur als Lehrerin auftrat – wenn sie mir vorlas. Ich umarmte sie natürlich nicht. Selbst wenn ich mich getraut hätte, wäre mir dazu keine Zeit geblieben. Sie stürmte ins Haus.

Zu Hause angekommen, legte ich das Ballettprogramm neben das Bett auf den Fußboden. Ich hatte gut darauf aufgepaßt und es nicht gefaltet oder zerknittert. Mit Sicherheit würde sie mich das Programm bei unserem nächsten Treffen lesen lassen, so etwas war ihr zuzutrauen. Das Eigenartige jedoch war: Ich wollte es sogar lesen.

Beim nächsten Treffen allerdings verlor Deirdre Felix kein Wort über das Ballettprogramm. In dieser Woche forderte sie mich überhaupt nicht auf zu lesen. Nachdem wir es uns in ihrem Arbeitszimmer gemütlich gemacht hatten, fing sie gleich an vorzulesen. Ich war enttäuscht. Meine Fortschritte schienen sie nicht zu interessieren. Für sie war es nur eine Handvoll Wörter, für mich jedoch war diese Entwicklung mittlerweile von Bedeutung. Ich wollte unbedingt das Ballettprogramm lesen können.

»Dieses Buch heißt *Auf den Körper geschrieben*«, sagte sie. »Es ist von Jeanette Winterson. Auch sie ist eine lesbische Schriftstellerin, aus Großbritannien. Ganz anders als Rita Mae Brown.« In den Wochen zuvor hatte sie mir *Rubinroter Dschungel* vorgelesen, das mir total gut gefallen hatte.

Schon seit einiger Zeit war im Zimmer kein Feuer mehr an. Nun öffnete Deirdre Felix normalerweise die Fenster zu ihrem Garten, wo ich Kolibris beobachten konnte, einige mit glänzender roter Kehle und andere mit samtiggrünem Rücken, die vor den Blüten hin- und herflatterten.

»Macht es Ihnen nichts aus, lesbische Schriftstellerinnen zu lesen?« fragte ich.

»Warum sollte es?«

»Homophobie ist weit verbreitet.«

»*Pffh.*« Sie zuckte mit den Schultern, als fielen ihr ungefähr hundert wichtigere Dinge ein, über die sie nachdenken könnte, als ausgerechnet Homophobie. Ich mußte laut lachen. In diesem Augenblick empfand ich eine richtige Zuneigung zu Deirdre Felix und hätte sie gerne gefragt, was das denn für Dinge waren, die in ihrem Kopf vorgingen. Wieder einmal hätte ich mich am liebsten näher zu ihr gesetzt. Sogar an diesem wuchtigen Arbeitszimmer hatte ich mittlerweile Gefallen gefunden. Hier schien jedes Atom größer und dichter gepackt zu sein als sonst. In Deirdre Felix' Arbeitszimmer sehnte ich mich zuweilen nach den seltsamsten Dingen, zum Beispiel danach, mich dicht neben diese Frau zu setzen, die mehr als doppelt so alt war wie ich und dazu meine Lehrerin. Oder ich fragte mich, was wohl in den ganzen anderen Büchern stand, die sie mir nicht vorlas.

Sie fing mit dem Buch von Jeanette Winterson an. »›Warum ist das Maß der Liebe Verlust?

Es hat seit drei Monaten nicht mehr geregnet. Die Bäume tun sich unterirdisch um und schicken Reservewurzeln in den trockenen Boden, Wurzeln, scharf wie Rasiermesser, um vielleicht irgendwo eine wasserreiche Ader anzuzapfen.‹«

Durch das offene Fenster wehte eine Brise herein, die mich an jenen Herbsttag an der Küste erinnerte, als ich die Artischockenpflanze und den Wanderfalken entdeckte. Es schien, als würde diese Brise Deirdre Felix' Worte auffangen und sie nach draußen tragen. Ebenso wie die Körper der Tänzerinnen und Tänzer besaßen ihre Worte eine bestimmte Energie und bewegten sich in einem fließenden, knisternden Rhythmus.

Und plötzlich kam mir der Gedanke: Ich lerne lesen. Noch wußte es niemand, noch nicht einmal Deirdre Felix, aber in diesem Augenblick war mir klar, daß ich wirklich dabei war, es zu lernen. Beim Lesen ging es eben nicht nur um Wörter und Bücher, sondern auch um Bewegung, um Rhythmus. Um Energiewellen zwischen mir und der Welt. Wie eine Brise oder eine Tänzerin. Wörter und Bücher waren schlicht die Hilfsmittel dazu.

Deirdre Felix las, als sei ich nicht anwesend, als ginge sie beim Lesen auf Reisen. Ich fragte mich, was sie wohl lieber mochte,

Bücher oder das Ballett. Am Ende klappte sie das Buch zu und legte es auf den Tisch. »Hat ihnen das Ballett gefallen?« fragte sie.

Ich errötete. Ich hatte mich noch nicht einmal bei ihr bedankt. Obwohl ich von diesem Abend immer noch ganz aufgewühlt war, hatte ihr nichts davon mitgeteilt. »Ja«, antwortete ich. »Es war toll. Echt cool. Mir hat es sehr gut gefallen.« All diese Worte über die Brise, die Tänzerinnen und Tänzer, die Bücher und die Energie stauten sich in meiner Kehle. »In gewisser Weise ist es ähnlich, wie Fahrräder zu reparieren«, unternahm ich einen Versuch. Fragend sah sie mich an, und da ich es nicht erklären konnte, verabschiedete ich mich hastig. Zum Bleiben war ich viel zu aufgeregt.

Auf direktem Weg fuhr ich zu Mickey. Ich klopfte an die Tür, wartete ungefähr drei Sekunden und klopfte noch einmal. Er mußte zu Hause sein, denn sein Kombi stand vor der Tür. Schließlich suchte ich an meinem Schlüsselbund nach dem Schlüssel zu seiner Wohnung, den er mir einmal gegeben hatte, damit ich in seiner Abwesenheit die Katze füttern konnte.

»Hey!« schrie Mickey aus dem Schlafzimmer, als ich die Wohnung betrat. »Wer ist da?« Er klang mehr als beunruhigt.

»Mickey«, rief ich. »Ich bin's. Ich dachte, du wärst nicht zu Hause«, log ich.

»Was machst du hier?« fragte er barsch und kam barfuß und mit nacktem Oberkörper aus dem Schlafzimmer. Der Reißverschluß an seiner Jeans stand offen. »Wer hat dir erlaubt, in meine Wohnung einzubrechen?«

Noch nie hatte ich die lange, tiefe Narbe direkt oberhalb seiner linken Brustwarze gesehen. Hinter ihm schlurfte Sheila aus dem Schlafzimmer, die ihr geblümtes Kleid offenbar hastig übergestreift hatte. Mickey ließ sich schwer auf einen Küchenstuhl fallen. »Verdammt, Lori.«

Ich sah Sheila an und fragte mich erneut, ob ihre Eltern wohl wußten, wo sie war. Sie stellte sich hinter Mickey und legte ihm eine Hand auf die schmale Schulter. Mit einem Finger streichelte sie seine Haut. »Ich gehe jetzt besser nach Hause«, meinte sie.

»Nein«, sagte Mickey zu ihr und fragte mich: »Was willst du?«

»Hör dir das an«, sagte ich. Seine offensichtliche Verstimmung über meinen Besuch, seine Angst und Sheilas Gegenwart ließen mich völlig kalt. Ich öffnete den Küchenschrank und nahm eine Dosensuppe heraus. »Also, paß auf«, sagte ich und kam mir vor wie eine Zauberin. »Ma-g-gi«, buchstabierte ich laut, nicht unbedingt anders als Charles. »To-ma-ten.« Ich kicherte, stellte die Dosensuppe wieder zurück und schnappte mir das T-Shirt, das über einer Stuhllehne hing. Ich hielt es hoch und las: »›T-trau kei-nem ü-ber 30‹. Das war einfach. Gib mir was anderes.«

Mickey sah mich an, als sei ich völlig durchgedreht.

»Verstehst du nicht, Mickey. Ich fange an, es zu kapieren. Wörter entziffern ist das gleiche wie Fahrräder reparieren: Zuerst nimmst du alles auseinander, und dann überlegst du dir, wie du die Einzelteile wieder zusammensetzen kannst. Und *dann*, dann *fährst du los*!« Ich griff nach einem Päckchen Papiertaschentüchern und fuhr fort: »M-mit n-neu-er T-tü-cher-ta-sche. Mit neuer Tüchertasche! Hörst du mich, Mickey? Kapierst du's?«

»Wer ist das, Miguel?« fragte Sheila.

Mickey – oder offenbar jetzt Miguel, zumindest für Sheila – wischte sich mit beiden Händen das Gesicht. »Das ist Lori«, sagte er. »Wir arbeiten zusammen.«

»Ich bin seine beste Freundin«, klärte ich die junge Frau auf. »Das hat er zwar vergessen, aber glaub mir, eines Tages wird er sich daran erinnern.«

Nun sah Mickey mich direkt an – mit zwiespältigem Gesichtsausdruck. Zum einen wollte er ganz offensichtlich, daß ich ging, und zwar sofort, aber dann wiederum meldete sich hinter seinem Ärger auch Verantwortung, vielleicht sogar Zuneigung, so daß er sagte: »Na gut, Lori. Super. Du kannst die Dosensuppe lesen.«

»Und das T-Shirt. Und die Papiertaschentücher. Ich sage dir, ich lerne lesen. Ich kann noch nicht *richtig* lesen, aber ich *kapiere* es allmählich. Ich kriege ein *Gefühl* dazu. Es ist wie ein Rhythmus, wie Musik, es ist Energie, ein Tanz!« Ich muß vollkommen schwachsinnig gewirkt haben. Meine Synapsen spielten verrückt, als hätte ich gerade ein paar Züge Acid inhaliert.

Als Sheila zur Tür hinausging, sagte Mickey: »Scheiße. Sie kann doch nicht mitten in der Nacht alleine nach Hause laufen.« Rasch zog er sich sein ›Trau keinem über 30‹ T-Shirt über, schnappte sich seine Schlüssel, die auf dem Tisch lagen, und rannte ihr nach. »Schließ hinter dir ab«, rief er mir noch zu.

»Mach deinen Hosenlatz zu«, rief ich ihm hinterher.

Natürlich hätte ich mir etwas mehr Aufmerksamkeit von Mickey gewünscht, aber vor allem hatte ich einen Zeugen gebraucht. Um es selbst zu glauben. Ich sperrte seine Wohnungstür zu und fuhr zügig nach Hause. Dort angekommen, öffnete ich den kleinen Kühlschrank und las die Aufschrift auf der Tortillapackung. Ich zog mein T-Shirt aus und entzifferte die Waschanweisung auf dem Etikett. Ich buchstabierte den Hinweis auf dem kleinen Anhänger am Stromkabel meines Föns. Ich betrachtete den Brief von der Zulassungsbehörde, der auf dem Regal lag, riß ihn auf und starrte auf ein Wirrwarr von Wörtern.

Vorbei. Die Kolibris kamen zurück. In diesem Brief konnte ich nichts lesen. Er war zu schwarz-weiß und zu lang.

Ich öffnete die Haustür und atmete den Vanille-Jasmin-Duft ein. Mittlerweile war es draußen kühl geworden, kühl und dunkel. Nur mit Jeans und BH bekleidet, setzte ich mich in einen der Holz-Gartensessel und überlegte, ob Deirdre Felix schon ins Bett gegangen oder in ein Buch vertieft war. Ich stellte mir vor, daß sie ununterbrochen las – die ganze Nacht hindurch. Wenn sie nicht mit mir zusammen war oder ins Ballett ging, hatte sie gewiß ein Buch vor sich. Ich atmete noch einmal tief ein und merkte dann, daß ich immer noch den Brief von der Zulassungsbehörde in den Händen hielt.

Ich dachte an die Tänzerinnen und Tänzer. Ich dachte an Deirdre Felixs Garten. Ich dachte an Mary TallMountain, Rita Mae Brown und Jeanette Winterson. An den Klang ihrer Worte. Ich dachte wieder an Deirdre Felix und spürte, daß sie für mich mittlerweile so wichtig geworden war wie frische Luft.

14

EIN PAAR WOCHEN später lud mich Deirdre Felix erneut ins Ballett ein. Noch immer war es mir nicht gelungen, ihr gegenüber das in Worte zu fassen, was ich Mickey zu erklären versucht hatte, obwohl ich immer wieder unterschiedliche Versionen übte. An jenem Tag ging ich nachmittags in die Stadt und kaufte mir eine weite Hose mit afrikanischem Muster in orange, schwarz und hellbraun, eine schöne schwarze Seidenbluse, eine weite hellbraune Leinenweste und ein Paar gepflegt aussehende schwarze Halbschuhe.

Als wir unsere Plätze in der Davies Hall einnahmen, fiel mir auf, daß der große Diamantring an Deirdre Felix' Hand fehlte, was sofort meinen Beschützerinstinkt weckte.

Sie sah schrecklich aus, mit roten Augen und rauher Haut, und ich war mir sicher, daß sie im Augenblick eine schwere und schmerzvolle Phase durchmachte.

In letzter Zeit waren ihre weichen Tränensäcke öfters geschwollen, und dazu hatte sie sich angewöhnt, nervös mit einem Finger zu klopfen – so wie sie es auch jetzt auf ihrer Handtasche machte. Zuweilen klopfte sie wirklich fest. Es kam mir so vor, als wolle sie ihre Tränen zurückhalten. Ich war froh, daß wir jetzt im Ballett waren, weil sie es doch so gerne mochte.

Während wir dasaßen und auf den Beginn der Vorführung warteten, suchte ich nach einem Gesprächsthema. Offenbar angeregt durch ihren fehlenden Ring und das Orchester, das sich nur ein paar Meter vor uns gerade einstimmte, sagte ich: »Sie haben Arnie also im Streichquartett am College kennengelernt.«

Volltreffer. Mein unglückseliger Kommentar quietschte wie ein falscher Ton.

Sie nickte.

»Und dann?« fragte ich, von meiner eigenen Neugier überwältigt. Was soll's, dachte ich, sie muß ja nicht antworten.

»Medizinstudium für Arnie, Haushalt für mich.« Sie grinste.

»Wollten Sie denn keine Hausfrau sein?«

»Doch, doch, das schon. Arnie wollte kein Arzt sein.«

»Nein?«

»Er wäre lieber Musiker geworden.«

»Und warum hat er das nicht gemacht?«

Mit den Fingern strich Deirdre Felix immer wieder über das glänzende Leder ihrer Handtasche. Ihre Nasenlöcher blähten sich ein wenig auf, und ihre Augenbrauen zuckten zweimal. »Musiker sind wie Bauchredner. Sie teilen sich durch ihre Musik mit. Man weiß nie, ob sie gerade selbst sprechen oder etwas anderes – beziehungsweise jemand anderes.«

»Aha.« Da ich ihr nicht folgen konnte, schlug ich mein Programm auf und versuchte, einige Wörter zu entziffern.

Deirdre Felix saß da und klopfte mit dem Finger.

Schließlich begann das Programm. Mitten beim ersten Stück sah ich zu ihr hinüber. Sie hatte die Augenbrauen ein wenig gehoben, und ihre Augen glänzten voller Tränen. Sie klopfte nicht mehr mit dem Finger. Ich sah schnell wieder weg, aber sie war von der Aufführung viel zu verzaubert, als daß sie meinen Blick bemerkt hätte.

Plötzlich wurde mir bewußt, wieviele unterschiedliche Dinge es gibt, die Menschen berühren. Dabei zählt weniger, was genau sie berührt, als vielmehr die Tatsache, daß sie sich überhaupt berühren lassen. Und je stärker sie berührt sind, desto schwieriger ist es, die Ursache dafür klar zu definieren. Die Tänzerinnen und Tänzer berührten mich. Deirdre Felix berührte mich sehr. Warum? War ich in sie verliebt? Ich denke, es war viel mehr als das. Es waren ihre Bücher, und zwar nicht nur das Papier und die Druckerschwärze, sondern die Geschichten, in denen sie lebte, ihr Arbeitszimmer, die Tänzerinnen und Tänzer, die sie so mochte, und auch ihre Großzügigkeit mir gegenüber – nicht unbedingt in Zeit zu messen und ganz gewiß nicht in Worten, aber in Geist und Seele.

Während des Balletts nahm ich so viele Details wie möglich in mich auf, jedes Muskelzucken, jede schweißnasse Haarsträhne und sogar das leise Grunzen, das wir auf unseren Plätzen gelegentlich vernahmen. Ich versuchte, mir die Geschichte eines jeden Tanzes vorzustellen, machte mir aber auch Gedanken über das tatsächliche Leben der Künstlerinnen und Künstler. Wer war in wen verliebt? Waren die Männer alle schwul? Waren die Frauen alle hetero? Wie alt waren sie? Mußten sie auf jeden Krümel achten, den sie zu sich nahmen? Liebten sie ihren Beruf, oder fanden sie ihn auf die Dauer zu anstrengend?

Nach dem Ballett schlug Deirdre Felix vor, noch etwas trinken zu gehen.

Etwas trinken zu gehen! Mit Deirdre Felix! Wenn ich auch am liebsten alles über sie gewußt hätte, so war mir unser formeller Umgang inzwischen doch vertraut geworden. Die Förmlichkeit beinhaltete auch eine gewisse Würde. Wie konnte sie nur auf die Idee kommen, daß wir so etwas Banales taten, wie zusammen in eine Kneipe zu gehen! Sie und ich, wir lasen Bücher und widmeten uns der Kunst.

Ich ging natürlich trotzdem mit.

Im Max's an der Opera Plaza bestellte ich mir einen Whiskey mit Zitrone. Meiner Meinung nach war das ein Drink, den man nach einem Ballettabend zu sich nahm. Sie wählte einen Martini und bat die Kellnerin, ihr ein Päckchen Zigaretten zu bringen. Mit der angezündeten Zigarette in der Hand sah sie grauenvoll aus, so als habe sie wochenlang kein Auge zugetan.

»Ich wußte gar nicht, daß Sie rauchen.«

»Das tue ich auch nicht. Oder zumindest habe ich es vierzig Jahre lang nicht getan und erst vor ein paar Wochen wieder damit angefangen. Stört es Sie, wenn ich jetzt rauche?«

Ich schüttelte den Kopf, dachte aber ja.

Sie nahm einen tiefen Zug, blies den Rauch aus und sagte: »Sie sind eine sehr mutige Frau, Lori.«

Ich starrte sie verdutzt an. Ich?

»Ja, Sie«, sagte sie, als hätte ich meine Frage laut ausgesprochen. Wieder nahm sie einen tiefen Zug ihrer Zigarette. »Daß Sie offen als Lesbe leben. Daß Sie Ihre Leseschwierigkeiten so entschlossen angehen. Ich wollte Ihnen einmal sagen, daß ich sehr viel von der Zeit profitiere, die ich mit Ihnen zusammen bin.«

»Wirklich?« Meine Stimme quiekte.

Deirdre Felix lächelte auf ihre typische flüchtige Art. Dann strich sie sich die grauen Haare aus dem Gesicht und stieß den Rauch aus gespitzten Lippen nach oben aus. »Mein Mann hat eine Geliebte. Eine sehr viel jüngere Frau. Das ist vielleicht keine große Sache für Sie – auch mir sollte es eigentlich nicht so viel ausmachen. Er hat schon öfters Affären gehabt, aber diesmal macht er es öffentlich. Und sie ist fünfundzwanzig. Irgend so eine Sekretärinnen-Schnalle.« Sie lachte. »Sie ist natürlich nur hinter seinem Geld her.« Nach kurzer Pause fügte sie hinzu: »Nun ja, Arnie ist durchaus attraktiv.« Sie gab ihr typisches *Pffh* von sich.

Dann wedelte sie etwas Rauch von unserem Tisch fort und schüttelte leicht den Kopf, als könne sie ihre Situation selbst kaum glauben.

»Das ist doch ein Arschloch«, platzte ich heraus. »Und ein Idiot.«

Mit einem kurzen, grunzenden Lachen stieß sie den Rauch aus. »Ja, ein Arschloch ist er. Aber kein Idiot.«

Ich kochte vor Wut.

»Sie haben mich gefragt, was nach dem Streichquartett passierte.« Einen Augenblick lang konzentrierte sie sich ganz auf ihre Zigarette. »Von uns beiden war er derjenige mit Visionen. Ich sehnte mich nur nach der klassischen Laufbahn der fünfziger Jahre: vielen Kindern und einem großen Haus. Mit Hilfe seiner Eltern überredete ich ihn zum Medizinstudium.« Ihre Worte klangen wie Metallspäne. »In gewisser Weise habe ich aus Arnie das Stereotyp gemacht, zu dem er geworden ist.«

»Niemand kann aus einem Menschen etwas machen.«

»Das stimmt schon. Aber wenn die Person, die man liebt, sich genauso gegen einen stellt wie der Rest der Welt, kommt das einem schwerwiegenden Verrat gleich.«

»Aber man kann doch jemanden nicht dafür verantwortlich machen, daß –«

Mit einer Geste schnitt sie mir das Wort ab.

»Das Witzige an der Sache ist«, sagte sie nach einer langen Pause, die viel länger dauerte, als mir angenehm war, »daß ich den Arnie auf diesem Foto immer noch liebe, den Arnie, dem ich mich damals so starrköpfig widersetzte. Aber den Arnie, mit dem ich heute zusammenlebe, kenne ich gar nicht.«

Ich wagte nicht, etwas zu sagen.

»Jedenfalls bin ich völlig am Ende, Lori. Auch wenn Ihr Mut mich stärkt, kann ich mit unserem Unterricht doch nicht weitermachen. Ich habe die Scheidung eingereicht, und das Ganze nimmt mich einfach zu sehr mit. Sie sollten sich eine neue Lehrerin suchen. Sie verdienen einen besseren Unterricht, als ich ihn momentan geben kann.«

Ich griff nach ihrem Zigarettenpäckchen, aber sie kam mir zuvor und steckte es in ihre Handtasche. »Sie rauchen doch gar nicht«, meinte sie.

»Sie ja auch nicht.«

»Haben Sie mir zugehört?«

»Dann warte ich eben. Bis Ihre Scheidung durch ist und es Ihnen wieder etwas besser geht.«

»Nein, bitte«, entgegnete sie leicht verzweifelt. »Ich brauche Zeit. Ganz viel Zeit.«

Ich nahm einen Schluck von meinem Whiskey mit Zitrone und schwenkte die bittere Süße in meinem Mund hin und her. Eigentlich wartete ich darauf, daß das Wort *nein* nicht länger von meinen Gehirnwänden abprallte. Dann fragte ich: »Was war an diesem Tag passiert, als Sie an der Bibliothek abgesetzt wurden? Als Sie in Tenniskleidung erschienen sind?«

Sie schwieg. Ihre Augen wirkten heiß und trocken.

»Hat Arnie den BMW gefahren?«

»Ja.«

»Sie waren sehr aufgebracht.«

Deirdre Felix streifte die Asche ihrer Zigarette ab und antwortete: »An diesem Vormittag hat Arnie meinen Saab zu Schrott gefahren. Die Frau saß mit ihm im Auto. Auf diese Weise habe ich überhaupt erst von ihrer Existenz erfahren. Leider haben beide noch nicht einmal einen Kratzer davongetragen. An diesem Abend und noch ein paar Tage danach habe ich ihn gezwungen, mich zu all meinen Terminen zu fahren.« Sie griff in ihre Handtasche und nahm sich noch eine Zigarette. »Als ginge es darum. Als ginge es um mein Auto.«

Als sie sich die Zigarette anzündete, nahm ich sie ihr einfach aus der Hand und drückte sie im Aschenbecher aus. Sie zeigte keine Reaktion. Ich haßte Arnie.

»Ich muß nach Hause«, sagte sie.

Auf der Rückfahrt nach Oakland plauderte ich über meine Arbeit und Mickey, als sei es keine große Sache, daß sie den Unterricht beendete, als sei eine neue Lehrerin so ähnlich wie ein neues Fahrrad – man muß sich eben umgewöhnen, nichts weiter. Sie fuhr rasant, und ich hatte den Eindruck, sie wolle mich so bald wie möglich loswerden. Als wir über die Bay Bridge flogen, versuchte ich, die Unterhaltung zu beschleunigen, wobei ich eigentlich ohnehin ein Selbstgespräch führte. Ich wollte ihre Aufmerksamkeit erlangen und sie umstimmen.

Ich sagte: »Übrigens kam mir vor kurzem der Gedanke, daß mein Vater womöglich auch nicht lesen kann. Letzte Woche habe ich meine Mutter darauf angesprochen, aber sie hat einfach das Thema gewechselt. Ich meine, sie sind zwar geschieden und so, aber wahrscheinlich deckt sie ihn immer noch, verstehen Sie? Es ist einfach zur Gewohnheit geworden. Außerdem möchte meine Mutter ja auch nicht wahrhaben, daß *ich* nicht lesen kann. Auf jeden Fall ist das sicher der Grund, warum mein Dad immer zu mir gehalten hat.«

Ich quatschte so drauflos. Warum hatte ich nur die Scheidung erwähnt?

Eigentlich hatte ich Deirdre Felix etwas ganz anderes sagen wollen. Ich hatte ihr von der Dosensuppe erzählen wollen, von der Tortilla-Packung, von dem »Trau keinem über 30« T-Shirt, von meiner Erkenntnis, daß Wörter und Bücher lediglich Hilfsmittel darstellten, während die Geschichten die eigentliche Reise waren. Ich hatte angenommen, dafür noch genug Zeit zu haben.

Ich fuhr fort: »Im Prinzip war ich immer dankbar, wenn mein Vater mich in Schutz genommen hat. Aber jetzt bin ich mir da nicht mehr so sicher. Vermutlich hat er mich auch verletzt, weil er so wenig von mir erwartete.«

Was ich eigentlich sagen wollte und nicht ausdrücken konnte, war: Ich wußte, daß ich sie verärgert hatte, wenn ich mich nicht genug bemühte oder nur zynische Bemerkungen von mir gab, und ich wußte, wie viel sie von mir erwartete – und deswegen hätte ich mich ihr am liebsten zu Füßen geworfen.

»Gute Nacht«, sagte sie, als sie in ihrer Einfahrt zum Stehen kam und die Handbremse anzog. Ich stieg aus und ging zu meinem eigenen Auto hinüber, das ich in der Straße abgestellt hatte, während sie im Sturmschritt den Steinplattenweg entlang lief und schließlich im Haus verschwand. Ein paar Sekunden lang stand ich im Dunkeln neben meinem Auto und kam mir unzulänglicher vor als jemals zuvor in meinem Leben. Was ziemlich viel heißt.

In dieser Nacht lag ich schlaflos im Bett und dachte nur daran, daß ich versagt hatte. Hätte ich in den sieben Monaten meiner Teilnahme an dem Programm wenigstens kleine Fortschritte gemacht, hätte ich Deirdre Felix halten können. Sie wäre stolz darauf gewesen, so eine gute Lehrerin zu sein. Die ganze Zeit über hatte ich sie eigentlich nur abgelenkt, so daß sie nicht über ihren Mann nachdenken mußte, der sie wegen einer Geliebten sitzenließ. Vor meinem geistigen Auge sah ich diese blonde Frau in ihrem aufreizenden blauen Kleid, sicherlich die Sekretärinnen-Schnalle. Und ich hörte die tiefe, Ich-habe-alles-im-Griff-Stimme von Arnie, als er vom Haus aus in den Wald hineinrief – das war er mit Sicherheit gewesen. Deirdre Felix hatte mich unterrichtet, um diesem blaubekleideten Körper und dieser männlichen Stimme zu entkommen. Im Grunde hatte sie mich benutzt. Was mich seltsamerweise tröstete. Es zeigte ihre Bedürftigkeit. Unsere gegenseitige Bedürftigkeit. Aber was hatte ich ihr denn außer Ablenkung noch gegeben?

Um vier Uhr morgens stand ich auf. Ich öffnete die Haustür und atmete die frische Luft ein, die jetzt nur noch ganz entfernt nach Jasmin duftete. Dann schloß ich die Tür wieder und holte meine Wortkarten hervor. Ich setzte mich aufs Bett und sah sie durch. Alle Wörter, die mir geeignet erschienen, legte ich beiseite. In den nächsten drei Stunden verfaßte ich dieses Gedicht:

Ich bin wie ein Wanderfalke,
so wie ich mich hinabstürze und mein Ziel verfehle,
mich hinabstürze und mein Ziel verfehle.
Doch diesmal habe ich etwas gefangen.

Du bist wie eine wilde Artischocke,
stachelig und ellegant
nach außen hin.
Doch dein Herz ist übervoll und vielschichtig.

Um halb acht rief ich Mickey an, der tatsächlich ans Telefon ging. »Mick, wie schreibt man ›elegant‹?« Er buchstabierte es. »Und ›stachelig‹?« Auch das sagte er mir. »Wie kommt's, daß du auf einmal so schlau bist?« fragte ich. »Also, bis gleich.«

Auf dem Weg zur Arbeit fuhr ich an der Post vorbei und steckte das Gedicht an Deirdre Felix in den Briefkasten. Doch als ich beim Fahrradladen ankam, bereute ich es bereits. Ich rief bei der Post an und fragte, ob es eine Möglichkeit gäbe, den Brief zurückzubekommen. »Geld spielt keine Rolle«, erklärte ich der Dame.

»Tut mir leid. Sie haben ihn abgeschickt, und wir stellen ihn zu.«
»Und wenn er eine Bombe enthält?« fragte ich.
Die Dame antwortete: »Behaupten Sie das? Denn dann wenden wir uns sofort ans FBI.«
»Nein«, versicherte ich ihr. »Das behaupte ich nicht. Es gibt keine Bombe.«
Dann legte ich schnell auf, bevor sie den Anruf zurückverfolgen konnte. Andererseits war eine Bombe keine schlechte Idee. Ich könnte herausfinden, wo Arnie arbeitete, und das Gebäude dem Erdboden gleichmachen.

An diesem Nachmittag schaltete ich nach der Arbeit meinen Kassettenrekorder ein. Ich spulte zur letzten Aufnahme vor einer Woche zurück, drückte auf »Wiedergabe« und hörte mich sagen: »Wenn ich Deirdre Felix beim Vorlesen zuhöre, überlege ich mir, wie es wohl sein muß, wenn man all diese Bücher in ihrem Arbeitszimmer gelesen hat. Es kommt mir vor, als wäre ihr Kopf das Feuer, und Bücher wären das Holz. Und auch ich kann dieses Feuer in meinem eigenen Kopf spüren. Naja, vielleicht ist es im Moment erst ein Funke. Aber ich weiß es: Ich werde lesen lernen. Das glaube ich echt. Lori Taylor kann lesen. Ha!« Wie eine Irre hatte ich in den Rekorder gelacht.
Ich spulte bis zum freien Teil der Kassette vor, drückte auf »Aufnahme« und sagte: »Dreizehnter Mai. Von ›lesen können‹ kann ja wohl kaum die Rede sein. In den sieben Monaten, die ich mit ihr gearbeitet habe, habe ich vielleicht fünfzig neue Wörter gelernt. Das sind noch nicht einmal zehn pro Monat. Meine Auffassungsgabe ist immer noch total scheiße.« Dann schaltete ich wieder ab.
Ich wünschte, ich hätte mich am Abend allein mit Whitney verabredet. Wir wollten mit Joy aus Oberlin und ihrer Freundin Sue ins *El Rio* fahren, um uns irgendeine neue, geile Lesben-Punkband anzuhören. Um meine Absage des ersten Treffens mit ihnen damals wiedergutzumachen, hatte ich mich bereiterklärt, mehrere Abende mit ihren Freundinnen zu verbringen *und* zum nächsten ASU-Treffen zu kommen.
Eigentlich mochte ich Joy und ganz besonders Sue mit ihrem unglaublich roten Lockenkopf und ihrem einzigartigen Humor. Sue und ich spielten uns regelmäßig die Bälle zu, rissen pausenlos Witze

und machten uns immer über die eher ernsthaften Absolventinnen von Oberlin lustig.

Aber heute abend war ich mir nicht sicher, ob ich zu Spaß beziehungsweise Oberlin aufgelegt war. In der Nacht zuvor hatte ich gerade mal zwei Stunden geschlafen, und zudem wünschte ich mir wirklich, ich hätte dieses dämliche Gedicht nicht abgeschickt. Ich hatte Deirdre Felix einfach auch etwas geben wollen, aber wie war ich bloß auf die Idee mit dem Gedicht gekommen?

Ich zog weite Jeans, ein weißes T-Shirt und neongelbe Baseballstiefel an und betrachtete mich im Spiegel. Meine Haare hatte ich zu einem lockeren Pferdeschwanz zusammengebunden – nicht gerade aufregend. Am liebsten wäre ich zu Whitney gefahren und hätte den ganzen Abend mit ihr im Bett verbracht. Ich brauchte eine Pause von meinen Gedanken, eine Erlösung von mir selbst. Ich schloß die Tür ab, und anstatt direkt zu Whitney zu fahren, machte ich einen Umweg über die Tunnel Road und den Skyline Boulevard. Gerade als ich vor ihrem Haus anhalten wollte, fuhr der BMW rückwärts aus der Einfahrt. Mir wurde ganz heiß, und ohne genau zu sehen, wer den Wagen fuhr, gab ich Gas und rauschte davon.

Eine Viertelstunde zu spät und voller verwirrender Gefühle über Deirdre Felix erschien ich bei Whitney.

»Eine Cousine meiner Mutter wohnt hier in der Stadt«, sagte ich, als wir über die Bay Bridge fuhren. »Und sie –«.

»Davon hast du mir ja noch nie etwas erzählt.«

»Es war nicht weiter wichtig. Jedenfalls habe ich letzte Woche mit ihr gesprochen, und da sagte sie mir, sie hätte die Scheidung eingereicht.«

»Siehst du sie öfter?«

»Ab und zu.«

»Und warum läßt sie sich scheiden?«

»Ihr Mann hat eine Affäre mit irgend so einer Sekretärinnen-Schnalle.«

»Wenn du die Wörter ›Sekretärin‹ und ›Schnalle‹ auf diese Weise verwendest, tust du so, als gehörten sie zusammen, als seien alle Sekretärinnen doof.«

»Das waren eben ihre Worte.«

»Deswegen brauchst du sie aber nicht zu wiederholen.«

»Okay, okay. Sie tut mir nur so leid ... die Cousine meiner Mutter.«

»Hat die Cousine deiner Mutter auch einen Namen?«

»Deirdre Felix«, sagte ich und verspürte in mir eine Welle der Erleichterung, als hätte ich gerade begonnen, die Wahrheit zu sagen.

»Ich hatte ein Vorstellungsgespräch wegen diesem Job.«

»Welchem Job?« Es ärgerte mich, daß Whitney einfach das Thema wechselte.

»Von dem ich dir vor ein paar Monaten erzählt habe. Bei diesem Grafikbüro.«

»Aber du hast damals gesagt, daß du kein Interesse daran hättest.«

»Naja, ich dachte mir, ein Vorstellungsgespräch könnte nicht schaden.«

»Das kapiere ich nicht. Einerseits willst du unbedingt, daß ich mein eigenes Unternehmen aufmache, und gleichzeitig bist du dabei, deines aufzugeben.«

»Niemand will es aufgeben«, sagte sie. »Übernachten wir heute bei dir oder bei mir?«

»Mir egal. Warum?«

»Nur so eine Frage.« Sie schmiegte sich an mich, so gut das von ihrem Sitz aus ging, und meinte: »Manchmal habe ich einfach keine Lust mehr auf das Gefühl, immer in einer fremden Wohnung zu übernachten.«

»Das heißt?«

»Ich wünschte, daß nicht immer eine von uns beiden nicht zu Hause wäre.«

Na, wenn das mal nicht der Auftakt war zu der Frage: Warum ziehen wir eigentlich nicht zusammen? Ich war völlig verwirrt von der raschen Wandlung unseres Gesprächs – von meinen Lügen über Deirdre Felix über Whitneys Vorstellungsgespräch bis zu ihrer Anspielung auf eine gemeinsame Wohnung. Mein Herz fühlte sich an wie ein Strudel: Außen kreiste schäumendes Wasser, und Whitney stand am Rand, um gleich in die Mitte gespült zu werden.

Wir unterhielten uns nicht weiter, aber Whitney faßte mich an, während ich fuhr – sie berührte meine Rippen, fuhr mit dem Finger an meinem Ohr entlang und streichelte meine Kniekehle. Sie war eine Meisterin der körperlichen Finesse, und ihre Berührungen beruhigten und erregten mich immer gleichzeitig – eine wunderbare Kombination, der ich mich vollkommen hingeben konnte. Als wir beim *El Rio* im Mission-Bezirk ankamen, spürte ich nur noch die

Hitze meines Körpers und dachte weder an Deirdre Felix, die mich sitzengelassen hatte, noch an mein Gedicht, das gerade auf dem Weg zu ihr war. Wir holten uns ein Bier und gingen nach draußen. Sue, die Freundin mit dem wirren roten Lockenkopf, begrüßte mich mit erhobener Hand, und wir fingen sofort an herumzualbern. Während wir unsere Witzchen machten und ich mit halben Ohr mitbekam, daß Joy und Whitney – wieder einmal – ihre Oberlin-Zeit aufwärmten, sah ich mich im *El Rio* um. Wegen des Konzerts heute abend war es hier proppenvoll. Ich entdeckte Dr. Julie Higginboth, die Leiterin des Sex-Workshops, und dachte, sie hätte mich ebenfalls erkannt. Ich lächelte und wollte ihr gerade zuwinken, als sie an mir vorbeischwebte und jemanden hinter mir begrüßte. Ich drehte mich um und wurde Zeugin eines ausgiebigen Zungenkusses zwischen ihr und einer Frau in einer Schlaghose aus schwarzem Samt. Diese öffentliche Zurschaustellung von Sexualität fand ich geradezu widerlich. Hatte ich deswegen eine negative Einstellung zu Sex? Ich wandte den Kopf, um Sue nach ihrer Meinung dazu zu fragen – und erblickte Edith! Einen Augenblick lang freute ich mich darüber, meine alte Freundin zu sehen, aber dann fiel mir unser Termin am fünften Mai ein, und mein Magen krampfte sich zusammen. Mein Zynismus war offenbar völlig an ihr vorbeigegangen, denn sie hatte mich zurückgerufen und gesagt, wie gern sie sich am fünften Mai mit mir treffen wolle, sie würde etwas kochen, und ich solle doch so gegen sieben Uhr bei ihr sein. Das war vor mehr als drei Wochen gewesen. Ich schüttete mein Bier in die Erde einer Topf-Palme und entschuldigte mich.

Auf der Toilette stellte ich mich vor den Spiegel und betrachtete mein Gesicht. Ich starrte es so lange an, bis es mir vollkommen fremd wurde. Ich nahm nur noch die Einzelteile wahr – Nase, Brille, Wangenknochen, Mund – und nicht mehr das Gesicht als Ganzes. Vielleicht lag es ja auch an dem Schlafentzug, aber mit einem Mal schien mein ganzes Leben auseinanderzufallen. Zunächst Mickey. Zwar hatten wir die Dinge nach der »Einbruchs-Episode« , wie Mickey sie nannte, geklärt, aber das mußten wir ja auch, schließlich arbeiteten wir zusammen. Im Laden hatten wir zwar immer noch unseren Spaß, aber unsere Beziehung hatte sich sehr verändert. Zu Edith hatte ich womöglich die letzte Brücke zerschlagen. Pam war nur noch eine flüchtige Erinnerung. Und jetzt hatte Deirdre Felix mich einfach abgeschoben. Was bedeutete das alles, fragte ich mein

Spiegelbild. Es kam mir vor, als sei das Ich, das ich von jeher gekannt hatte, nicht mehr existent. Wer war an seine Stelle getreten?

In diesem Augenblick kam Whitney zur Tür herein. »Da bist du ja. Ich habe mir schon Sorgen gemacht.«

Ich lächelte sie an, aber es war ein gezwungenes, ein bißchen durchgedrehtes Lächeln. »Alles in Ordnung.«

»Die Band hat angefangen«, meinte sie. »Aber sie sind echt laut. Wir haben überlegt, ob wir nicht lieber woanders hinfahren, wo wir uns unterhalten können. Sue hat Hunger.«

»Gut«, stimmte ich zu. »Ich auch. Gehen wir.«

Ein paar Stunden später, als wir über die Brücke zurückfuhren, schlug ich aus heiterem Himmel vor: »Vielleicht solltest du mit deiner Zahnbürste einziehen.«

Machte ich Witze? Höchstwahrscheinlich.

Whitney lachte nicht. Sie sah aus dem Fenster an ihrer Seite und antwortete nach kurzer Pause: »Was ist mit deinen geheimnisvollen Verabredungen mittwochs abends?«

»Wahrscheinlich muß ich dann damit aufhören. Keine heißen Frauen mehr nebenher.«

Whitney lachte immer noch nicht. »Wenn wir zusammen wohnen«, sagte sie, »möchte ich, daß wir wirklich offen miteinander umgehen. Ich mache mir etwas Sorgen darüber, wie vehement du deinen – wie sagt man? emotionalen Freiraum verteidigst.«

Oho! Reglements von Anfang an.

Dann meinte sie: »Vermutlich habe ich auch Angst davor, was mein Dad dazu sagen würde.«

»Dein Dad«, erwiderte ich, »was hat der denn damit zu tun?«

Sie drehte hastig den Kopf und warf mir einen finsteren Blick zu.

Eine Sekunde lang schloß ich die Augen, lange genug, um auf die Parallelspur zu schlingern. Ich zog den Wagen wieder nach rechts. Mein Gefühl sagte mir, ich solle diese Idee vom gemeinsamen Wohnen sofort aufgeben, aber dann wiederum spürte ich diese Leere in mir, die durch Deirdre Felix' Weggang immens geworden war. Ich kam mir vor wie ein großes leeres Haus.

»Zieh einfach bei mir ein«, sagte ich. »Tu's doch am kommenden Wochenende.«

15

IM JUNI SAH ich Charles im Supermarkt, den Mann, der damals ebenfalls am Lesetraining teilgenommen hatte. Er stand in der Schlange neben mir. Er trug dieselbe schöne Lederjacke wie das erste Mal, als ich ihn in der Bibliothek sah, und eine elegante dunkelrote Stoffhose. In der Hand hielt er einen Sixpack Coca-Cola. Obwohl ich ja nun inzwischen wußte, daß der Schein trügt, konnte ich kaum glauben, wie normal er wirkte. Es war fast nicht vorstellbar, daß dieser nette erwachsene Mann wie ein sechsjähriges Kind Wörter buchstabierte. Ich starrte ihn an und wurde dabei zweimal von ihm ertappt. Wir zahlten gleichzeitig, und als wir hintereinander hinausgingen - ich war vor ihm –, fragte er barsch: »Kennen wir uns?« Und eigentlich meinte er: Und wenn nicht, warum hast du mich so angestarrt?

»Nein«, antwortete ich.

Doch dann fiel es ihm offensichtlich ein, denn er lächelte, legte den Kopf in den Nacken und meinte: »Doch, doch. Von der Bibliothek, stimmt's?« Obwohl ich nichts sagte, fuhr er fort: »Wie ist deine Lehrerin? Kommst du gut mit ihr aus?«

»Ähm –«, begann ich.

»Mein Lehrer, Mr. Jackson, so möchte er genannt werden, er ist ein bißchen altmodisch. Aber sonst wirklich in Ordnung.« Ich sah den weißhaarigen afroamerikanischen Herrn vor mir, der mit ihm arbeitete. Charles klemmte sich die Packung Cola unter den Arm und streckte mir die rechte Hand hin. »Ich heiße Charles.« Das wußte ich bereits. Ich hatte das Gefühl, als tue ich ihm leid, als versuche er, mir mein offensichtliches Unbehagen zu nehmen.

»Lori. Nett, dich kennenzulernen.« Ich schüttelte ihm die Hand und ging dann mit meinen Einkäufen in Richtung Parkplatz.

»Ich habe dich schon lange nicht mehr in der Bibliothek gesehen«, sagte Charles.

Ich blieb stehen und erwiderte: »Ich habe mit dem Programm aufgehört.«

»Wie schade. Es hat mein Leben verändert.«

Kann man nach einer solchen Bemerkung einfach weggehen?

»Ach ja?« fragte ich daher mit mäßigem Interesse.

»Ja.« Gedankenverloren leckte er sich mit der Zunge über die Lippen, und mir war klar, daß er gleich ein Plädoyer für das Programm halten würde. »Ich habe früher bei General Motors in Fremont gearbeitet, wurde aber vor ein paar Jahren arbeitslos. Ein früherer Kollege von mir hat an dem Programm teilgenommen. Er hat mich dazu überredet, es doch auch mal zu versuchen. Mein Lehrer – Mr. Jackson – hat mir dann mit den Bewerbungen geholfen. Hat fast ein Jahr gedauert, bis ich was gefunden hatte, und es ist nur ein Hausmeisterjob, längst nicht so gut wie der in der Fabrik, aber was soll's, es ist immerhin ein Job. Bald mache ich meinen Abschluß. Es gibt noch viel zu tun, aber ich pack's an.« Er warf den Kopf zurück und lachte, laut und glücklich. »Aber das Beste an der ganzen Sache sind meine Kinder. Sie sehen mich abends lernen und machen es mir nach.«

»Ich habe keine Kinder«, sagte ich.

»Es ist ein anderes Gefühl«, meinte er und klopfte sich auf die Brust. »Da drin. Jetzt scheint mir alles möglich.«

Natürlich wußte ich, wovon er sprach. Ich wußte genau, wovon er sprach.

»Toll«, sagte ich. »Aber jetzt muß ich mich wirklich beeilen.«

»Ende des Sommers gibt es in der Bibliothek einen Schreibkurs für Leseanfänger. Komm doch auch vorbei.«

»Ja«, sagte ich, »gut, danke.«

Ich packte meine Einkäufe in den Kofferraum und stieg ein. Ein paar Reihen weiter sah ich, wie Charles einen alten Dodge Dart startete, diesen »Sportwagen des kleinen Mannes«. Ich wunderte mich, daß er mich nicht haßte, nachdem ich ihn im vergangenen Herbst durch meine eigene Beschämung aus der Bibliothek vertrieben hatte. Vielleicht wollte er mir deshalb seine Geschichte erzählen. Er hatte ein großes Herz, das mußte ich ihm lassen. Auf der Fahrt nach

Hause sah ich ihn immer wieder vor mir, wie er sich auf die Brust klopfte, mir in die Augen sah und sagte: »Es ist ein anderes Gefühl. Da drin.«

Ich drückte Whitney auf mein Bett.

»Nein, das läuft nicht«, sagte sie. »Zieh dich an.«

»Es ist viel sinnvoller, wenn ich nächsten Monat mitgehe«, rechtfertigte ich mich. »Dann wäre das für mich eine Motivation. Ich muß erst noch an meinem Geschäftskonzept arbeiten, damit ich diesen Geschäftsfrauen auch etwas berichten kann.« Eine gewisse Ironie konnte ich mir einfach nicht verkneifen.

»Eben wegen der Motivation kommst du heute mit. Die anderen können dich gerade in dieser Anfangsphase unterstützen. Na komm schon, sie alle kennen doch die Angst vor der eigenen Courage, wenn man sich selbständig machen will. Außerdem hast du es versprochen.«

Das stimmte. Aber ich war für Demütigungen einfach anfälliger als Whitney. Für sie mochte es Motivation sein, für mich jedoch war es die reinste Tortur. All diese netten, fröhlichen, studierten Frauen, die mich danach fragen würden, wieviel Umsatz ich mit meinem Fahrradladen bislang gemacht hatte. Nun, ich würde ihnen einfach sagen, daß es den Laden immer noch nicht gab. Aber irgendwie fühlte sich das nicht besonders motivierend an.

Ich trug Jeans und ein T-Shirt, aber Whitney forderte mich auf, doch etwas »Schöneres« anzuziehen, worüber ich mich ärgerte. Dann wühlte sie in meinem Schrank herum, worüber ich mich noch mehr ärgerte. Seit dem Abend im *El Rio* hatten wir nicht mehr darüber gesprochen, eventuell zusammenzuziehen, aber mir war aufgefallen, daß Whitney mein leichtfertiges Angebot offenbar zum Anlaß genommen hatte, sich bei mir mehr zu Hause zu fühlen. Sie zog die Hose mit dem afrikanischen Muster und mein schwarzes Seidenhemd hervor, schüttelte die Hose aus und betrachtete sie zufrieden.

»Zu so einem Treffen?« fragte ich. Schließlich war das mein Ballett-Outfit. Aber dann zog ich die Sachen trotzdem an, zusammen mit meiner hellbraunen Leinenweste.

Auf dem Weg zur Straße umfaßte ich sie immer wieder von hinten und versuchte, das Ganze als Spiel zu kaschieren, aber im

Grunde belästigte ich sie. Meine innere Teenagerin hatte mal wieder die Oberhand gewonnen. Whitney beschleunigte ihre Schritte, um meinen Händen zu entkommen. Im Vorgarten meiner Vermieterin drückte ich sie an die rauhe Baumrinde einer Zeder und küßte sie. »Lori«, lachte Whitney endlich und seufzte dann. »Ach Süße, komm schon. Was ist nur los mit dir? Warum hast du so eine Angst davor?« Ihre ernsthafte Bestürzung beunruhigte mich. Ich wollte nicht, daß sie sich zu sehr mit meinem Widerstand auseinandersetzte.

»Ist dir eigentlich bewußt, daß dies das erste Mal ist, daß du nein sagst«, fragte ich und versuchte, ihr das Hemd herauszuziehen. »Das erste Mal, daß du bei meinen Küssen nicht dahinschmilzt.«

»Lori.« Sie packte mich an beiden Handgelenken.

»Okay, fahren wir.« Schweigend ging ich zum Auto und nahm mir fest vor, zur Strafe eine ganze Woche lang nicht mit ihr zu schlafen, egal wie sehr sie versuchte, mich zu verführen.

Das Treffen fand in dem Haus mit dem weißen Ledersofa statt. Statt Blätterteigröllchen gab es diesmal eine Paste aus Artischockenherzen, was mich an Deirdre Felix und mein schreckliches Gedicht erinnerte, sowie Erdbeeren mit Schokoladenüberzug. Trotz der sehr kleinen Teller schaffte ich es, meinen ordentlich zu beladen. Whitney betrachtete meine Portion und runzelte die Stirn.

Alix, die Gastgeberin mit dem Lockenkopf, reichte mir ein Glas Wein. Ich fragte, ob sie auch Cola dahabe. Daraufhin sah Whitney mich mit großen Augen an und nickte mit dem Kopf zur Seite. »Da drüben steht Mineralwasser«, meinte sie kurz.

Alix legte mir eine Hand auf den Arm und sagte: »Das ist schon okay, ich habe auch Cola.« Mit einem kleinen Glas in der Hand kam sie zurück. Ich nahm einen Schluck und dachte an Charles, wie er mit seinem Sixpack Cola unterm Arm aus dem Supermarkt ging. Ich sah, wie er sich auf die Brust klopfte. *Ein anderes Gefühl. Da drin.* Mein Gefühl *da drin* war im Augenblick ziemlich mies. Ich wollte einfach nicht hier sein.

Dann hörte ich hinter mir jemanden *Rubinroter Dschungel* sagen, was mir eine Spur von Selbstsicherheit verlieh. Ich drehte mich um. Es war Joy. »Das habe ich gelesen«, sagte ich.

»Wer hat das nicht?« entgegnete jemand lachend. »Vermutlich war das für uns alle die erste Fibel.«

»Die obligatorische Lesbenlektüre«, scherzte Whitney.

Meine Hand fing so an zu zittern, daß ich etwas Cola verschüttete.

Whitney sah auf den weißen, zotteligen Teppich hinunter. »Knapp verfehlt«, sagte ich zu ihr und leckte mir die Hand ab.

Sie sah mich streng an.

»Was ist mit *Auf den Körper geschrieben*?« fuhr ich fort. »Das ist ein gutes Buch.«

»Rufen wir uns jetzt gegenseitig die Titel der Lesbenbücher zu, die wir gelesen haben, oder was?« fragte Whitney amüsiert, und ein paar Frauen lachten.

Ich sah Alix an, hob mein Glas und fragte so laut, daß Whitney es hören mußte: »Hast du noch mehr Cola?«

Alix brachte mir gleich eine ganze Dose, und ich bedankte mich. Allerdings nahm ich jetzt nicht mehr das Weinglas, das sie mir zuvor gegeben hatte, sondern trank direkt aus der Dose.

»Paß auf, daß du nichts verschüttest«, flüsterte Whitney mir zu, als wir uns auf das weiße Ledersofa setzten.

»Na, wie geht's?« fragte ich Dory, die mir gegenüber saß. Zum Gruß hielt ich meine Coladose hoch.

»Wo hast du denn die ganze Zeit gesteckt?« fragte Dory mit gespieltem Interesse. »Hattest du zuviel zu tun, um zu den Treffen zu kommen? Erzähl' doch mal!«

Alle sahen mich an.

Mit einem Mal verschwand der gesamte Sauerstoff aus dem Zimmer. Ich dachte an vorhin, als Whitney all meine Annäherungsversuche abwehrte, um zu diesem Treffen zu fahren. Ich dachte an Charles, der sich über die Lippen leckte und bei kinderleichten Wörtern ins Stocken geriet. Ich dachte an Deirdre Felix, die eine Zigarette in der Hand hielt und mir sagte, sie brauche Zeit, viel Zeit. Und hier warteten sie immer noch darauf, daß ich etwas sagte.

»Ich mache gerade meine erste Million«, erwiderte ich. »In Kürze gehen wir an die Börse. Ist jemand an Aktien interessiert?«

Alle brachen in schallendes Gelächter aus, auch Whitney, die es offensichtlich genoß, daß ihre Freundin der Gruppenclown war.

An meiner Stelle antwortete sie: »Lori fände es bestimmt gut, wenn wir ihr beim Entwurf ihres Geschäftskonzepts helfen würden.«

Merklich entspannte sich Dory wieder und setzte einen zufriedenen Gesichtsausdruck auf. Also drohte aus dieser Ecke doch keine Gefahr. Whitney holte Block und Stift aus ihrer schwarzen Tasche und reichte mir beides.

»Ich finde nicht, daß ich anfangen sollte«, sagte ich. »Das kann eine Weile dauern. Gehen wir der Reihe nach vor, so daß die anderen zuerst –«

Alix unterbrach mich: »Ich kann natürlich nicht für die ganze Gruppe sprechen, aber ich würde gerne an deinem Geschäftskonzept arbeiten. Schließlich ist der Anfang das Schwerste. Wir können daran ja, sagen wir, eine halbe Stunde arbeiten. Dann bleibt uns noch genügend Zeit für alle anderen. Einverstanden?«

Alle nickten zustimmend.

»Ich habe einen Vorschlag um anzufangen«, fuhr Alix fort. »Vor kurzem habe ich diesen Aufsatz von Regina Wallace entdeckt – das ist doch die olympische Sprinterin, nicht wahr? Jedenfalls ist er sehr motivierend. Ich dachte, wir könnten ihn zusammen lesen.«

Was hatten diese Frauen eigentlich dauernd mit dem Begriff »motivierend«?

Aber mir war jedes Mittel recht, um den Entwurf meines Geschäftskonzepts zu verschieben. Also sagte ich: »Gut, fang an.«

»Möchtest du vorlesen?« fragte mich Alix.

»Nein, lies du«, erwiderte ich. »Du hast eine tolle Stimme.« Mein Unterton war wohl etwas zu zweideutig, denn eine oder zwei Frauen kicherten nervös. Ich versuchte, eine hochmütige Miene aufzusetzen.

»Wir lesen reihum«, meinte Alix und fing an.

»Entschuldigung«, unterbrach ich sie, »wie lang ist der Aufsatz?«

»Nur ein paar Seiten.«

Sie fing an zu lesen. Wenn sie den Aufsatz nach rechts weitergeben würde, waren sechs Frauen vor mir an der Reihe, nach links dagegen nur zwei. Hoffentlich las sie selbst bereits einen Großteil vor.

Nach nur wenigen Sätzen reichte Alix das Buch nach links.

»Gib's doch zur anderen Seite weiter«, schlug ich vor und deutete auf ihre rechte Nachbarin.

Die meisten Frauen lachten über meinen angeblichen Witz, und die Frau links neben Alix nahm das Buch an sich. Im Geiste ging ich die verschiedenen Möglichkeiten durch, die sich mir boten, und hörte überhaupt nicht zu. Plötzlicher Durchfall wäre zwar peinlich, aber nicht so peinlich wie die Wahrheit. Ich konnte schlecht sagen, ich hätte meine Brille vergessen, weil sie mir auf der Nase saß. Die Frau reichte das Buch an Whitney neben mir weiter. Whitney las langsam und sprach jedes einzelne Wort deutlich aus, so wie sie es auch bei Mary TallMountains Gedicht getan hatte. Nach einer Minute unterbrach sie sich und sagte zu mir gewandt: »Dieser letzte Satz paßt doch genau auf deinen Fahrradladen, findest du nicht?«

Ich nickte.

Whitney fuhr fort: »Wie würdest du so etwas denn umsetzen? Im Zusammenhang mit einem Fahrradladen, meine ich.«

Ich hätte sie würgen können, wobei ich das Gefühl hatte, als ginge mir selbst jemand an die Gurgel. Vor mir sah ich wieder Charles' Gesicht, sah, wie er sich auf die Brust klopfte. Was würde er jetzt tun?

Er würde wahrscheinlich antworten, er habe nicht zugehört und könne im übrigen nicht lesen. Das würde er sagen, ohne sich dafür zu schämen. Mit Würde. Etwas, das mir, zumindest im Moment, völlig abging.

»Keine Ahnung«, sagte ich.

»Paß auf«, meinte Whitney, die nun richtig in Fahrt kam. »Hör dir mal den nächsten Satz an.«

Sie las weiter, und obwohl ich mich bemühte, konnte ich ihr einfach nicht folgen. Ich hörte lediglich das Blut in meinen Schläfen pochen. Sie hörte auf zu lesen und wartete auf eine Reaktion. Joy sprang mit einer begeisterten Erkenntnis ein, woraufhin die ganze Gruppe ein paar Minuten lang angeregt diskutierte. Es hätte mir nichts ausgemacht, aufzustehen und auf Nimmerwiedersehen zu verschwinden. Aber Whitney. Was sollte ich Whitney nur sagen?

Ich nahm meine Coladose, wollte einen Schluck daraus trinken, verfehlte meinen Mund aber just in dem Moment, als Whitney mir das Buch mit einem »Du bist dran« reichte, und kleckerte auf meine hellbraune Leinenweste.

»Uhps«, sagte Joy, die das Malheur beobachtet hatte.

»Jetzt gibt's keinen Ausweg mehr«, meinte Dory scheinbar scherzhaft. Sie gehörte zu den Menschen, die Angst meilenweit riechen konnten und sich daran ergötzten.

Ich gab das Buch an meine linke Nachbarin weiter. »Hier«, sagte ich, »ich muß mich eben mal um diesen Fleck kümmern.«

Gerade als ich aufstehen wollte, kam Alix dazwischen. Sie hatte ein klatschnasses Tuch in der Hand und drückte mich zurück auf das Sofa. Dann stellte sie sich zwischen meine Beine und betupfte den Colaflecken auf meiner Weste. »Alles weg«, sagte sie liebevoll. Meine linke Nachbarin gab mir das Buch zurück.

»Ach«, meinte ich, »das hier ist meine normale Brille. Ich habe meine Lesebrille gar nicht dabei.«

»Lesebrille?« fragte Whitney. »Seit wann denn das?«

In meiner nassen Weste saß ich ganz ruhig da und bemühte mich um eine noch aufrechtere Haltung. Ich wäre gut beraten, einfach zu schweigen, meinen Standpunkt durch mein Schweigen zu untermauern, aber da mich alle ansahen, konnte ich einfach den Mund nicht halten. »Ich habe ein bißchen Halsschmerzen, deswegen werde ich aussetzen.«

»Keine Ausreden!« sagte Dory in ihrer scheinbar spielerischen Art. »Wir lesen alle. Wenigstens ein paar Sätze.«

Whitney zeigte mit einem Finger auf die Stelle, wo sie zu lesen aufgehört hatte und sagte: »Hier.« Dann kuschelte sie sich ein wenig an mich, als wolle sie mich in meiner angeblichen Schüchternheit moralisch unterstützen.

Ich sah Alix, die auf mich einen sensiblen Eindruck machte, flehentlich an, woraufhin sie sagte: »Warum soll sie denn lesen, wenn sie Halsschmerzen hat? Gib das Buch weiter.«

Ich machte Anstalten dazu, aber Whitney hielt mich am Arm fest. Wieder stand ihr diese ernsthafte Bestürzung im Gesicht geschrieben, die mir angst machte, diesmal jedoch kam noch etwas anderes hinzu, etwas Oberlehrerhaftes. Später, im Rückblick, wurde mir klar, daß sich meine Gefühle für sie in diesem Augenblick entscheidend veränderten. Nicht weil sie mich in eine peinliche Situation brachte, sondern weil ich mir vorkam wie eines ihrer Projekte, wie ein Experiment. »Lies«, sagte sie im gleichen Tonfall, wie eine Fernsehmutter sagen würde: »Iß dein Gemüse.« Es würde gut für mich sein. Sie würde mich von dieser dümmlichen Angst oder Scheu heilen, die meinen Widerstand auslöste.

Zu den anderen Frauen gewandt, sagte ich: »Ich werde immer ganz wild, wenn sie mich zum Lesen zwingt« und zu Whitney: »Schätzchen, doch nicht in der Öffentlichkeit.« Alix prustete los, und alle anderen stimmten in das Gelächter ein. Wieder einmal war ich der Star der Runde. Alle waren spürbar erleichtert, daß sich die seltsame Spannung gelöst hatte, die durch Whitneys Aufforderung entstanden war. Nun bezog sich die peinliche Situation nicht mehr auf mich, sondern auf Whitney. Als ich ihr das Buch abnehmen wollte, hielt sie es trotz alledem noch eine Sekunde lang fest. Sie war wirklich sauer auf mich.

Als ich meiner linken Nachbarin das Buch reichte, lächelte ich, sah Dory an und meinte: »Was würdet ihr denn dazu sagen, wenn ich euch erzählen würde, daß ich gar nicht lesen kann?«

Da ich inzwischen die Rolle des Klassenclowns innehatte, lachten sie wieder, alle außer Whitney, die diese nicht gerade witzige Bemerkung natürlich dennoch für einen Scherz hielt. Eine Frau hielt ihren Block in die Höhe und fing an, schleppend und mühsam vorzulesen, als buchstabierte sie Wort für Wort. Ich hoffte, daß sie bald aufhören würde. Obwohl niemand ihre Vorstellung lustig fand, lachten trotzdem alle - einfach aus Höflichkeit.

Alix meinte: »Analphabetismus ist in unserer Gesellschaft ein großes Problem.«

»Angeblich können fast zwanzig Prozent der Bevölkerung nicht lesen.«

»Aber hier muß man unterscheiden zwischen denen, die tatsächlich nicht lesen können, und denen, für die Englisch die Zweitsprache ist. Ein Gutteil der amerikanischen Bevölkerung kann zwar ihre Muttersprache lesen, aber kein Englisch.«

Diese Frauen schienen sich auf dem Gebiet bestens auszukennen. Eigentlich waren sie ja stets scharf darauf, mit ihrer umfassenden Allgemeinbildung zu prahlen. Ich hörte mit einer gewissen Befriedigung zu, so als würde ich dem Gespräch heimlich lauschen. Es war so ähnlich, wie Heteros zuzuhören, die sich über Homosexuelle unterhalten, ohne zu wissen, daß eine unter ihnen ist. Ihre Beschränktheit mitzubekommen, verleiht einem selbst ein bizarres Gefühl von Macht. Dazu kam für mich in dieser Situation die Erleichterung darüber, dieses Thema öffentlich zu erörtern, auch wenn ich mich nicht »outete«. Zugegebenermaßen lernte ich einiges von diesen Frauen, zum Beispiel daß zwanzig Prozent der amerikanischen Bevölkerung nicht lesen konnte. Alix meinte, das läge an unserem beschissenen Schulsystem. Sie klang wie mein Vater.

Schließlich forderte Alix die anderen zur Ruhe auf und gab meiner linken Nachbarin ein Zeichen, den motivierenden Aufsatz zu Ende zu lesen. Sobald sie zum Schluß gekommen war, verkündete ich entschieden, daß ich an meinem Geschäftskonzept lieber alleine arbeiten würde. Ich bestand darauf, daß die Gruppe sich den geschäftlichen Problemen der anderen widmete. Entschiedenheit überzeugte diese Frauen offenbar, denn sie gingen ohne weiteres darauf ein. Ich zählte die Sekunden, bis das Treffen vorbei war.

Auf der Rückfahrt nach Hause war Whitney ungewöhnlich still. Es war immer noch so heiß, daß wir die Fenster heruntergekurbelt hatten. Die warme Luft fühlte sich an wie Freiheit. Ich vermißte Deirdre Felix und füllte das Schweigen aus, indem ich von ihr erzählte – daß sie so gerne ins Ballett ging, daß sie Bücher in sich aufnahm wie andere Leute Essen, aber ehrfurchtsvoll, wie eine besonders delikate Speise, und daß sie in einem Haus voller Kunstgegenstände wohnte.

»Warum redest du so viel von der Cousine deiner Mutter?« fragte Whitney. »Du bist ja richtig besessen von ihr.«

»Gar nicht.«

»Hast du dich an deinen Mittwochabenden immer mit ihr getroffen?«

Ich dachte kurz nach und antwortete dann: »Ja.«

»Du hast aber erst angefangen, von ihr zu erzählen, als du dich nicht mehr mit ihr getroffen hast. Und jetzt redest du ständig von ihr. Was ist los, Lori?«

»Sie ist eben einfach eine Frau –«

»Wie alt ist diese Frau?«

»Fünfundzwanzig, und sie sieht supergut aus«, antwortete ich bissig. Ich griff nach ihrer Hand, aber sie zog sie zurück. »Meine Güte, sie ist eine alte Frau von, was weiß ich, siebzig Jahren oder so. Was hast du denn dagegen, wenn ich die Cousine meiner Mutter mag?«

»Wie oft triffst du dich mit ihr?«

»Jetzt gar nicht mehr.«

»Warum nicht?«

»Das habe ich dir doch gesagt. Sie lebt in Scheidung.«

Whitney zog sich zurück wie eine Schildkröte. Dann holte sie tief Luft und meinte: »Du hast dich heute abend total daneben benommen.«

»Was soll das denn jetzt? Ich dachte, wir reden über Deirdre Felix.«

»Einfach nicht lesen wollen. Und dann diese ganzen blöden Witze.«

»Alle anderen fanden sie lustig. *Alix* hat sich amüsiert.«

»Ja, weil du mit ihr geflirtet hast.«

Ich parkte vor Whitneys Wohnblock, zog die Handbremse an und machte Anstalten auszusteigen.

»Lori«, sagte Whitney und hielt mich zurück. »Du besitzt gar keine Lesebrille. Und du hast auch keine Halsschmerzen.«

Ich sah aus dem Fenster. Whitney wohnte in einer befahrenen Straße. Ich betrachtete die vorbeisausenden Autos, heißes Metall auf heißem Gummi, das auf heißem Asphalt dahinrollte. Dann drehte ich mich zu Whitney um. Ihre Haut sah kühl aus, samtweich und kühl.

»Hast du noch einmal darüber nachgedacht zusammenzuziehen?« fragte ich und warf damit mein ganzes Leben als Köder aus. »Wir könnten uns ja eine größere Wohnung suchen.«

Sie wartete.

»Nun?« fragte ich.

»Lori.«

»Was denn?«

»Wer ist Deirdre Felix?«

»Sie war meine Lehrerin.«

»Lehrerin?«

»Genau.«

»Im College, oder wie?«

Und ich dachte immer, ich sei begriffsstutzig.

Durch das Autofenster, das meinen Kopf einrahmte, sah ich wieder auf die Straße und spürte die heiße kohlenmonoxidbelastete Luft auf dem Gesicht. Heute abend rochen die Abgase gut, schwer und ölig, tödlich.

»Nein«, antwortete ich. »Beim Leseförderprogramm in der Bibliothek.«

»Was?«

Blitzartig durchzuckte mich zunächst Sarkasmus, dann Wut, aber das ging alles so schnell, daß ich nicht entsprechend reagieren konnte. Ich fiel in mich zusammen, war mit einem Mal todmüde und wiederholte: »Beim Leseförderprogramm in der Bibliothek.«

»Du kannst wirklich nicht lesen?« Sie war fassungslos.

»Doch, ein bißchen.«

»Wieviel?«

Jetzt war *ich* fassungslos. »Hat das irgendeine Bedeutung? Ich meine, für uns? Jetzt?«

Whitney griff nach ihrer Tasche.

»Ich wollte es dir sagen. Aber ich hatte Angst. Es ändert sich dadurch nichts für uns. Ich nehme nicht mehr an dem Programm teil.«

Als würde das etwas nutzen. »Wir können später darüber reden. Gehen wir jetzt hinein?«

Whitney schüttelte den Kopf. »Nein, warte einen Moment. Ich verstehe das nicht.«

»Was gibt es daran nicht zu verstehen?«

»Wie hast du am College deinen Abschluß gemacht, wenn du nicht lesen kannst?«

»Ich habe nicht gesagt, daß ich einen *Abschluß* habe. Ich habe nur gesagt, daß ich dorthin gegangen bin.«

»Du hast mich also angelogen?«

Unwillkürlich hob ich die Hände, als hätte sie einen Revolver gezogen. Ich legte sie aufs Steuer und entgegnete: »Ich würde das nicht gerade als Lüge bezeichnen.«

»Ach so? Was würdest du denn dazu sagen?« Whitneys Gesicht war jetzt hochrot, so daß ihre weißblonden Augenbrauen aussahen wie Lichtstrahlen.

Natürlich erinnerte ich mich an dieses Gespräch. Whitney hatte mich gefragt, wo ich zur Schule gegangen war, und ich nannte ihr den Namen meiner High-School. Sie lachte und sagte, sie habe natürlich das College gemeint. Daraufhin murmelte ich, ich sei im *Cal* gewesen, wobei ich diesen Ausdruck bewußt wählte, weil ich ab und zu tatsächlich zu Veranstaltungen in dieses College gegangen war. Natürlich war mir klar, daß sie meine Antwort so verstand, als habe ich dort meinen Abschluß gemacht. Als nächstes fragte sie mich nach meinem Hauptfach, woraufhin ich Naturwissenschaften antwortete. *Naturwissenschaften*, meinte sie lachend. Einfach nur *Naturwissenschaften*? Physik? Chemie? Ökologie? Biologie? Mit gespielter Verzweiflung nannte sie mir ungefähr dreißig Möglichkeiten. Ich sagte Physik, weil Mickey dieses Fach am Junior College gewählt hatte. Whitney gefiel meine Antwort. Sie meinte, das sei ein angemessenes Fach für eine, die einen Fahrradladen aufmachen wolle, fügte allerdings hinzu, es sei auch schade, daß ich keinen kaufmännischen Hintergrund hätte. Dann erzählte sie von einem Kurs, den sie am Oberlin College belegt hatte, mit dem Titel: »Physik für Poeten«.

Dabei hatte sie gelernt, daß eines Tages, sobald die Forschung mehr über Schwarze Löcher wüßte, eventuell auch Zeitreisen möglich wären. Da Mickey mir schon viel darüber erzählt hatte, konnte ich ihr zu diesem Thema einiges erzählen, was sie noch nicht wußte.

Dadurch ließ die Spannung, die ich seit meiner Behauptung, Naturwissenschaften sei mein Hauptfach gewesen, in mir verspürt hatte, merklich nach. In den folgenden Monaten fand ich heraus, daß sie von Physik keine Ahnung hatte. Manchmal erzählte ich ihr Sachen, die ich von Mickey wußte, und sammelte damit Punkte.

Das Spiel war jetzt aus.

»Es tut mir leid«, sagte ich.

»Hast du noch mehr gelogen?«

»Nein. Wirklich nicht. Du kannst dir ja nicht vorstellen«, fügte ich heiser hinzu, »wie schwer das für mich ist. Wie es sich anfühlt.«

Ihre Augenlider bebten vor Wut. Sie wollte mich nicht verstehen und empfand auch kein Mitleid. Sie reagierte, als hätte ich mit meinem Eingeständnis ihre schlimmsten Befürchtungen bestätigt.

»Ich habe mich nicht getraut, es dir zu sagen«, fügte ich hinzu und versuchte es dann mit einem Scherz: »Und du dachtest, ich würde mich mittwochs abends mit einer anderen Frau treffen!«

»Ich wußte, daß du keine andere Frau hattest.«

»Wir können darüber reden«, sagte ich. »Über alles.«

»Okay.«

»Wollen wir jetzt hineingehen?«

»Es macht mir ja nichts aus, daß du nicht lesen kannst.«

Und wer log jetzt?

»Aber daß du dir diese ganzen Sachen ausgedacht hast. Übers College.«

»Das ist das einzige, was ich mir ausgedacht habe.«

»Du hast gelogen«, flüsterte sie.

Später fragte ich mich, warum ich an dieser Stelle nicht einfach sagte: *Verdammte Scheiße, steig endlich aus*. Es lag an diesem klaffenden Loch in mir, dieser gähnenden Leere, die mich verzweifeln ließ. Ich hatte mir ja auch immer eingebildet, die Leere durch unsere körperlichen Berührungen ausfüllen zu können.

Ich öffnete die Autotür an meiner Seite. »Komm, gehen wir hinein. Drinnen können wir weiterreden.«

»Ich brauche etwas Zeit für mich«, sagte sie.

Das war immer mein Satz gewesen. »Kein Problem«, erwiderte ich. »Dann sehen wir uns am Samstag. Wir machen doch eine Radtour, nicht wahr?«

»Ja.«

»Okay, Süße«, sagte ich.

Das war ihr Ausdruck, und ich tat so, als käme ich mir dabei nicht blöd vor. »Dann bis bald.«

Sie stieg aus, und ich sah ihr nach, wie sie die Stufen zu ihrem Wohnblock hinaufstieg. Anders als sonst drehte sie sich heute nicht um und winkte. Statt dessen steckte sie den Schlüssel ins Schloß, ging hinein und zog die Tür hinter sich zu.

16

AM FREITAGABEND VERLIESS ich den Fahrradladen eine Stunde früher als sonst. Mickey und ich hatten alles erledigt, was zu tun war. Wenn wir sonst früh fertig waren, kehrten wir den Boden, ölten die Werkzeuge oder sortierten alte Handzettel an unserer Pinnwand aus. An diesem Freitag jedoch stahlen wir uns aus der Hintertür und hofften, daß Enrique nichts merkte. Ich hätte uns gerne ein bißchen Kraftfutter zum Abendessen organisiert, aber da Mickey sich bereits mit Sheila verabredet hatte, fuhr ich nach Hause.

Seit dem ASU-Treffen am Dienstag hatte ich an beiden Abenden mit Whitney telefoniert. Am Mittwoch war sie total aufgedreht gewesen, fast ein bißchen überspannt, und erzählte pausenlos von ihrer Arbeit.

Mein Geständnis am Abend zuvor und auch ihre Reaktion darauf lagen mir zwar schwer im Magen, aber da sie nichts davon erwähnte, sprach auch ich das Thema nicht an. Am Donnerstagabend wirkte sie anders, ganz ruhig und geistesabwesend. Sie wollte mir nicht sagen, was los war, und fing am Ende an zu weinen. In beiden Gesprächen machte keine von uns den Vorschlag, zusammen zu übernachten.

Als ich am Freitagnachmittag den Fußweg zu meinem Häuschen hinunterging, dachte ich voller Vorfreude an unseren Fahrradausflug, den wir für den nächsten Tag geplant hatten. Wir wollten den Pinehurst-Rundweg fahren, und ich hoffte, daß ich Whitney irgendwo auf der Strecke verführen könnte und wir uns im Gebüsch am Wegesrand lieben würden, so etwas in der Richtung. Ich wollte die Erde an meinem Körper spüren, sehnte mich nach dem tröstlichen

Gefühl, das ihre Haut, ihre Hände und unsere genau aufeinander passenden Körper in mir auslösten.

Es war einer dieser heißen Sommerabende, an denen die Luft nach reifem Obst und frischer Meeresbrise schmeckte. Ein perfekter Abend für Bier und gegrilltes Hähnchen, dachte ich und wollte gerade umdrehen, um nochmal einkaufen zu gehen, als ich auf dem Kies harte Schritte hörte. Also steuerte ich doch auf mein Häuschen zu. In pfirsichfarbenen Pumps, einem pfirsichfarbenen Kostüm und einer hellen Bluse stand Whitney vor dem Haus und machte sich gerade an meiner Tür zu schaffen. Mein erster Gedanke war, daß ihr diese Farbe überhaupt nicht stand. Sic sah vollkommen ausgebleicht aus, wie ein einziger großer Pastellklecks. Als sie mich bemerkte, wurdc ihr Gesicht hochrot und war nun der kräftigste Farbtupfer in ihrer Aufmachung. Was sie wohl zu einer Zeit, zu der ich normalerweise auf der Arbeit war, hier wollte? Und dazu in einem Kostüm? Ich lächelte unschlüssig; möglicherweise hatte sie ja ein besonderes Geschenk für mich, vielleicht eine Überraschung.

An die nächsten Minuten erinnere ich mich nur in Zeitlupe. Mit ausgestreckten Händen, die trotz meiner Grundreinigung immer noch voller Ölflecken waren, ging ich auf sie zu. Im selben Augenblick sah ich den Zettel, den sie gerade an der Tür angebracht hatte. Sie fuhr zurück – wie ich annahm wegen meiner fleckigen Hände und ihres pfirsichfarbenen Kostüms. »Ich habe sie gewaschen«, sagte ich. »Es sind nur noch Flecken.« In diesem Moment verhärtete sich ihr Gesichtsausdruck. »Was ist los?« fragte ich, hielt inne und spürte, wie mein Inneres langsam zu Eis erstarrte.

»Es funktioniert nicht, Lori«, sagte sie mit einer viel tieferen Stimme als gewöhnlich.

»Was denn?«

Sie starrte mich an und zeigte auf den Garten und mein Häuschen, als meine sie nicht nur mich selbst, sondern mein gesamtes Umfeld, alles, was mit mir zusammenhing. Gleichzeitig sagte sie: »Das mit uns beiden.«

Kühl fragte ich: »Steht das auf dem Zettel?«

Sie nickte.

Ich hob eine faule Zitrone auf, die schon ganz von weißem Schimmel überzogen war, und schleuderte sie über den Zaun. In meiner eigenen Wahrnehmung schrie ich lauthals: »Ich kann deinen verdammten Zettel nicht lesen!«, aber in dem Augenblick, als die

Worte meinen Mund verließen, merkte ich, daß ich nur geflüstert hatte.

Whitney schwieg eine ganze Weile und meinte dann: »Du hast behauptet, du könntest ein bißchen lesen. War das etwa auch gelogen?«

»Was steht auf deinem Zettel?« fragte ich, wieder in meinem Schrei-Flüsterton.

Sie nahm den Zettel und reichte ihn mir. Ich nahm ihn nicht entgegen. »Nein«, sagte ich, »lies ihn mir vor.«

»Da steht nur –«

»Ich sagte, *lies* ihn mir vor!« Endlich war ich laut geworden.

Ich machte ihr angst. Sie faltete den Zettel auseinander und sah ihn an. Dabei zitterten ihre Hände so sehr, daß das Papier raschelte. Plötzlich zerknüllte sie ihn und warf ihn an den Zitronenbaum. »Verdammte Scheiße, Lori. Lies ihn doch selbst.«

»Du kapierst es nicht, oder? Was ich dir Dienstagabend gesagt habe.«

Aber sie hatte sehr wohl kapiert.

»Dein Daddy würde es bestimmt nicht mögen, daß du mit einer Frau zusammen bist, die nicht auf dem College war, stimmt's? Geht es darum?«

»Es hat nichts damit zu tun, daß du ... Analphabetin bist.«

Der Begriff traf mich wie eine Ohrfeige.

»Es geht um diese Lügen«, fuhr sie fort. »Um Vertrauen.« Ihre Ohren glühten mittlerweile hochrot, als würden sie jeden Moment Feuer fangen. »Wenn du es mir gleich zu Anfang gesagt hättest –«

»Wenn ich es dir gleich zu Anfang gesagt hätte«, unterbrach ich sie, »hättest du mich ganz höflich nicht mehr angerufen.«

»Was für ein Schwachsinn. Hör endlich auf mit diesem Selbstmitleid. Bei dir ist alles Schall und Rauch. Du hast dir sogar das mit diesem Fahrradladen ausgedacht, nicht wahr? Es wird nämlich niemals einen Fahrradladen geben. Das war alles nur ein Spiel, mit dem du mich beeindrucken wolltest.«

»Vielleicht solltest du dir mal überlegen, wie sehr dich das tatsächlich beeindruckt hat. Vielleicht hast du mehr Interesse an einem florierenden Unternehmen gehabt als an mir. Denk mal darüber nach.«

In ihrer Seeanemonenart faltete sich Whitney ganz zusammen. Dann sagte sie: »Es tut mir leid. In dieser Beziehung gibt es kein

Vertrauen mehr.« Sie versuchte, an mir vorbeizugehen, aber ich hielt sie am Arm fest. »Laß mich los.«

Ich hielt sie lange genug fest, um sagen zu können: »Ist das dein Ernst? Willst du jetzt wirklich gehen?«

»Seitdem du mir das Dienstagabend gesagt hast, war ich zweimal bei meiner Therapeutin. Ihrer Meinung nach passen wir nicht zusammen.«

Ich ließ ihren Arm los. »Okay, dann trenne ich mich eben von deiner Therapeutin. Aber was glaubst *du* denn, Whitney? Oder hast du keine Meinung?«

»Ich vertraue dir nicht mehr.«

Sie zwängte sich an mir vorbei, und während das Geklacker ihrer Pumps auf dem Weg zur Straße allmählich verhallte, wurde mir schlagartig die Bedeutung ihres Kostüms bewußt. Der Job bei dem Grafikbüro. Sie hatte ihn also doch angenommen.

Ich öffnete die Haustür und ging ins Badezimmer, wo auf der Fensterbank aufgereiht immer noch ihre Grußkarten standen. Ich hielt sie wie meine Wortkarten, legte mich in die leere Badewanne und zog die Umrisse der Frauenkörper, Hüfte, Brüste und Mund, mit dem Finger nach. *Ich finde es einfach so unendlich schade, wenn du deinen Traum aufgibst*, hatte sie vor nicht allzu langer Zeit zu mir gesagt. Schall und Rauch. Ich dachte daran, daß sie mir immer wie eine Muschel vorgekommen war, und ich von unserer ersten Begegnung an stets auf das Meeresrauschen gelauscht hatte. In diesem Moment, just nachdem sie sich von mir getrennt hatte und ich wie vor den Kopf gestoßen war, empfand ich für Whitney mehr Zärtlichkeit als jemals zuvor.

Das ganze Wochenende über versuchte ich, sie anzurufen. Sie ging nicht nur nicht ans Telefon, sondern hatte auch ihren Anrufbeantworter ausgeschaltet, so daß ich ihr noch nicht einmal eine Nachricht hinterlassen konnte. Die Frau war standhaft, das mußte ich ihr lassen. Zweifelsohne war unsere Beziehung aus, und in gewisser Weise half mir diese Aussichtslosigkeit bei der raschen Bewältigung meiner Trauer. Vielleicht würde die Traurigkeit später noch einmal über mich kommen, aber im Augenblick, am Sonntagabend, wußte ich nur, daß und vor allem *warum* sie mich verlassen hatte, und das machte mich fuchsteufelswild.

Am Montagmorgen wachte ich mit der Erkenntnis auf, daß mir nur eine einzige Möglichkeit der Kommunikation mit ihr blieb: Ich mußte schreiben.

Ich warf insgesamt drei Zettel in ihren Briefkasten – einen vor der Arbeit, einen während der Mittagspause und einen nach Feierabend –, die ich mit klobigen, gekritzelten Buchstaben beschrieben hatte, ohne auch nur im geringsten auf die Rechtschreibung zu achten. Ich warf ihr vor, mich benutzt zu haben. Ich unterstellte ihr, sich gar nicht darüber im klaren zu sein, wie gut sie es mit mir getroffen hatte. Ich behauptete, daß sie nach vier Jahren College eigentlich etwas mehr Lebenserfahrung besitzen müßte. Ich bezeichnete sie als Memme. Ich fragte sie, ob eine kurze Nachricht ihrer Meinung nach wirklich ein »angemessener« Weg sei, um eine sechsmonatige Beziehung zu beenden. Um sie zu verletzen, schrieb ich, daß ihr Daddy recht hatte: daß sie wirklich nicht das Zeug habe, um sich als Künstlerin zu behaupten. Ich prophezeite ihr, daß sie das alles irgendwann bitter bereuen würde. Und schließlich teilte ich ihr mit, daß sie in dem pfirsichfarbenen Kostüm zum Kotzen aussah.

Am Dienstag meldete ich mich krank. Zu Fuß ging ich die circa fünfzehn Kilometer von der Acton Street bis zu Deirdre Felixs Haus hoch oben auf dem Skyline Boulevard. Ich versteckte mich auf der anderen Straßenseite in den Sträuchern, die einst rote Beeren trugen, und beobachtete das Haus. Ich beobachtete das Haus und dachte nach. Nichts passierte. Niemand kam oder ging. Was hatte ich eigentlich erwartet? Daß Deirdre Felix im Superwoman-Kostüm aus dem Haus wirbeln, mich mit ihren Klauen ergreifen und zu einem anderen Leben fliegen würde?

Irgendwie schon. In gewisser Weise hatte sie nämlich genau das getan, mich zu einem anderen Leben geflogen. Selbst in diesem Augenblick, während ich unter dem kahlen Gestrüpp auf dem matschigen, von Blättern bedeckten Boden kauerte, voller Wut auf Whitney, die mir das kleine bißchen Glück in meinem derzeitigen Leben genommen hatte, verlieh mir der Anblick von Deirdre Felixs Haus eine gewisse Kraft; es beruhigte mich zu wissen, daß dort drinnen ihr Arbeitszimmer mit all diesen Büchern war, und selbst in diesem Moment glaubte ich ihre Anwesenheit körperlich zu spüren.

Auf meinem Rückweg ging ich die Tunnel Road hinunter, und als ich an Whitneys Wohnung ankam, hinkte ich. Sie erschien kurze Zeit später, als ich mich gerade auf den Stufen niedergelassen hatte.

Sie trug weite khakifarbene Jeans und ein weißes Baumwollhemd mit Knöpfen, heute also kein geschäftsmäßiges Kostüm, und mich durchzuckte ein flüchtiges Verlangen. Ich stand auf.

»Ich will dich nicht sehen«, sagte sie, ging an mir vorbei und hielt den Wohnungsschlüssel wie ein Messer vor sich.

Ich stellte mich zwischen sie und das Schlüsselloch.

»Gleich rufe ich die Polizei«, sagte sie drohend, und plötzlich zerbrach etwas in mir, und zwar endgültig.

Ich trat zur Seite, stellte mich auf die oberste Stufe und sah zur Straße. Als ich hörte, wie sie den Schlüssel ins Schlüsselloch steckte, aufschloß und die Tür mit Wucht nach innen aufstieß, wurde mir bewußt, daß ich kein einziges Wort gesprochen hatte. Gleich darauf fiel die Tür ins Schloß.

Die Polizei? In ein paar Tagen war aus der »Analphabetin« eine »Verbrecherin« geworden, als stünden die beiden in einem direkten Zusammenhang, als sei ich jetzt verdächtig, möglicherweise gar gefährlich.

Auf meinen wunden Füßen, die sich nur noch wie Stümpfe anfühlten, humpelte ich nach Hause. An diesem Tag mußte ich über dreißig Kilometer gelaufen sein. In meiner Wohnung angekommen, legte ich mich ins Bett und hörte die ganze Nacht hindurch meine Kassetten, mein gesamtes Audio-Tagebuch, von Anfang an. Irgendwann in den frühen Morgenstunden, vielleicht so gegen zwei oder drei Uhr, hörte ich:

»Hallo Süße«.

»Süße?«

»Ach, komm schon, ich darf dich doch wohl mal ›Süße‹ nennen, wenn ich will.«

»Das vielleicht. Wohingegen ich nicht weiß, ob du die hierlassen darfst.«

»Hab nicht dran gedacht. Es ist einfach passiert, okay?« Eine Pause, und dann: »Überraschung!«

»Was denn?«

»Wo ist eine Steckdose?«

»Was hast du vor?«

»Wir werden ein erstes Konzept für euer Unternehmen entwerfen. Das wird euch beflügeln, Mickey und dich.« Hörbares Rascheln, dann: »Ich kann kaum glauben, daß du noch nicht mal einen Tisch hast. Wo ißt du denn? Wo schreibst du? Die hier ist doch gut. Das wird richtig gemütlich. Wir setzen uns zusammen aufs Bett und arbeiten. Lori, das macht bestimmt Spaß! In zwei Stunden haben wir das Konzept fertig, und dann wirst du froh darüber sein.«

»Nein.«

»Lori –«

»Nein.«

»Ich dachte nur –«

»Wir haben eine Affäre. Ich habe dich nicht als meine private Geschäftsführerin angestellt.«

Dann das Klingeln des Telefons. Ich spulte den Teil vor, als ich mit Deirdre Felix telefonierte, und auch das anschließende Gespräch zwischen Whitney und mir, in dem sie mir ihre bohrenden Fragen stellte. Dann drückte ich auf »Wiedergabe«. Ich hörte Kichern, Rascheln, Stöhnen und Reiben. Es klang, als entferne jemand mit einer Zahnbürste etwas Schmutz aus einer Wunde, und ich hörte mir immer wieder an, wie Whitney kam, laut und ungestüm. Direkt danach war das Band zu Ende, und das Gerät hatte sich ausgeschaltet. Whitney war aufgeschreckt und hatte gefragt: »Was war das?«, woraufhin ich geantwortet hatte: »Was war was?«, und wir hatten gelacht, weiter miteinander geredet und uns dazwischen immer wieder geliebt.

17

ICH SEHNTE MICH nach Whitneys Berührungen und spürte ein Stechen in meiner Brust, wenn ich an sie dachte. Nicht ganz so körperlich, sondern irgendwie größer, raumeinnehmender, empfand ich den Schmerz darüber, daß Deirdre Felix aus meinem Leben entschwunden war. Wenn die Trennung von Whitney einem Autounfall ähnelte, war Deirdre Felixs Abwesenheit der Airbag, der auf mein Gesicht und meine Brust prallte. Ich glaubte, sie überall zu sehen. Ich stand im Supermarkt und sah, wie sie in den Gang mit den Konserven einbog. Dann ging ich ihr nach und stand vor einer anderen grauhaarigen, gutgekleideten Dame. Kurz darauf entdeckte ich sie in der Schlange einer dieser kleinen Läden, wo Bedürftige ihre Sozialhilfeschecks einlösen konnten, bis mir klar wurde, daß Deirdre Felix niemals in so einem Laden einkaufen würde. Manchmal fühlte ich mich von ihr richtiggehend verlassen. Oft bedauerte ich im nachhinein meine ganzen zynischen Bemerkungen und trotzigen Reaktionen. Warum hatte ich mich nicht stärker bemüht, ihr zu sagen, wieviel sie mir gegeben hatte? Natürlich, ja, ich hatte ihr dieses Gedicht geschickt, aber das war mir inzwischen eher peinlich und tröstete mich in keiner Weise. Ich überlegte hin und her, ob es nicht irgend etwas gab, das ich ihr schenken könnte. Aber was? Was brauchte Deirdre Felix?

Der Juli war heiß und trocken. Ich warf Whitney keine weiteren Zettel in den Briefkasten, bespitzelte Deirdre Felixs Haus nicht mehr und erzählte Mickey auch nicht viel von der Trennung. Ich hatte Angst, er würde sich auf Whitneys Seite stellen, zumindest was den Vorwurf der Lüge betraf. Seine Verliebtheit war ihm immer noch anzusehen, und ich hatte das Gefühl, als sei meine Gegenwart, meine freudlose Gegenwart, ein Wermutstropfen im Becher seines Glücks.

In diesen Sommermonaten beschäftigte ich mich vor allem mit dem Anhäufen von Büchern. Ich sammelte sie, als sei jedes einzelne von ihnen zum einen ein Schutzschild, der mich vor Whitneys Verrat behütete, und zum zweiten ein Magnet, der Deirdre Felixs Aufmerksamkeit auf mich zog. Ich ging zu allen Außenstellen der Berkeley-Bibliothek, abgesehen von Pams Zweigstelle, und lieh mir Bücher aus. Ich holte mir Kinderbücher der Sorte, wie Charles sie las. Ich nahm Foto-Bildbände und technische Handbücher mit, aber auch Romane und Zeitschriften. Die Bibliothekarin der Stadtzentrumsfiliale zeigte mir die Abteilung für Schwulen- und Lesbenliteratur, mit der ich mich ausgiebig beschäftigte. Das heißt nicht, daß ich die Bücher *las*. Ich lieh sie mir aus. Ich stapelte sie in meiner Wohnung, auf meinem Bett, auf der Küchenanrichte und dem Badezimmerfußboden. Und ich hielt sie in der Hand. Mittlerweile faßte ich das kühle, raschelnde Papier gerne an und stellte mir dabei vor, die Buchseiten seien Länder, die bereits von Dutzenden anderer Augenpaare bereist worden waren. Und nun ging auch ich auf die Reise. Zuweilen fing ich tatsächlich an zu lesen, erschloß einzelne Sätze und entzifferte mir unbekannte Wörter oder übersprang sie. Manchmal ließ ich meinen Blick auch einfach über die schwarze Druckfarbe und die Wörter schweifen, als seien sie Teil einer Landschaft. Ich hatte keine Ahnung, was ich damit bezweckte, war aber fest entschlossen, so lange wie möglich in dieser Wildnis zu bleiben. Zuweilen waren das nur eine oder zwei Minuten, gelegentlich aber auch eine ganze Stunde.

Abgesehen von meinen »Leseeinheiten« und meiner Arbeit legte ich Hunderte von Kilometern mit dem Fahrrad zurück. Täglich nach Feierabend fuhr ich mit meinem Mountainbike in sämtliche Parks der Umgebung, strampelte keuchend steile Bergwege hinauf, sauste holprige Grashänge hinab und schreckte dabei Falken und Hasen auf. Jeden Morgen bei Tagesanbruch bestieg ich meine selbstgebaute Rennmaschine und fuhr manchmal meilenweit aufs Land in den Contra-Costa-Bezirk, wo es nichts gab außer Kühen und Feldern. Oder ich überquerte die Golden Gate Brücke in den Marin-Bezirk, sah mich an dem überwältigenden Meerespanorama satt und ruhte mich auf dicken Baumstämmen aus, die mit weichem

Moos überzogen waren. Insider nennen diese Art von Fahrradfahren LSD, für »lange stetige Distanz«, aber hier geht es gleichermaßen um Veränderung, um psychedelische Erfahrungen, darum, die eigenen Grenzen wahrzunehmen und zu überschreiten, bis der Kopf vollkommen leer und das Herz von Angst und Sorge befreit ist.

Ich sammelte Bücher. Ich fuhr Fahrrad. Und ich wartete ab, was als nächstes passieren würde.

Anfang August, drei Wochen, nachdem Whitney und zwei Monate, nachdem Deirdre Felix mich verlassen hatte, stieg ich in der Abenddämmerung auf das Dach des Vorderhauses. Da meine Vermieterin da war, kletterte ich so leise wie möglich am Fallrohr empor. Ich griff an die Dachrinne, hielt mich mit den Fingerspitzen an den Schindeln fest, wobei ich auf deren Stabilität hoffte, und hievte mich ganz hoch. Auf bloßen Füßen schlich ich vorsichtig bis zum Dachfirst.

Im letzten Lichtschein des Tages waren im Osten die Hügellandschaft und im Westen die Bucht mit ihren vielen Brücken zu erkennen. Es war ein einfacher Sonnenuntergang, nicht besonders farbenprächtig oder spektakulär; vor dem rostroten Himmel sahen die Brücken aus wie Skelette, und die Bucht wirkte so flach, hart und kalt wie ein Stahlblech.

Ich legte mich auf den Rücken schräg an den Dachfirst und betrachtete den von den Lichtern der Stadt erhellten und daher sternenlosen Himmel. Ich hatte zwar kein mystisches Erlebnis, aber mit einem Mal breitete sich in meinem Inneren eine umfassende Stille aus.

Inmitten dieser Stille kamen mir zwei witzige Gedanken. Der eine war, daß Whitney, nachdem ich ihr gesagt hatte, ich könne nicht lesen, unsere Beziehung ausgerechnet schriftlich beenden wollte. Heute abend mußte ich darüber lächeln. Und der zweite witzige Gedanke war, daß ich ihr in meiner Wut mehrmals geschrieben hatte. Mein Zorn war wie eine Flutwelle über mich gekommen und hatte all meine Hemmungen hinweggeschwemmt. Mein Bedürfnis, mit ihr in Kontakt zu treten, war einfach viel größer gewesen als mein Schamgefühl. Selbst in diesem Augenblick. Ganz besonders in diesem Augenblick. Ich hielt mir meine Zettel vor Augen: Auf jedem standen nur ein oder zwei Sätze in klobigen Buchstaben und vermutlich voller Fehler. Jetzt kam mir das Ganze so lustig vor, daß ich aufstand und oben auf dem Dach einen kleinen Barfußtanz aufführte, indem ich mich auf die Zehenspitzen stellte und mich wie eine Ballerina im Kreis drehte. Leichtfüßig tippelte ich zur Vorderseite des Hauses und wieder zurück und balancierte dabei auf dem Dachfirst wie eine Seiltänzerin. Währenddessen gingen überall in den Hügeln die Lichter an. Inzwischen war aus meinem ballettmäßigen Auftritt eher ein Volkstanz geworden, bei dem ich mich abwechselnd gen Süden, Norden, Westen und Osten drehte. Gerade als ich nordwärts blickte und überlegte, ob ich das Ganze nicht auch noch mit einem Lied begleiten sollte, sah ich direkt vor dem Haus meiner Vermieterin einen Polizeiwagen anhalten.

Zwei Polizeibeamte sprangen aus dem Wagen und stürzten durch unser Hoftor. Ich duckte mich, ließ mich dann ganz auf den Bauch fallen und drückte mich so dicht ans Dach, wie ich konnte. Einer der beiden Polizisten sagte: »Ich gehe nach hinten. Bleib du vorne.« Dann hörte ich die Stimme meiner Vermieterin an der Haustür, gefolgt von der polizeilichen Anordnung: »Bleiben Sie drinnen, bleiben Sie drinnen!« Mein Herz klopfte heftig an die Dachschindeln.

Als der Lichtstrahl über meinem flach am Dach klebenden Körper hin- und herschwenkte, hatte ich ein absolutes Déjà-vu-Erlebnis. Dann fiel mir dieser Bewegungsmelder ein, der anging, als ich mich im Wald hinter Deirdre Felixs Haus herumtrieb. Trotz der heiklen Situation hätte ich beinahe angefangen zu lachen, doch das änderte sich jäh, als der helle Lichtstrahl auf mir zum Stillstand kam.

»Keine Bewegung«, rief der Bulle.

Dies war mehr als peinlich. Jetzt hatte ich den Vogel abgeschossen. Ich hatte wohl ein bißchen übertrieben.

Mit piepsender Stimme unternahm ich einen ersten Versuch: »Ich wohne hier.«

Ich hörte, wie der andere Polizist von vorne herbeieilte, um seinem Kollegen auf der Veranda zur Seite zu stehen. Ich konnte zwar nicht viel erkennen, weil ich direkt in das grelle Licht starrte, war mir aber sicher, daß beide die Pistole auf mich gerichtet hatten. Etwas lauter wiederholte ich: »Ich *wohne* hier.«

»Steh auf, aber ganz langsam.« Ich tat, wie mir geheißen. »Komm jetzt zum Dachrand. So wie du hochgekommen bist.«

Einen Fuß vorsichtig vor den anderen setzend, ging ich das

abschüssige Dach entlang bis zum Fallrohr und konzentrierte mich dabei ganz auf das Gefühl der Dachschindeln an meinen Fußsohlen. Dann blieb ich stehen und wartete auf weitere Anordnungen. »Ich wohne hier«, sagte ich noch einmal, woraufhin der eine Bulle meinte, ich solle die Klappe halten. Jetzt konnte ich beide erkennen. Der eine stand breitbeinig da und richtete mit beiden Händen eine Waffe auf mich, genau wie im Fernsehen. Der andere war für das Reden zuständig.

»Runter mit dir«, sagte er. »So wie du hochgekommen bist.«

Mich am Fallrohr hochzuziehen, war schwierig genug gewesen, und dabei hatte ich kein Publikum gehabt. Der Abstieg würde noch mühsamer sein. Aber es war zu hoch zum Springen. Komm schon, sagte ich mir, Lampenfieber ist jetzt wirklich fehl am Platz. Im Prinzip konnte es mir doch egal sein, wie geschickt ich mich beim Herunterkommen von diesem Dach anstellte. Ich leckte mir die Handflächen ab, damit sie besser hafteten, hielt mich am Fallrohr fest und schwang die Beine über die Dachkante. Dann stützte ich mich mit beiden Füßen an der Hauswand ab und klammerte mich an das Fallrohr. Was ich als nächstes tun sollte, war mir schleierhaft. Ich kam mir vor wie gelähmt.

»Los, runter«, rief der Bulle barsch.

Also stellte ich mir vor, das Fallrohr sei ein Maibaum und rutschte hinunter. Doch das Fallrohr war leider kein Maibaum, sondern hatte Dellen und Knubbel, an denen ich mir die Innenseiten meiner Oberschenkel und Arme aufschürfte. Als ich auf dem Boden aufprallte, kam ich mir zwar leicht lädiert, aber nicht besiegt vor. Wider jegliche Vernunft war ich innerlich immer noch am Tanzen.

»Es ist eine Frau«, meinte der sprechende Polizist. »Was zum Teufel haben Sie denn da oben gemacht?«

»Ich wohne hier«, wiederholte ich. »Ich habe mir die Aussicht betrachtet.«

»Los, hol die Dame von vorne«, wies der diensthabene Ordnungshüter seinen Gehilfen an.

»Es tut mir leid«, sagte ich im gleichen Augenblick, als sie aus der Hintertür auf die Veranda trat. »Ich dachte, Sie wären nicht zu Hause«, log ich.

»Lori«, sagte sie. »Du meine Güte, Sie sind's.«

Ich nickte, versuchte zu lächeln, brachte aber nur eine Grimasse zustande.

»Sie kennen sie?«

»Ja, natürlich. Sie ist meine Mieterin.«

»Mein Gott«, murmelte der Polizist und ließ seine Waffe sinken. Dann fragte er: »Was haben Sie denn auf dem Dach gemacht?«

»Mir die Aussicht betrachtet«, wiederholte ich.

Er sah meine Vermieterin an. Sie winkte ab. »Schon gut«, meinte sie. »Sie können gehen.«

Die beiden Polizeibeamten warfen mir kopfschüttelnd verächtliche Blicke zu und gingen zu ihrem Wagen.

Meine Vermieterin sah müde und peinlich berührt aus.

»Es tut mir wirklich leid«, sagte ich.

»Tun Sie das nie wieder«, entgegnete sie nur, ging durch die Verandatür ins Haus und schloß von innen zu.

Am nächsten Tag auf der Arbeit sagte ich zu Mickey: »In letzter Zeit zeigen sich bei mir zunehmend Verhaltensstörungen.«

»Warum das denn?«

In allen Einzelheiten berichtete ich ihm von jenem Abend, als ich Deirdre Felixs Mann und seine blaugekleidete Tussi beschattet hatte. Dann folgte in voller Länge die Geschichte vom Vorabend. Obwohl Mickey zu Beginn eine besorgte Miene aufgesetzt hatte, brüllte er gegen Ende meiner Erzählung vor Lachen. Woraufhin Enrique hereinstolperte und meinte, man würde uns im ganzen Laden hören. Wir entschuldigten uns, aber sobald er wieder weg war, begannen wir mit der Planung meiner neuen Laufbahn als Einbrecherin. Als erstes Ziel hatten wir Arnies Büro im Kopf. Es machte Spaß, mit Mickey herumzualbern, so wie in alten Zeiten.

Vermutlich als Strafe für unser ungebührliches Verhalten meinte Enrique an diesem Nachmittag, wir müßten bis zum Abend mit sämtlichen Reparaturaufträgen klar Schiff machen. Da um fünf Uhr nur noch zwei übrig waren und ich am Abend nichts weiter vorhatte, sagte ich zu Mickey, er könne ruhig nach Hause gehen. Ich war schon lange nicht mehr alleine im Laden gewesen, und früher hatte ich solche Gelegenheiten immer genossen.

Als ich fertig war, ging ich hinüber ins Lager. In mir verspürte ich noch immer die Stille, die ich auf dem Dachfirst empfunden hatte, trotz der Unterbrechung durch die Polizei und trotz des Unsinns, den ich den ganzen Nachmittag über mit Mickey gemacht hatte.

Und als ich nun in dem dunklen Fahrradladen stand, inmitten von Kurbeln, Reifen, Freilaufnaben, Schaltwerken und Steuersätzen, vermittelten mir diese Teile plötzlich ein Gefühl ungeahnter Möglichkeiten. Mit einem Mal war ich ganz berauscht von der vollendeten Schönheit eines Rades, von der Art und Weise, wie sich die Speichen ähnlich einer futuristischen Blume um die Nabe herum anordneten, und von der perfekten Effizienz eines Ritzelpakets, bei dem jeder Zahn die gut geschmierte Kette voller Anmut aufnahm. Ich überlegte gerade, ob ich im Herbst wieder einmal ein neues Fahrrad bauen sollte, als mein Blick auf das grüne Crossrad fiel.

Es stand schon seit ein paar Wochen da und war im Preis heruntergesetzt, weil es sich um ein Auslaufmodell handelte. Dazu würde ich noch meinen Angestelltenrabatt bekommen. Der Rahmen war grasgrün – genau die Farbe der Pflanzen, die sie so mochte – mit einer schwarzen Dekorlinie. Nirgendwo grelle Farben, die sie mit Sicherheit nicht ausstehen konnte. Ich selbst würde mir zwar niemals ein Crossrad kaufen – kein richtiges Mountainbike, kein richtiges Tourenrad und gewiß kein Rennrad –, aber viele Leute mochten diese Räder, weil sie etwas Einfaches ausstrahlten. Und etwas Machbares. Genau das würde Deirdre Felix jetzt brauchen: etwas Einfaches, Machbares.

Ich nahm das Fahrrad gleich mit. Zwar überlegte ich noch kurz, ob ich in meiner Kinderschrift einen Zettel schreiben sollte, ähnlich wie meine Nachrichten an Whitney, um Enrique mitzuteilen, daß ich das Fahrrad am nächsten Tag bezahlen würde – bei der Vorstellung fühlte ich mich wieder vollkommen schwerelos, als sei ich von einer mir eigenen, luftigen Intelligenz erfüllt –, doch dann war ich noch nicht wirklich bereit dazu, meine Schreibfähigkeiten von meinen Kolleginnen und Kollegen inspizieren zu lassen. Ich würde Enrique einfach nachher anrufen und ihm Bescheid sagen, so daß er morgen früh nicht ausflippen würde, weil das Fahrrad weg war.

Ich ging zu Fuß nach Hause, schob dabei mit der einen Hand mein eigenes und mit der anderen das neue Rad. Von der Küste her wehte eine frische Brise, die die heiße Stadtluft ein wenig abkühlte. Ich betrachtete das grüne Fahrrad und lächelte darüber, wie plump es im Vergleich zu meiner grazilen Rennmaschine wirkte. In gewisser Weise war dieses Bild das genaue Gegenteil von mir und Deirdre Felix. Als ich in der Acton Street ankam, war es kurz vor halb acht. Ich rief Enrique an und sagte ihm, daß ich das Rad mitgenommen hatte und es auch bezahlen würde. Er ging noch weitere zehn Prozent herunter, woraufhin ich zu ihm sagte: »Für einen nervtötenden Chef bist du echt in Ordnung.« Diese kleine Geste der Zuneigung machte ihn so unsicher, daß er auflegte, ohne sich zu verabschieden. Guter alter Enrique.

Ich schnappte mir einen Fahrradhelm und das Werkzeug, das ich brauchen würde, um das Rad für Deirdre Felix einzustellen, befestigte es auf meinem Fahrradträger und fuhr zum Skyline Boulevard. Als ich dort ankam, dämmerte es bereits.

Ein Mann, der eine gewisse Ähnlichkeit mit Clint Eastwood hatte – markige, etwas verhärmte Gesichtszüge, ein Drei-Tage-Bart und insgesamt mit seinen allmählich grau werdenden Haaren durchaus gut aussehend –, stieg gerade in den BMW, der in der Einfahrt parkte und nicht in der Garage, als müsse er jederzeit zur Flucht bereitstehen. Mit Sicherheit war das Arnie. Allein von seinem Aussehen her, hollywoodmäßig, ohne Tiefgang, war mir klar, daß er vielleicht Musik mochte, aber bestimmt kein Ballett. In seiner Körpersprache gab es nichts Subtiles. Er stieg schwungvoll ins Auto, als glaube er, daß Sex mit einer jüngeren Frau ihn irgendwie aufwertete. Ich versuchte, mir vorzustellen, wie er aussehen und sich bewegen würde, wenn er nicht Chirurg, sondern Musiker geworden wäre. Hätte sein Weg ähnlich ausgesehen, nur in Nuancen anders als sein jetziger, oder wäre er ein ganz anderer Mann? Ich fragte mich, ob ein Teil von ihm Deirdre Felix immer noch liebte. Ich dachte an mein zweites Treffen mit ihr an jenem Tag in der Bibliothek, als sie mir sagte, ich würde sie an Arnie erinnern. Damals meinte sie: »Ich lebe schon seit neununddreißig Jahren mit einem Bluffer zusammen. Ich kenne alle Anzeichen.« Ob Bauchredner ebenfalls Bluffer waren?

Ich wartete auf der Straße, bis er aus der Einfahrt herausgefahren war, und parkte genau dort, wo der BMW gestanden hatte. Den Helm in der Hand, schob ich das Fahrrad so rasch den Pfad entlang, daß die Pflanzen sich im Luftzug bewegten. Ich klingelte. Ich hatte das Gedicht zwar nicht vergessen, wollte aber so tun als ob.

Aus einem offenen Fenster im Obergeschoß dröhnte klassische Musik. Vielleicht hatte sie die Klingel nicht gehört. Ich wollte gerade noch einmal klingeln, als ich hörte, wie jemand die Nadel über die Platte schrammte und sie dabei sicherlich kaputtmachte. Dann vernahm ich mehrmals lautes Krachen, als würde die Schallplatte auseinandergebrochen.

Mein gesunder Menschenverstand sagte mir, ich solle nach Hause fahren und ein andermal zurückkommen. Statt dessen klingelte ich noch einmal.

Als Deirdre Felix die Tür aufriß, fiel ich vor Schreck fast tot um, da sie mich offensichtlich für Arnie hielt, der noch einmal zurückgekommen war. Ihr Gesicht war der pure Vorwurf, und ihre ansonsten stets gepflegt wirkenden grauen Haare hingen in matten Strähnen herab. Sie trug eine ungebügelte Baumwollbluse, auf der ein blasser Kaffeefleck zu sehen war. In der erhobenen Faust hielt sie mehrere scharfkantige, dreieckige Vinylstücke, die aussahen wie schwarze Taco-Chips. Ich zuckte zurück, weil ich dachte, sie würde sie mir gleich an den Kopf werfen.

Wir starrten einander an, und dann sagte sie: »Lori. Dies ist ein ganz schlechter Zeitpunkt.«

Ein Teil von mir wollte augenblicklich wegrennen, aber dann spürte ich, wie sich die Dämmerung hinter mir in eine permanente und undurchlässige Wand verwandelte und nur noch den Schritt nach vorn zuließ. Ich sagte: »Sie sehen schrecklich aus. War das Arnie?« Mit dem Daumen zeigte ich hinter mich.

Noch nie zuvor hatte ich einen so ausschließlich von Wut beherrschten Körper gesehen. Sie zitterte förmlich vor Zorn, als könne sie sich nur mühsam zurückhalten, mich zu treten oder zu verprügeln. »Ich muß Sie bitten, jetzt zu –«

»Ich gehe gleich. Sofort. Aber dieses Fahrrad hier bleibt bei Ihnen. Jemand hat es in den Laden gebracht und nicht mehr abgeholt.« Das war natürlich ein Lüge, denn am nächsten Tag würde ich es bezahlen. Aber als Geschenk würde sie es mit Sicherheit nicht akzeptieren.

»Ich weiß, daß Sie es im Moment nicht haben wollen. Aber ich weiß auch, daß es Ihnen gut tun wird, damit zu fahren. Ich zeige Ihnen wie. Also später irgendwann.«

»Nein, vielen Dank. Auf Wiedersehen.«

Ich hatte Deirdre Felix seit zwei Monaten nicht gesehen. Und dennoch war sie in gewisser Weise meine ständige und wichtigste Begleiterin gewesen. So hatte ich mir unser Wiedersehen nicht vorgestellt. Ich stellte einen Fuß in die Tür. »Ist alles in Ordnung? Sie sehen schrecklich aus.«

»Das haben Sie bereits gesagt.« Sie sah auf meinen Turnschuh hinunter.

»Ich verspreche Ihnen, daß es Ihnen gut tun wird, wenn Sie am Samstagmorgen dieses Fahrrad mitbringen. Wir können uns treffen –«

»Woher wollen Sie eigentlich wissen, was mir gut tun würde?«

Ihre Worte trafen mich wie Pfeilspitzen, aber ich tat so, als habe sie mir eine ganz normale Frage gestellt, die ich beantworten sollte. »Ich bin zwar noch jung, ich war nie verheiratet, und ich habe noch nie länger als zwei Jahre eine Beziehung geführt.« Ich machte eine Pause. Sie hörte mir tatsächlich zu. »Aber ich weiß, daß es Ihnen gut tun wird, mit diesem Fahrrad zu fahren. Das weiß ich wirklich. Fahrradfahren ist Bewegung, und zwar eine Bewegung, die Sie selbst verursachen, Bewegung durch Raum und Zeit. Beim Fahrradfahren fühlen Sie sich, als würde die vorbeiziehende Landschaft durch Ihre Lungen strömen.« Ich war verblüfft darüber, was da alles aus meinem Mund kam. »Kommen Sie am Samstagmorgen um acht Uhr zum Breezeway-Markt. Unten am Yachthafen. Dann zeige ich Ihnen, wie Sie am besten damit fahren.«

»Nehmen Sie den Fuß aus der Tür.«

Als ich das nicht tat, sah ich, wie sich die Muskeln in ihrem Hals und ihren Schultern ein kleines bißchen entspannten. Ich richtete mich auf.

»Bitte, Lori.«

»Hören Sie mir doch einmal zu. Vielleicht lernen Sie ja etwas.«

Fast lächelte sie.

Ich nahm den Fuß aus der Tür.

Einen Augenblick lang starrte sie auf die Stelle, wo er gestanden hatte. »Na gut«, meinte sie, »dann kommen Sie für eine Sekunde herein.«

Aus purer Verlegenheit lachte ich. Dann lehnte ich das Fahrrad an die Hauswand und folgte ihr ins Wohnzimmer. Auf meinem Weg in ihr Arbeitszimmer war ich viele Male an diesem Raum vorbeigegangen, ohne ihn je zu betreten.

Sie ließ sich aufs Sofa fallen, und ich setzte mich vorsichtig ans andere Ende. Mittlerweile war es in dem Zimmer schon ganz dämmrig, aber sie machte keine Anstalten, das Licht einzuschalten. In der Luft hing ein muffiger Geruch – wie verdorbenes Essen oder wie in einem Krankenzimmer. Auf dem Kaminsims stand das Foto eines jungen Mannes. Vermutlich Jeff, der Architektensohn. Warum kam er eigentlich nicht aus Seattle angereist, um seinem beschissenen Vater endlich einmal den Marsch zu blasen?

Anders als sonst machte mich das Schweigen nicht unsicher. Ich wartete.

Schließlich lächelte sie, und einen Augenblick lang war sie ganz die alte elegante Deirdre Felix. »Sie haben mich wirklich zu einem sehr ungünstigen Zeitpunkt erwischt. Ja, das war Arnie.« *Pffh*, machte ihr Mund. »Ein Fahrrad also, ja? Als Kind bin ich sehr gerne Fahrrad gefahren. Das war wunderschön, was Sie da gerade über die Landschaft gesagt haben.«

Ich nickte ermutigend.

»Diese ganze Sache mit Arnie und der jungen Frau ... was für ein Klischee.« Sie stand auf. »Die können mich beide mal am Arsch lekken.«

Ich lachte und meinte: »Das ist die richtige Einstellung.«

»Danke für das Fahrrad. Vielleicht probiere ich's ja mal aus.« Sie blieb stehen und wartete. Also stand ich ebenfalls auf und folgte ihr zur Haustür.

»Im Prinzip ist Fahrradfahren einfach«, sagte ich, ganz entzückt darüber, daß sie das Rad behielt. Dann versuchte ich mein Glück. »Aber es ist auch viel Technik dabei. Am Samstagmorgen gebe ich Ihnen eine Stunde Unterricht.«

»Ach, ich weiß nicht.« Sie öffnete die Tür und sah über das grüne Fahrrad hinweg gedankenverloren in den Garten.

»Überlegen Sie sich's mal«, versuchte ich ihr zuzureden. Mein Geschenk sollte doch viel mehr sein als nur ein Übungsgerät. »Ich fahre ohnehin am Samstagmorgen. Normalerweise trinke ich am Breezeway-Markt so gegen acht Uhr Kaffee« – noch eine Lüge, aber eine harmlose – »kommen Sie einfach vorbei, wenn Sie können.«

»Auf Wiedersehen, Lori.« Die Bestimmtheit in ihrer Stimme gefiel mir gar nicht.

»Bluffer sind übrigens nicht allesamt schlecht«, sagte ich. »Manche von ihnen legen sich für andere ziemlich ins Zeug, nicht bloß für sich selbst.«

»Auf Wiedersehen, Lori.« Kein Anflug eines Lächelns.

Ich zögerte noch einen Augenblick. In ihrem Blick flackerte Ärger auf. Also ging ich.

18

»O MICKEY, das tut mir so leid«, sagte ich ungefähr zum zehnten Mal. Wie hatte ich damals nur so eine schnodderige Bemerkung darüber machen können, was ein Kuß bedeutete? Oder Sex? Zack, schon hast du's getan. Was hatte ich mir nur dabei gedacht?

Ich saß ihm gegenüber in unserem vietnamesischen Stammlokal im Zentrum von Oakland und hatte nur den einen Wunsch: ihm seinen Schmerz zu nehmen. Wenigstens waren seine Haare mittlerweile richtig gewachsen, und da er sie jetzt zu einem Pferdeschwanz gebunden trug und ihm die einzelnen Strähnen nicht mehr ins Gesicht fielen, wirkte er zäher, ein bißchen alternativ, vielleicht wie ein Rockmusiker oder – mit ganz viel Phantasie – sogar wie der Kumpel eines dieser Kraftprotze von den Hell's Angels.

Zumindest in meinen Träumen.

In Wirklichkeit mußte ich unentwegt an seine magere Brust denken, in die diese lange braune Narbe eingraviert war. Einem anderen Mann mit einer weniger mokka-samtigen Haut hätte diese möglicherweise einen Hauch von Männlichkeit verliehen. Ich hatte seine nackte Brust nur ein einziges Mal gesehen, aber damals schien diese Narbe ihn dünnhäutig zu machen, so als könne sie jeden Augenblick aufreißen.

Ich überlegte, wie es wohl war, mit einem Mann wie Mickey zu schlafen, der in bezug auf seinen Körper oder auch den Körper einer Frau noch nicht so abgestumpft war. Ich stellte mir vor, wie Sheila diese Narbe berührte, und wurde richtig wütend, weil ihr ganz gewiß nicht bewußt gewesen war, was sie eigentlich an Mickey gehabt hatte.

Mickey hatte rotgeränderte Augen, und seine langen schwarzen Wimpern waren ganz verkrustet. Er hatte Rindersehnensuppe bestellt und stocherte mit seinen Stäbchen in den Nudeln herum, ohne zu essen. Ich fühlte mich verantwortlich, als hätte ich ihn mit dem Fallschirm aus dem Flugzeug gestoßen, ohne ihm zu sagen, daß das Teil manchmal nicht aufging. Von Zeit zu Zeit fiel man eben auf die Schnauze. Ein Kuß, zack, was ist schon groß dabei? Ich dumme Gans.

Laut Mickey war das Gute an der Sache, daß Sheila sich zumindest nicht von ihm abgewandt hatte. Er sagte, sie würde ihn immer noch lieben. Sheila zufolge war ihr Vater ihnen auf die Schliche gekommen und hatte darauf bestanden, daß Sheila mit Mickey Schluß machte. Er habe ihr angeblich damit gedroht, sie aus dem Haus zu werfen und ihr Studium nicht weiter zu finanzieren.

»Was glaubst du«, fragte Mickey, »ist es die Tatsache, daß ich zehn Jahre älter bin als sie, daß ich Latino bin oder mein Aussehen?«

»Was glaube ich wozu?« fragte ich, um Zeit zu gewinnen.

»Ihre Eltern«, erwiderte er. »Warum sie nicht wollen, daß ich mich mit ihr treffe.«

»Eltern wollen nie, daß ihre Tochter mit einem Mann ins Bett geht«, antwortete ich und dachte, daß es wohl an allen drei Dingen lag, an der Tatsache, daß er zehn Jahre älter war als sie, daran, daß er Latino war und an seinem Aussehen.

»Ja«, sagte er. »Jaja.«

Die Sache mit ihrem Vater machte mir zu schaffen, denn schließlich war Sheila minderjährig. Für Mickeys Beziehung mit Sheila gab es einen offiziellen, einen kriminalistischen Ausdruck.

»Mick«, sagte ich sanft, »hat Sheila etwas darüber gesagt, daß ihr Vater, naja, daß er dich belangen will?«

»Keine Ahnung«, murmelte Mickey, als sei das für ihn das geringste Problem. Er spielte weiterhin mit den Nudeln herum und starrte gedankenverloren in seine Fleischsuppe.

»Weiß er, wo du wohnst?«

Mickey zuckte mit den Schultern.

Sollte ich ihn an die mexikanische Grenze fahren? Ein älterer Mann, der – rein rechtlich gesehen – ein Kind verführte, war nämlich mit Sicherheit in einer verzwickten Situation, vorausgesetzt es war tatsächlich so gewesen, aber jede gute Theorie gestaltete sich im wirklichen Leben als weitaus komplizierter. In diesem Fall konnte ich mir Sheila nur schwerlich als Opfer vorstellen – oder zumindest war sie nicht das einzige.

»Mickey.« Ich nahm seine Hand. »Wie hat ihr Vater es denn herausgefunden?«

»Sheila ist sehr ehrlich. Das Versteckspiel hat sie die ganze Zeit über gehaßt.«

»Willst du damit sagen, daß sie es ihm *gesagt* hat?«

Mickey nickte. Ihre Ehrlichkeit schien ihn gleichzeitig mit Stolz und Kummer zu erfüllen. Sheila, die tugendhafte Göttin. Als ich in der zehnten Klasse zum ersten Mal verliebt war, hielt ich meine Flamme ebenfalls für perfekt, für ganz und gar makellos, aber Mickey war siebenundzwanzig! Wahrscheinlich hatte das mehr mit dem ersten Mal zu tun und gar nichts mit dem Alter, und vielleicht war das Ganze für ihn jetzt auch um so schlimmer, eben weil er so lange gewartet hatte.

Da ich mit meiner Vaterfährte nicht weiter kam, versuchte ich es anderweitig. »Was hat Sheila deiner Meinung nach jetzt vor?«

»Was sie vorhat?« stöhnte er.

»Ja, ich meine, wird sie das tun, was ihre Eltern sagen, und sich nicht mehr mit dir treffen?«

Er setzte sich aufrecht hin und sah mich scharf an. »Sie ist erst sechzehn. Also gibt sie entweder nach oder läuft von zu Hause weg. Und das ist keine Option. Zumindest nicht für sie. Schließlich geht sie ja aufs College und so.«

»Wäre es denn für *dich* eine Option?«

Obwohl es in dem Restaurant glühend heiß war, fröstelte es mich bei der Vorstellung, daß Mickey mit einer Sechzehnjährigen durchbrannte.

»Ich habe ihr gesagt, daß wir ja heiraten könnten«, sagte er freudlos.

»Mickey!« schrie ich. »Das kannst du doch nicht tun!«

Er sah mich an, als würde ich das niemals verstehen, als hätte ich noch nie in meinem Leben wirklich jemanden geliebt. Er hatte große dunkle Ringe unter den Augen, und sein Gesicht sah aus, als würde es ganz nach einer Seite kippen.

»Keine Sorge«, antwortete er. »Sie würde mich ohnehin nicht heiraten. Ich habe dir doch gesagt, daß sie noch viel vorhat, College und so weiter.«

Mickey knallte seine Eßstäbchen auf den Tisch und spannte den Kiefer an. Durch das Fenster sah er auf die Franklin Street hinaus. Einen Augenblick lang verschwand der liebenswerte, naive Blick in seinen Augen, und an dessen Stelle trat ein für Männer in seinem Alter alltäglicherer Ausdruck: eine dumpfe Ahnung.

Schlagartig fiel es mir wie Schuppen von den Augen, und ganz offensichtlich wußte er ebenfalls Bescheid: Sheila hatte gelogen. Ihre Eltern hatten gar nichts herausgefunden. Sie wußten weder, daß er zehn Jahre älter und Latino war, noch wie sein Gesicht aussah. Sheilas Eltern wußten überhaupt nichts von Mickey. Sheila hatte ihn abserviert. Punkt.

O Mickey.

Mit seinen Eßstäbchen nahm er ein Stück glibberige Rindersehne aus seinem Schälchen und hielt es hoch.

»Tu das zurück«, sagte ich. Bei dem Anblick mußte ich würgen.

Mickey ließ das eklige Stück toten Tieres fallen und fragte: »Was soll ich denn jetzt tun?«

»Was meinst du damit?«

»Die Welt ist jetzt ganz anders, holprig, gefährlich, verschwommen und dumpf – alles gleichzeitig. Wie kann ich einfach weiterhin zur Arbeit gehen, nach Hause kommen und mich vor den Fernseher setzen? Was passiert jetzt?«

Ich unterdrückte ein Lächeln. Nun gut, Mickey war kein Hell's Angel und würde auch nie einer werden, aber jetzt verbarg sich da in seiner Brust etwas Neues, jetzt spürte er hinter dieser Narbe Wut und Schmerz. Und weil es hier um Mickey ging, war ich darüber sogar fast erfreut. Natürlich nicht über den Schmerz, aber darüber, daß dieser irgendwann verwachsen und eine neue Erfahrung hinterlassen würde.

Ich lehnte mich zurück und fuhr mit dem Finger den Klebstreifen entlang, der einen langen Riß auf meinem Plastiksitz nur unzureichend zusammenhielt. Ich hatte tatsächlich eine Antwort auf Mickeys Frage: Was passiert jetzt? Der permanente Schmerz in meiner eigenen Brust war mittlerweile zu einer Prellung geworden, die nur noch bei Berührung wehtat. Und seit kurzer Zeit war ich wieder in der Lage, Liebe zu empfinden, dieses einfache, klassische und allumfassende Gefühl, das meine Adern wie Blut durchströmte. Aber im Augenblick würde ich ihm natürlich keine Antwort präsentieren. Dazu war er noch viel zu verletzlich. Vielleicht in ein paar

Wochen. Aber allein der Gedanke, daß es eine Antwort gab, machte mich glücklich. Unabsichtlich lachte ich.

»Was ist daran denn so witzig?« fragte Mickey.

»Ich habe dich wieder. Das macht mich glücklich.«

Mickey griff nach meiner Hand und hielt sie an seinen Reißverschluß-Mund. »Wenigstens habe ich dich«, sagte er mit Tränen in den Augen.

»Ja, mich hast du«, flüsterte ich. Ich zog meine Hand von seinem Mund fort und berührte zwischen seinen Hemdknöpfen die Stelle, hinter der sich seine Narbe befand. »Mich hast du ganz sicher.«

Als ich am Samstagmorgen hinunter zum Yachthafen fuhr, war es neblig und kühl. In ein oder zwei Stunden würde in den Geschäften und auf der Straße wahrscheinlich Hochbetrieb herrschen, aber jetzt war es ganz ruhig, als hielte der Nebel alles an seinem Platz. Alles außer mir. Auf meinem eigens nach meinen Vorstellungen gebauten Fahrrad glitt ich durch die nasse, graue Luft und machte mir Sorgen um Mickey. Er schlief nicht mehr und aß kaum noch etwas, und die letzten beiden Tage mußte ich ihn morgens dazu überreden, überhaupt zur Arbeit zu kommen.

Ich dagegen besaß einen ziemlich guten Appetit. Als ich am Breezeway-Markt ankam, fuhr ich schnurstracks auf den Espresso-Stand zu und bestellte mir zwei Croissants und einen Mokka. Das Rad zwischen meine Beine geklemmt, stand ich da und frühstückte.

»Sie kommen zu spät.«

Ihre Stimme schoß wie ein Pfeil durch die dämmende Nebelwand und bohrte sich so tief in meinen matten Kopf, daß ich vor Schreck meinen Mokkabecher fallenließ. Augenblicklich hob ich ihn wieder auf; dank des Deckels war nicht viel danebengegangen.

Natürlich war ich hier, um mich mit Deirdre Felix zu treffen, aber ich hatte wirklich nicht im geringsten damit gerechnet, daß sie auch kommen würde.

Sie saß nur ein paar Meter von dem Kaffeestand entfernt auf einer Bank und war offenbar schon dort gewesen, als ich mir meine Croissants und den Mokka bestellte.

»Entschuldigung«, sagte sie. »Ich dachte, Sie hätten mich gesehen.«

Ich schüttelte den Kopf.

Sie fuhr fort: »Ich selbst bin auch nicht gerade ein Morgenmensch. Ich dachte, Sie hätten nur nichts gesagt, weil Sie erst einmal einen Kaffee brauchen.«

Mühsam brachte ich ein Lächeln zustande. Der Schreck, die Tatsache, daß ich tatsächlich einen Kaffee brauchte, und mein Erstaunen darüber, daß sie wirklich gekommen war, machten mich völlig sprachlos.

Deirdre Felix trug einen glänzenden rosa-weiß-lavendelblauen Trainingsanzug. An der Innenseite ihres rechten Hosenbeins war bereits ein schwarzer Ölfleck zu sehen. Sie stand auf. »Trinken Sie Ihren Kaffee aus«, sagte sie.

»Es ist Mokka«, berichtigte ich. Mein Herz klopfte viel stärker, als das angesichts der Situation verständlich gewesen wäre. Sie war also doch gekommen. Sie fuhr also doch das tiefgrüne Fahrrad mit der schwarzen Dekorlinie. Ich glaube, ich war einfach ganz benommen, weil ich Deirdre Felix tatsächlich beeinflußt hatte, weil sie auf meine Aufforderung hin etwas tat.

Sie wirkte fehl am Platz, wie sie dastand und ihr Fahrrad ein wenig verkrampft an der Lenkstange festhielt, etwa so fehl am Platz wie an jenem Tag an der Bushaltestelle. Deirdre Felix frühmorgens am Yachthafen in Berkeley mit einem grünen Fahrrad? Aber sie war gekommen. Vielleicht hatte ich ja tatsächlich etwas gefunden, was sie im Augenblick brauchte.

Ich schätzte die Rahmenhöhe im Vergleich zu ihrer Beinlänge ab. Vorläufig war das Rad gut genug eingestellt.

»Fahren wir.« Meine Stimme klang schroff und streng, obwohl mein Herz immer noch wie wild hämmerte. Ich stopfte mir den Rest meines zweiten Croissants in den Mund und warf den nur halb leer getrunkenen Kaffeebecher in Richtung Abfalleimer, der etwa eineinhalb Meter entfernt stand. Ganz kurz hatte ich Panik, ob ich auch treffen würde, aber er landete perfekt in der Mitte. Ich winkte Deirdre Felix auf die Straße. »Fahren Sie mir nach.«

Ich fuhr die Frontage Road hinunter und schaute alle paar Sekunden zurück. Da sie auf dem Rad ziemlich hin- und herschwankte, ließ ich sie vorfahren, um sie von hinten besser beobachten zu können.

Dieses Manöver muß sie erschreckt haben, da sie beinahe das Gleichgewicht verlor. Ihr Fahrrad schlingerte, und sie streckte zum Ausgleich beide Beine aus, aber zumindest fiel sie nicht vom Rad.

»Sie haben einen zu hohen Gang eingestellt«, rief ich ihr zu. »Schalten Sie mindestens zwei zurück.«

Mit zusammengebissenen Zähnen vernahm ich das Knirschen, als sie versuchte, die Kette richtig auf den Zahnkranz zu bugsieren. »Dieser Gang ist viel zu leicht«, schrie sie zurück, nachdem sie es endlich geschafft hatte. »Meine Beine haben überhaupt nichts zu tun.«

»Genau so ist es aber richtig. Treten Sie einfach locker in die Pedale.«

»In diesem niedrigen Gang fliegen mir die Füße weg!«

»Konzentrieren Sie sich auf gleichmäßige Kreisbewegungen.«

»Aber warum denn in so einem niedrigen Gang?«

Ihr Frust machte mir Spaß. »Ich möchte, daß Sie zuallererst ein Gefühl für die richtige Trettechnik bekommen«, rief ich nach vorn. »Es geht um Disziplin, um den Blick fürs Detail.«

Da Deirdre Felix nicht zurückschaute, konnte sie mein breites Grinsen nicht sehen. Aber zumindest hörte sie auf, sich über den niedrigen Gang zu beschweren.

Die nächsten Minuten fuhren wir schweigend, denn ich wollte ihr auch nicht zu viele Anweisungen auf einmal geben. Ohne den bereits starken Verkehr jenseits des dichten Gestrüpps zu unserer Linken zu beachten, sah ich zum Meer, das etwa drei Meter von meinem rechten Pedal entfernt begann. Es herrschte Flut. In der Augusthitze der vergangenen Wochen hatte sich die Luft mit dem Gestank der Küste regelrecht angereichert, aber zu dieser frühen Stunde, an diesem nebligen Morgen roch es nach *frischem* Abfall, ein fast angenehmer Geruch mit Spuren von Wasser und Meeresluft. Mir kam der Gedanke, daß die Menschen vor der weltweiten Umweltverschmutzung vermutlich gar nicht wußten, was frische Luft eigentlich war.

Auf einem Fels an der Küste saß eine Obdachlosenfamilie – Vater, Mutter und zwei Kinder – und teilte ihr Frühstücksbrot mit den Möwen. Auch Deirdre Felix muß die vier beobachtet und sich demzufolge nicht ausreichend konzentriert haben, denn in diesem Augenblick stürzte sie.

»Alles klar. Alles klar.«

Mehr sagte sie nicht, als sie aufstand, mit der Hand ihren glänzenden Trainingsanzug abbürstete, der nun an der Außenseite des linken Oberschenkels zerfetzt war, und wieder auf ihr Fahrrad stieg.

Sie preßte die Lippen zusammen und sah fast bösartig aus, als sie sagte: »Ich bin bereit. Fahren wir weiter.«

»Sind Sie sicher, daß alles in Ordnung ist?«

»Fahren wir.«

»Sie sind ziemlich butch«, sagte ich.

»Butch?« fragte sie. »Was meinen Sie damit?«

Ich genoß es geradezu, ein Wort zu kennen, das Deirdre Felix offenbar noch nie gehört hatte. Als Antwort schwieg ich, stieg auf mein Fahrrad und setzte mich wieder in Bewegung.

Am Yachthafen in Emeryville angekommen, kehrten wir um und fuhren zurück nach Berkeley. Für eine Anfängerin hielt Deirdre Felix sich recht wacker, obwohl sie beim Anhalten an einem Stopschild fast noch einmal vom Rad gefallen wäre und es beim Wechseln der Gänge häufig knirschte. Aber auf jeden Fall tat sie sich nicht weh, und um das Fahrrad konnte ich mich ja später kümmern.

Als wir wieder am Breezeway-Markt ankamen, hatten wir insgesamt etwa acht Kilometer zurückgelegt. Inzwischen hatten die Sonnenstrahlen den Nebel fast gänzlich aufgelöst. Ich sah zu, wie Deirdre Felix vom Fahrrad stieg. Ihre Beine schienen etwas zittrig, aber ihr Gesicht war von einem dünnen Schweißfilm bedeckt, und in ihren Augen zeigte sich eine gewisse Glut.

»Jetzt ist Ihr Trainingsanzug kaputt«, sagte ich und zeigte auf den Ölfleck und das zerrissene Hosenbein.

»*Pffh*« sagte sie. »Er war zum Fahrradfahren ohnehin unpraktisch.«

»Ich bin froh, daß Sie gekommen sind.«

»Ich wollte eigentlich gar nicht«, sagte sie und merkte dann, wie unhöflich das klang. »Ich meine, ich wußte einfach nicht, wie ... naja, egal. Ich mußte einfach aus dem Haus. Gestern abend habe ich Arnie zufällig in einem Restaurant getroffen. Er war mit Tina dort.«

»Wow«, sagte ich. Was für ein Name, Tina.

»Ich habe ihnen eine Szene gemacht.« Sie gab ein trockenes Lachen von sich. »Das habe ich, glaube ich, noch nie in der Öffentlichkeit getan. Ich war mit meiner fünfundachtzigjährigen Mutter zusammen.« Sie schlug sich die Hände vors Gesicht und stöhnte: »O Gott.« Vermutlich hatte sie vergessen, daß sie gerade noch ihr Fahrrad gehalten hatte, das jetzt auf die Kieselsteine krachte. Ade, du schöne Lackierung. »Oh!« sagte sie und ließ das Rad liegen. »Wir warteten auf einen Tisch. Es war für meine Mutter schon schlimm genug, mich rauchen zu sehen. Als ich die beiden dann entdeckte, ging ich direkt zu ihnen und drückte meine Zigarette auf Tinas gegrillter Goldmakrele aus.«

»Wow«, wiederholte ich beeindruckt.

Als sich unsere Blicke trafen, brach Deirdre Felix in schallendes Gelächter aus.

»Ich kann kaum glauben, daß ich jetzt darüber lache«, brüllte sie, wischte sich die Tränen aus den Augen und versuchte erfolglos, sich zu beherrschten. »Dann ... dann ... nahm ich Arnies Glas und schüttete ihr seinen Rotwein auf die weiße Seidenbluse. Direkt auf ihre überdimensionalen Silikontitten.«

Sie beugte sich vor, legte die Hände auf die Knie und keuchte vor Lachen. Ich überlegte, ob ich versuchen sollte, sie irgendwie zu beruhigen, sie zu einer Bank zu führen oder so etwas, aber dann richtete sie sich wieder auf und bemühte sich schluchzend, fortzufahren, während ihr die Tränen über die Wangen liefen: »Das Witzige daran ist ... das Witzige ist, daß Arnie noch nicht einmal weiß, daß ich wieder angefangen habe zu rauchen!«

Aus irgendeinem Grund schien sie diese Tatsache unglaublich lustig zu finden. »Und meine Mutter weiß noch nicht einmal, daß Arnie und ich uns scheiden lassen!«

Am Ende beruhigte sie sich wieder. Sie sah mich an und kicherte noch einmal. Ich hatte eine flüchtige Rachephantasie – stellte mir vor, wie ich im ultralesbischen Outfit mit Deirdre Felix in einem schicken Restaurant sitze und Arnie hereinspaziert. Es würde mir eine solche Genugtuung verschaffen zu erleben, daß es ihn regelrecht verrückt machte, seine Gattin mit einer Frau wie mir zusammen zu sehen, aber wahrscheinlich würde er ohnehin nur darüber lachen.

»Alles in Ordnung?« fragte ich.

»Nein, gar nichts ist in Ordnung. Aber diese Fahrradtour war wunderbar, Lori. Ich habe nur gerade etwas die Fassung verloren. Das kommt von der Bewegung und diesen herrlichen Endorphinen.«

Ich zeigte auf den Gipfel des Grizzly Peak, der sich in der Ferne abzeichnete: »Eines Tages fahren wir da hoch.«

»Dort wohne ich doch.«

»Ich weiß. Ich meine mit dem Fahrrad, von hier aus.«

»Mit dem Fahrrad? Das glaube ich nicht.«

»Es ist gar nicht so schwierig. Warten Sie's ab.«

Sie kniff die Augen zusammen, sah zum Grizzly Peak und tat den Vorschlag mit einem »*Pffh*« ab.

»Nächsten Samstag, dann«, sagte ich. »Gleicher Ort, gleiche Uhrzeit.«

Eigentlich hatte ich erneut einen Rückzieher erwartet, aber sie schüttelte nur beide Beine aus und meinte: »Mal sehen. Jedenfalls war das ganz wunderbar. Vielen Dank.«

Am folgenden Samstag war ich rechtzeitig an Ort und Stelle. Ich saß auf der Bank und schlürfte meinen Mokka, als Deirdre Felix in einem Leihwagen vorfuhr. Sie nahm ihr Rad vom Fahrradträger und fuhr über den Schotterplatz auf mich zu. Direkt vor mir bremste sie und lächelte, wobei das Gurtband ihres Helms ihre runzeligen Wangen einschnürte. Ich sah hinauf zum Grizzly Peak. Es war ein heiterer, bereits heißer Tag mit guter Fernsicht; im Osten flimmerte die Hitze über den Berggipfeln.

»Ich habe diese Woche täglich trainiert«, sagte sie.

»Da sind Sie eine bessere Schülerin als ich«, antwortete ich schroff, um meine Freude zu überdecken.

»Es ist nur aus Verzweiflung.«

Ich lachte. Es war mir egal, ob ich die Antwort auf ihre Verzweiflung war. Sie war schließlich auch die auf meine gewesen.

Ich korrigierte ihre Haltung, stellte den Sattel etwas höher und versuchte, ihr etwas über das Übersetzungverhältnis der einzelnen Gänge zu erzählen. Das war ihr aber offensichtlich zuviel, so daß ich hörbar seufzte und betont mürrisch sagte: »Dann fahren wir einfach.«

Im Augenwinkel sah ich, daß sie lächelte.

Als wir eine Stunde später wieder am Breezeway-Markt ankamen, sagte sie: »Ich habe mich noch gar nicht für Ihr Gedicht bedankt.«

Mein Magen krampfte sich zusammen, und ich bekam einen Schweißausbruch. In der Zwischenzeit hatte ich mir eingeredet, daß das Gedicht wider Erwarten nicht angekommen war – möglicherweise hatte die Post ausnahmsweise einmal zum richtigen Zeitpunkt Mist gebaut oder ich eine falsche Adresse angegeben.

In ihrer gestrengen Lehrerinnenstimme sagte sie: »Es ist sehr gut. Wunderschön.«

Mir wurde ganz heiß und schwummerig zumute. Ein Lob in diesem barschen Tonfall ging viel tiefer als überschwengliche Worte der Anerkennung.

»Dennoch«, fuhr sie fort, »haben Sie ›elegant‹ falsch buchstabiert. Es schreibt sich e-l-e-g-a-n-t.«

Ich hätte Mickey umbringen können.

Dann meinte sie: »Dankeschön, Lori. Du bist wunderbar.«

19

PAM HATTE ZUGENOMMEN und trug ihr mittlerweile schulterlanges Haar dauergewellt. Mit den luftigen Locken rund um ihre rosa Wangen hatte sie fast ein Puppengesicht – naja, vielleicht das einer wilden Puppe. Denn egal wie sehr Pam sich um ein ordentliches Äußeres bemühte, strahlte sie doch immer etwas Ungezähmtes aus. Aus diesem Grund hätte ich sie auch jetzt, nach dieser langen Zeit, am liebsten berührt. Ihre Augenbrauen sahen immer noch aus wie liegende Ausrufezeichen, und sie trug immer noch riesige Ohrringe, Steghosen und übergroße Pullis. Heute hatte sie einen Pulli mit bunten Vierecken an, und ihre Hose war leuchtendblau – mit Sicherheit kinderfreundliche Farben. Ich legte das Fahrradbuch vor sie auf den Tresen und sagte: »Hallo.«

»Oh, hallo.«

»Es tut mir leid, daß ich vor ein paar Monaten mit diesem Buch weggerannt bin.« Eigentlich hatte ich gar keine Geständnisse geplant, aber ich hörte mich fortfahren: »Mit Bibliotheken habe ich einfach meine Schwierigkeiten. Ich bin nämlich Leseanfängerin. Ich habe damals an dem Leseförderprogramm teilgenommen. Aber das weißt du ja wahrscheinlich schon.«

»Ach wirklich?« Sie lächelte etwas zu bemüht. »Du siehst gar nicht aus wie, ich meine, du wirkst nicht wie ...« Verlegen winkte sie ab.

»Jaja, schon gut. Ich wollte mich nur dafür entschuldigen, daß ich mich an diesem Tag so seltsam benommen hatte und dieses Buch quasi mitgehen ließ. Es war ein Versehen.«

Ihre Gesichtszüge wurden weicher. »Ich habe das im Computer schon gelöscht. Du mußt nichts nachzahlen oder so.«

»Danke. Hier, ich habe dir noch etwas mitgebracht«, sagte ich und legte das Päckchen neben das Fahrradreparaturbuch auf den Tresen. Ich hatte extra hellgelbes Geschenkpapier besorgt. Als sie das Geschenk nahm, rasselte das Spielzeug darin. »Es ist für das Baby.«

»Lori, das ist aber süß von dir!« Sie war offensichtlich ganz gerührt von dieser Geste, und ich war gleichermaßen gerührt, daß sie meinen Namen noch wußte.

»Ist es ein Junge oder ein Mädchen?«

»Ein Junge. Er heißt Grant.«

»Er muß doch jetzt schon ungefähr ein Jahr alt sein, oder?«

»Fünfeinhalb Monate.«

»Ah, naja. Von Babys habe ich eben keine Ahnung. Jedenfalls wollte ich dich fragen, ob du mir ein Buch empfehlen kannst. Es soll leicht verständlich, aber interessant zu lesen sein.«

Als ich die Bibliothek ein paar Minuten später verließ, hatte ich ein Buch mit dem Titel *Desert of the Heart* in der Hand – das Buch zum Film *Desert Hearts*. Pam war sich zwar nicht sicher, ob es wirklich leicht zu lesen war, aber ich meinte, sie solle sich da mal keine unnötigen Gedanken machen. Es machte mir Spaß, das Buch auszuleihen, und mir gefiel das Gewicht in meiner Hand, egal ob ich es nun lesen würde oder nicht.

Sobald ich draußen auf der Straße war, blieb ich stehen und betrachtete das Leichtbetongebäude. In diesem Augenblick setzte wieder einmal die Zeitlupe ein, und diesmal hielt sie die gesamte nächste Stunde hindurch an. Ich schwebte zurück zum Eingang, packte den Griff und stieß die Tür auf. Ich sagte Pam, die noch immer an der Ausleihe stand, daß ich noch ein bißchen lesen wollte. Ich ging in den hinteren Teil der Bibliothek, aber statt mich an einen Tisch zu setzen, blieb ich in der offenen Tür des Leseförderraums stehen. Sie waren alle da, alle Teilnehmenden des Schreibkurses für Leseanfänger, und ganz vorne stand die Lehrerin.

Natürlich war das kein Zufall. Vor ein paar Wochen hatte ich den Handzettel bekommen, der mit einfachen Worten in großen Buchstaben bedruckt war, und danach hatte Marilyn sogar noch einmal angerufen. Obwohl ich ursprünglich gar nicht kommen wollte, hatte sich das Datum des ersten Termins, der zwanzigste August, in meinem Hirn eingebrannt. In einem anderen Teil meines Gehirns entstand dann diese phänomenale Idee, mich mit Pam wieder zu versöhnen und das Ganze miteinander zu verbinden. Und dann gab es da natürlich noch den Wunsch, Deirdre Felix auf ihrem Fahrrad hoch zum Grizzly Peak fahren zu sehen. Manchmal treffe ich mit mir bestimmte Vereinbarungen. Damit das eine passiert, muß ich etwas anderes tun. Das ist Gleichgewicht. Karmischer Ausgleich. Es gibt nichts umsonst. Egal, wie man es nennen möchte, auf jeden Fall war ich jetzt beim Schreibkurs des Leseförderprogramms gelandet.

Ich stand im Türrahmen, konnte keinen Schritt vor-, aber auch keinen zurück machen und hatte das Gefühl, als fände in meinem Gehirn eine Versammlung aus Millionen von Gehirnzellen statt, die alle gegenteilige Entscheidungen trafen.

Im nächsten Augenblick bemerkten mich alle im Raum, und ich kam mir so ähnlich vor wie damals, als ich zum ersten Mal eine Lesbenbar besuchte, nur war das hier viel schlimmer. Bei meinem Coming-out vor etwa zehn Jahren machte ich gleich einen kleinen Ausflug nach San Francisco ins *Amelia's*. Beim Betreten der Bar sah ich nichts als radikale Kurzhaarschnitte und dicke Lederjacken. Ich fiel fast in Ohnmacht. Der Unterschied zwischen jenem Abend und diesem hier war, daß mir die Frauen damals zwar angst machten, aber insgeheim hegte ich für sie auch eine immense Bewunderung. Als sie sich zu mir umdrehten, um die Neue zu begutachten, durchströmte mich auch der Reiz der ungeahnten Möglichkeiten.

Für diese anderen Leseneulinge aber hegte ich keine ähnlichen Gefühle. Hier hatte ich einfach nur Angst.

Die Lehrerin unterbrach sich mitten im Satz und sah zu mir, genau wie die anderen zehn bis zwölf Erwachsenen, die weder lesen noch schreiben konnten. Ganz deutlich, als wären sie echt, hörte ich diese Stimmen in mir, das Johlen der Schulkinder, Stimmen aus der Grundschule. *Geistesgestört. Zurückgeblieben. Dummchen.*

Daneben vernahm ich auch die kratzige, tröstende Stimme meines Vaters. *Meine Tochter ist pfiffiger als alle andern zusammen. Lori ist einfach viel zu schlau für diese Schule.*

Ich sah Mrs. Roach vor mir, mit den knallroten schmalen Lippen, dem dünnen Pferdeschwanz und dem Dies-ist-deine-letzte-Chance-Blick.

Was würde passieren, wenn ich jetzt in diesen Raum ginge? Allein mit Deirdre Felix zu arbeiten, war eine Sache. Aber eine

Gruppe, eine Gemeinschaft, der man angehörte, war etwas völlig anderes.

Ich ließ den Türgriff los und trat einen Schritt zurück. Im selben Augenblick stand Charles auf und sagte: »Hallo, schön daß du da bist. Lori, nicht wahr? Hier ist noch ein Platz frei.« Er zog einen Stuhl an seinen Tisch heran und schob seine Sachen zur Seite. Immer noch in Zeitlupe betrat ich den Raum, ging zu dem Stuhl und setzte mich.

»Tut mir leid, daß ich zu spät bin«, murmelte ich.

»Wir wollten gerade mit dem Schreiben beginnen«, sagte die Lehrerin.

Zu den anderen gewandt, fügte sie hinzu: »Fangen Sie doch bitte an.«

Dann kam sie zu mir und wiederholte, was sie den anderen bereits erläutert hatte. Schreiben, sagte sie leise, sei vergleichbar mit Kochen oder Sport treiben. Lerne man durch das Lesen von Kochbüchern etwa Kochen? Oder durch das Einprägen der Regeln eine Sportart? Nein, natürlich nicht. Man lerne nämlich nur durch die Praxis, durch eigene Fehler, durch wiederholtes Üben. Sie forderte mich auf, etwas über einen mir wichtigen Menschen aufzuschreiben. Im Augenblick sollte ich mich überhaupt nicht um Rechtschreibung und Grammatik kümmern. Damit würden wir uns später beschäftigen. Im Moment gehe es einfach darum, meine Gedanken zu Papier zu bringen. Wenn ich lieber hätte, daß sie oder eine der anderen Lehrkräfte im Raum für mich schrieb, könnte ich meine Sätze auch diktieren. Ob ich mir das erst einmal kurz überlegen wollte? Ich nickte. Sie ging fort, um einem anderen Schüler zu helfen, versprach aber zurückzukommen. Ein paar Frauen und Männer, die am Rand standen, sahen in der Tat aus wie Lehrerinnen und Lehrer. Ein paar von ihnen saßen neben den erwachsenen SchülerInnen und schrieben deren gesprochene Worte auf, so wie es auch Deirdre Felix für mich getan hatte.

Ich holte tief Luft, als müßte ich mir den Sauerstoff förmlich heraussaugen. Dann nahm ich einen Stift zu Hand, damit keine der Lehrkräfte zu mir kam, und drückte ihn auf den obersten Zettel des Schreibblocks vor mir auf dem Tisch. Mit gebeugtem Kopf sah ich mich im Raum um.

Die Tische waren in Hufeisenform aufgestellt. Lillian saß mir gegenüber in einem blauen, geblümten Hauskleid und kritzelte bereits eifrig auf ihrem Papier herum. Dabei lächelte sie in sich hinein. Ohne den Kopf zu drehen, schielte ich auf Charles' Zettel. In großen Druckbuchstaben hatte er »Meine Vrau Sheryl« aufgeschrieben.

Wenn ich nicht wollte, daß die Lehrerin wieder zu mir kam, sollte ich wohl besser loslegen. Also schrieb ich »Meine Froindin Witney.« Dennoch kam die Lehrerin an meinen Tisch.

»Kommen Sie zurecht, Lori?«

»Ja, danke.«

Ich drückte den Stift so fest aufs Papier, daß die Spitze abbrach, und wartete darauf, daß sie weiterging.

Sie hatte glatte blonde Haare und eine spitze Nase. Ihre Haut war so blaß, daß ihre Schläfen bläulich wirkten. Etwas an ihr erinnerte mich an Mrs. Roach. »Danke, ich komme zurecht«, wiederholte ich, woraufhin sie weiterging.

Ich radierte meine ersten Wörter aus und schrieb sie dann wieder auf. Um die durch den Raum gehenden LehrerInnen abzuwehren, beschloß ich, meinen Stift einfach ununterbrochen auf dem Papier zu lassen und so lange wie möglich zu schreiben, egal was. »Meine Froindin Witney. Sie is eine Günslerin. Sie is ser erlich. Sie hat ein ofnes Herz. Aber sie hat Anngs dafor das die Schwechen von andren Loiten anstekent sint. Was sie für die Schwechen von andren Loiten helt. Ich hab sie angelogen. Jezt is sie nich mer meine Froindin.«

Ich las meinen Aufsatz durch und war mit einem Mal stolz auf mich. So viel hatte ich in meinem ganzen Leben noch nicht am Stück geschrieben. Doch dann wurde mir ganz heiß, und ich hörte wieder die Kinder johlen. Ich legte die flache Hand auf den Zettel, krampfte die Finger zusammen und wollte das Papier gerade zerknüllen, als Charles meine Hand packte. Völlig überrascht, fuhr ich zusammen und gab einen komischen Ton von mir. Er lachte.

»Hey«, sagte er, »nicht wegwerfen.« Dann legte er seinen Zettel auf meinen. »Guck mal«, meinte er, »was hältst du davon?«

Ich las mit, während er mir seine Geschichte vorlas: »Meine Vrau Sheryl. Sheryl is die schönse Vrau die ich kenn. Sie is ne gute Muter. Wir ham uns 1978 kenn gelernt. Wir sin sait 18 Jan zusamm.«

»Achtzehn Jahre«, sagte ich. »Wie habt ihr das denn geschafft?«

Charles zuckte mit den Schultern und lächelte.

»Ich war noch nie länger als zwei Jahre mit jemandem zusammen.«

»Man muß schon was dafür tun«, sagte er. »Ziemlich viel sogar. Über wen hast du denn geschrieben?«

Ich sah auf meinen Zettel. »Über eine Freundin. Wir hatten Streit.«

»Hmm, wie schade.«

Nun stellte sich die Lehrerin vor die Klasse und fragte, wer als erstes vorlesen wollte. Lillian hob den Arm und begann stockend, aber offensichtlich hochzufrieden zu lesen. Sie hatte über ihr zweijähriges Enkelkind geschrieben, und ihre Schilderung war wirklich lustig. Als sie fertig war, klatschte die ganze Klasse. Dann kamen ein paar andere an die Reihe und schließlich Charles, der seine Worte langsam und ernsthaft aussprach und sich dabei immer wieder über die Lippen leckte. Auch diesmal klatschten alle.

Der Applaus fühlte sich genauso prickelnd und anregend an wie ein Gläschen Champagner. Völlig von Sinnen, hob ich die Hand, und die Lehrerin nickte. Ich las: »Meine Froindin Witney. Sie is eine Günslerin. Sie is ser erlich. Sie hat ein ofnes Herz. Aber sie hat Anngs dafor das die Schwechen von andren Loiten anstekent sint. Was sie für die Schwechen von andren Loiten helt. Ich hab sie angelogen. Jezt is sie nich mer meine Froindin.«

Schweigen.

Dann murmelte jemand: »Das ist aber traurig.«

Und jemand anderes: »Das mit der Künstlerin ist beeindrukkend.«

Charles fing an zu klatschen. Am liebsten hätte ich ihn mit dem Ellbogen angestoßen und »Hör auf!« gesagt, aber dann fielen auch andere mit ein. Schließlich klatschte die ganze Klasse. Und obwohl ich mich zunächst dagegen wehrte, konnte ich es doch nicht verhindern, daß der Beifall mich in meinem Inneren tief berührte.

Als der Applaus abklang, bemerkte ich den fast verkrampften Zug um meine Mundwinkel – ich lächelte. Die Lehrerin sagte: »Lesen Sie Ihre Geschichte doch bitte noch einmal vor. Ich würde sie gerne noch einmal hören.«

Und in diesem Augenblick hörte die Zeitlupe auf, und alles verlief wieder in einem normalen Tempo. Ich wiederholte meine Geschichte, diesmal lauter, und sah dabei mit Sicherheit genauso dämlich und selbstzufrieden aus wie Lillian.

Das Schönste an meiner Geschichte war, daß sie stimmte. In der Pause trank ich löslichen Kaffee, verdrückte dazu mindestens zwölf *Lorna Doones*-Mürbekekse und unterhielt mich aufgekratzt mit den anderen Leseanfängerinnen und -anfängern, als würde ich sie schon seit Jahren kennen. Aber das war ja auch so. Sie waren mein Vater. Sie waren ich selbst.

20

ICH SASS AN meinem neuen Küchentisch. Er war nur ungefähr sechzig mal sechzig Zentimeter groß und stand mitten im Raum – wo hätte er auch sonst hingepaßt? Zusammen mit einem Stuhl hatte ich ihn bei einer Wohnungsauflösung in meiner Straße erstanden. Obwohl ich den Tisch wirklich haben wollte, hatte ich mich immer noch nicht ganz mit ihm angefreundet. Beim Hinsetzen hörte ich jedesmal ihre Stimme: »Wo ißt du denn? Wo schreibst du?« Vermutlich wollte ich noch nicht wirklich zugeben, daß mir ein Platz zum Essen wichtig war. Und zum Schreiben. Heute abend saß ich an dem Holztisch, und vor mir lag aufgeschlagen *Desert of the Heart*. Mickey hatte sich auf meinem Bett zusammengerollt.

»Z-u-f-a-l-l«, rief ich Mickey zu.

Vom Bett her drangen leise Tiergeräusche zu mir.

»Lauter«, sagte ich, »ich verstehe dich sonst nicht.«

»So wie man's liest«, rief er. »Zufall!«

»Danke. Das hätte ich wirklich alleine herauskriegen können«, gab ich zu. Seit ein paar Wochen versuchte ich, *Desert of the Heart* zu lesen, war aber erst bis Seite zehn gekommen.

»Meinst du, ich sollte da mal hinfahren?« meinte Mickey weinerlich.

»Wo sie *wohnt*?«

»Ja.«

»Um was zu tun?«

»Weiß ich nicht«, stöhnte er. »Mit ihr reden.«

»Nein, ich finde, das solltest du nicht tun. Was ist denn S-a-r-k-a-s-m-u-s?«

»Sarkasmus. Das Wort solltest *du* doch eigentlich kennen.«

Einen Satz später blieb ich wieder hängen, und als ich Mickey gerade um Hilfe bitten wollte, sagte er: »Ich könnte hinfahren und ihr einfach erklären –«

»Versprich mir, daß du nicht zu Sheila fährst.« Wie konnte ich Mickey nur klarmachen, daß man sich nicht wieder in das Leben eines Menschen hineinerklären konnte? So funktionierte die Sache einfach nicht. Ich schlug mein Buch zu. Um ihn abzulenken, sagte ich: »Das wollte ich dir noch erzählen. Am Dienstag bin ich zu Deirdre Felix gefahren, um einen Platten an ihrem Rad zu reparieren, und –«

»Ein Hausbesuch wegen einem Platten?« fragte Mickey, setzte sich aufrecht hin und rieb sich die Augen.

»Jaja, na und? Jedenfalls war ihr Haus praktisch leergeräumt. ›Wo sind denn die ganzen Kunstgegenstände?‹ habe ich gefragt. Und sie meinte, Arnie hätte alles mitgenommen. Kannst du dir das vorstellen? Das Gericht entscheidet, daß sie das Haus bekommt, aber die Kunstgegenstände wurden nicht erwähnt. Also hat er sie allesamt mitgenommen, zusammen mit der Hälfte der Möbel.«

»Das ist hart«, erwiderte Mickey. Endlich beteiligte er sich an diesem Gespräch. Für die Katastrophen anderer Leute hatte er im Augenblick ein offenes Ohr. »Aber findest du nicht, daß du langsam ein bißchen übertreibst mit dieser Deirdre Felix?«

»Was meinst du damit?«

»Bei mir hast du dich ständig darüber aufgeregt, daß Sheila erst sechzehn ist. Und Deirdre Felix ist wie alt? Sechzig oder fünfundsechzig?«

»Das ist doch was ganz anderes. Wir haben ja keine Affäre oder so etwas.«

»Wenn du meinst«, antwortete er und rollte sich wieder zu einer Kugel zusammen.

Nun hatte er *meine* Aufmerksamkeit. »Also, es ist jedenfalls nichts Sexuelles. Zumindest glaube ich das nicht. Aber irgendwie bin ich schon in sie verliebt.«

Mickey antwortete nicht.

»Hör mal, komm doch am Samstag mit uns Fahrrad fahren. Dann könntest du sie kennenlernen. Außerdem hast du schon seit Wochen nicht mehr auf deinem Rad gesessen.«

Mickey stöhnte.

»Verdammt Mickey, gib dir einen Tritt in den Hintern und komm mit.«

»Ich gebe mir einen Tritt in den Hintern und fahre mit euch Fahrrad, sobald du dir eine neue Lehrerin gesucht hast. Ich habe keine Lust mehr, dir ständig diese ganzen Wörter zu sagen.«

»Noch mehr Abmachungen, oder wie? Nein, danke.«

»Dann hör auf, mir zu raten, was ich tun soll.«

Ich seufzte. »Ich gehe jetzt schlafen.«

Mickey erhob sich von meinem Bett und zog seine Jacke nur halb an, so daß sie völlig schief über einer Schulter hing. Seine Augen sahen aus wie die eines Waschbären.

Obwohl mich seine ständige Trauermiene einerseits verrückt machte, tat es mir andererseits weh, Mickey in einem so elenden Zustand zu sehen. Ich wünschte, ich könnte ihm glaubhaft versichern, daß er irgendwann selbst wieder lieben könnte und auch wieder geliebt würde. Ich wünschte, er wäre auf seinem persönlichen Erfahrungsweg schon ein Stück weiter. Manchmal wünschte ich mir sogar, er wäre stärker als Mann sozialisiert worden.

Ich legte meine Hand auf seine Brust und drückte ihn zurück aufs Bett. Er fiel um wie eine Stoffpuppe, ein Körper ohne eigenen Willen. Dann hievte ich seine Beine hoch, holte einen kalten Waschlappen und legte ihn auf seine Stirn.

»Möchtest du hier übernachten?«

Möglicherweise hatte er genickt. Jedenfalls bewegte er sich nicht.

Ich putzte mir die Zähne, zog meine Jeans und meinen BH aus und kletterte im T-Shirt ins Bett. Mickey lag oben auf der Decke und hatte immer noch den Waschlappen auf den Augen.

»Vielleicht«, sagte ich, »vielleicht sollten wir uns langsam ein paar Gedanken zu unserem Fahrradladen machen. Also uns nach einem geeigneten Raum umsehen und so weiter.«

Mickey riß sich den Waschlappen vom Gesicht. »Echt?« fragte er. »Meinst du wirklich?«

Endlich bekam ich das Lächeln, auf das ich es angelegt hatte. Endlich klappte sein verrücktes Gesicht auseinander, zum ersten Mal seit Tagen.

Ich beugte mich zu ihm und gab ihm einen Kuß auf die Wange. »Vielleicht. Schlaf jetzt.«

»Los, flirte mit ihr«, forderte ich Mickey auf. Wir saßen im *Mel's Diner*, um zu Abend zu essen, und Mickey fand die Bedienung hübsch.

»Na klar«, antwortete er, als sei er davon überzeugt, daß sie sich auch in einer Million Jahren nicht für ihn interessieren würde.

»Setz dich erstmal anders hin.« Über den Tisch hinweg drückte ich ihn sanft auf die Brust und hoffte, dadurch seine innere Faust zu mobilisieren, die ich kurz wahrgenommen hatte. Manchmal zeigte sie sich schon. Auf der Arbeit wirkte er in letzter Zeit ein bißchen maskuliner, irgendwie kerniger. Hin und wieder hatten seine schokoladenbraunen Augen nun Ähnlichkeit mit dem Glas von alten braunen Flaschen am Straßenrand, die zwar das Licht widerspiegelten, an denen man sich aber auch schneiden konnte. Meiner Meinung nach war das ein gutes Zeichen. Süß zu sein, reichte eben nicht aus.

Die Bedienung kam zurück und knallte zwei Gläser mit Eiswasser auf den Tisch. Ich trat Mickey ans Schienbein und versuchte, ihm telepathisch die Botschaft zu übermitteln: *Flirte mit ihr, jetzt!*

Mickey starrte auf seine Speisekarte.

»Fertig?« fragte die Bedienung.

»Noch nicht ganz«, antwortete ich. Als sie ihren Block wieder in die Schürzentasche gleiten ließ, fügte ich hinzu: »Wissen Sie, ich brauche etwas mehr Zeit, um die Speisekarte zu lesen. Ich bin nämlich Leseanfängerin.« Da sie mich völlig verwirrt ansah, ergänzte ich: »Also, ich lerne gerade lesen.«

»Aha!« meinte sie sichtlich schockiert und sagte dann langsam und übertrieben deutlich: »Dann – lassen – Sie – sich – genug – Zeit.« Als sie weg war, schüttelte Mickey den Kopf und sagte: »Mußt du denn allen immer alles erzählen?«

»Ja«, sagte ich, »muß ich.«

Von Mickey und Deirdre Felix abgesehen, war die Bedienung die sechste Person, der gegenüber ich mich in den letzten Wochen als Leseanfängerin »geoutet« hatte.

In der vergangenen Woche hatte meine Mutter gesagt: »Lori, bei dir ist es auch wirklich immer etwas anderes. Du hast immer für alles eine Ausrede.« Als hätte ich mir eine Behinderung zugelegt, um mich interessant zu machen.

Als die Bedienung etwa eine halbe Stunde später wiederkam, bestellte ich Pommes Frites und einen Truthahnburger. Zu Mickey gewandt, fragte sie: »Und was ist mit dir?« Als sei er fünf Jahre alt.

Trotzdem sagte ich, als sie fort war: »Du hast sie noch nicht einmal angeschaut.«

»Sie interessiert mich nicht. Sie sieht gut aus, mehr habe ich nicht gesagt. Ich will keine andere.«

Ich verdrehte die Augen.

»Deshalb brauchst du nicht gleich die Augen zu verdrehen.«

»Hey, sie kommt wieder her«, sagte ich. »Schenk ihr einfach dein strahlendes Lächeln. Mehr mußt du gar nicht tun.«

Sie stellte die Pommes Frites zwischen uns auf den Tisch. »Die Burger kommen gleich.«

»Du hast es nicht getan.«

Mickey schwieg.

»Habe ich dich in Verlegenheit gebracht, als ich ihr sagte, daß ich nicht lesen kann?«

»Du bringst mich immer in Verlegenheit.«

»Tut mir leid.«

Er zuckte mit den Schultern. »Außerdem *bist* du gar keine Leseanfängerin. Du hast nämlich keine Lehrerin. Das einzige, was du tust, ist mit deiner Ex-Lehrerin Fahrrad zu fahren.«

Ich war gekränkt, daß er weder den Bücherstapel in meiner Wohnung noch die vielen Abende in Betracht zog, die ich mich durch *Desert of the Heart* durchkämpfte, fest entschlossen, ein ganzes Buch zu lesen, während er sich griesgrämig auf meinem Bett lümmelte. Aber in gewisser Hinsicht hatte er natürlich recht. Daher sagte ich: »Ich warte darauf, daß ihre Scheidung durch ist.«

»Das kann noch Jahre dauern.«

»Wie ist es dir eigentlich gelungen, das Thema von dir und der Bedienung auf mich und das Lesen zu bringen?«

»Ich habe dir gerade gesagt, daß die Bedienung mich nicht interessiert.«

»Ein bißchen mehr Respekt«, meinte ich. »Auf ihrem Namensschild steht ›Phyllis‹. Sag nicht einfach nur ›die Bedienung‹.«

Mickey lächelte.

Als die Bedienung mit unseren Burgern zurückkam, zwinkerte er ihr zu und sagte: »Danke, Phyllis.«

Ich verschluckte mich an einem Pommes Frites und mußte dann so lachen, daß ein Teil der halbzerkauten Kartoffel aus meinem Mund flog.

»Hör auf«, sagte Mickey. »Jetzt guckt sie schon zu uns.«

Plötzlich sah Mickey aus, als habe man ihm soeben eine zehn Tage alte Leiche präsentiert.

Ich folgte seinem Blick und sah Sheila zusammen mit einer anderen Teenagerin und zwei Jungs an der Tür zu *Mel's Diner*. »Scheiße«, sagte ich.

Die vier wurden an einen Tisch geführt, der zwischen uns und der Tür stand. Einer der beiden Jungs kniff Sheila in den Hintern. Sie quiekte und schlug ihm auf die Hand.

»Komm, wir gehen«, sagte ich zu Mickey. »Wir gehen einfach. Los, komm schon. Sieh sie gar nicht an. Geh nur mit mir mit.«

Ich legte ihm die Hand zwischen die Schulterblätter und schob ihn sanft in Richtung Ausgang. Er machte mit, bis wir an Sheilas Tisch vorbeikamen. Dort drehte er um.

»Warum hast du mich nicht angerufen?« fragte er sie. »Du hättest wenigstens anrufen können. Deine Eltern können dir doch nicht das Telefonieren verbieten.« Als würde er die Elterngeschichte glauben.

Die andere Teenagerin – sie hatte blond gefärbte Haare und war stark geschminkt –, formte ihre Lippen zu einem großen O und hielt sich ihre langen Finger mit den rosa lackierten Nägeln vor den Mund. Sheila preßte nervös die Lippen zusammen, aber ihr Blick blieb weiterhin verschleiert und undeutbar.

Die beiden Jungs fingen an zu lachen.

In den letzten beiden Wochen hatten Mickey und ich hier schon etwa fünfmal gegessen, und erst jetzt dämmerte mir weshalb. In *Mel's Diner* hingen immer jede Menge Jugendliche herum. Warum hatte ich seine neue Schwäche für Hamburger und Pommes Frites eigentlich nicht früher durchschaut?

Als Mickey sich seinen Weg zu Sheilas Platz bahnte, folgte ich ihm auf den Fersen. Ich legte ihm den Arm um die Taille und tat so, als sei ich seine neue Geliebte, aber wahrscheinlich sah ich eher aus wie seine Betreuerin. Dennoch spürte ich, daß der Körperkontakt ihm guttat.

Dann fing seine Unterlippe an zu zittern. O mein Gott, Mickey würde doch wohl nicht hier vor diesen Halbwüchsigen in Tränen ausbrechen.

Die beiden Jungs zappelten auf ihren Stühlen herum, stießen sich gegenseitig die Ellbogen in die Rippen und krümmten sich vor Lachen. Schließlich meinte einer von ihnen: »Kennst du diesen Typen, Sheila?«

Sie sah hinunter auf ihr Besteck, das sie krampfhaft in beiden Händen hielt. Sie lachte zwar nicht mit den anderen mit, sah Mickey aber auch nicht an.

Sheila ist erst sechzehn, dachte ich. Was weiß sie schon vom Leben?

Ich war froh, daß Mickey dann doch nicht zu heulen anfing. Er nahm Sheila das Besteck aus der Hand, was sie widerstandslos zuließ. »Okay«, sagte er. »Okay.«

Zusammen verließen wir das Lokal, während Mickey immer noch das Besteck in der Hand hielt. Eines würde er bis zum Ende seiner Tage mit Sicherheit nicht mehr vergessen: das Gelächter dieser Jugendlichen.

21

AM ERSTEN SAMSTAG im Oktober stand ich zusammen mit ein paar anderen in der »Raucherecke« draußen vor der Bibliothek. In einer Viertelstunde sollte das Programm beginnen, und die meisten aus meinem Kurs und ein Großteil des Publikums waren bereits hineingegangen. Charles und seine gesamte Großfamilie – seine Frau, zwei Töchter, sein Bruder, seine Schwägerin und drei Nichten – waren so feierlich angezogen, als gingen sie zu einer Hochzeit. Ich kam mir viel zu leger gekleidet vor und dazu völlig unvorbereitet. Diese Aufführung würde ich nicht durchstehen. Es war eine Sache, einer Bibliothekarin, der Bedienung im Restaurant oder sogar der einen oder anderen Kundin auf der Arbeit spontan mitzuteilen, daß ich Leseanfängerin war. Aber öffentlich vorzulesen – und dazu mit Mikrofon –, was ich selbst geschrieben hatte, stand auf einem ganz anderen Blatt. Eigentlich sollten wir, die wir den Schreibkurs absolviert hatten, auf diese Weise gefeiert werden, aber mir kam die Sache schlicht vor wie eine furchtbare Blamage. Ich selbst hatte niemanden eingeladen.

Gerade als ich mir überlegte, ob ich mich nicht unauffällig verdrücken und zum Beispiel in einer Seitenstraße verschwinden könnte, ohne daß Charles oder die anderen das merkten, hielt eine Harley am Straßenrand an. Die Fahrerin, eine kräftige Frau in Levis-Jeans, einer schwarzen Lederjacke und Motorradstiefeln, half einer anderen kräftigen Frau, die Stützstrümpfe und ein glänzendes rotes Partykleid trug, beim Absteigen. Die Beifahrerin nahm den Helm ab und reichte ihn ihrer Chauffeurin. Die Frau in dem roten Kleid war Lillian.

»Mom«, sagte die andere Frau, »wann soll ich dich denn abholen?«

»Laß mal, Kleine«, antwortete Lillian. »Mich wird schon jemand nach Hause fahren.«

»Na dann, Hals- und Beinbruch!« meinte der behelmte Kopf. Dann brauste die Harley wieder los und fädelte sich in den Verkehr auf der University Avenue ein.

Ich wandte mich Lillian zu, um sie zu begrüßen. »War das die Tochter mit dem zweijährigen Enkelsohn, über den du geschrieben hast?« fragte ich.

Lillian lachte. »Um Gottes Willen, nein. Maria ist nicht verheiratet.«

Einen Augenblick später kam die Harley zurück. Diesmal parkte Maria die Maschine am Straßenrand und stieg ab. Sie öffnete den Seitenkoffer und holte eine Handtasche aus rotem Lackleder mit goldener Schnalle heraus. Beim Anblick dieser Kombination von Abendtasche und Motorradkleidung mußte ich schmunzeln. Als sie Lillian entdeckte, lächelte sie: »Mom, beinahe wäre ich mit deiner Handtasche weggefahren.«

»Oh!« Lillian griff nach der Tasche, die genau zu ihrem Kleid paßte. »Bist du sicher, daß du nicht bleiben möchtest, Kleine? Es gibt sicherlich was Leckeres zu essen.«

»Jaja, ganz sicher«, sagte Maria. Dann fiel ihr Blick auf mich.

»Eine nette Maschine«, sagte ich.

»Fährst du auch?«

»Hmm, schon«, log ich. Eine halbe Lüge.

Maria winkte mich zu ihrem Motorrad. Sie nahm den Helm ab, legte ihn auf den Sitz und ging in die Hocke, um mir zu zeigen, wo sie gerade am Motor herumgebastelt hatte. Ich bewunderte die Einzelteile und betrachtete auch Maria etwas näher. Die Frau, die Lillian »Kleine« nannte und mit Häppchen zu locken versuchte, war bestimmt zehn Jahre älter als ich und hatte kurze, bereits grau werdende Haare.

Um ein Gespräch in Gang zu bringen, sagte ich: »Bist du Kfz-Mechanikerin?«

»Im Augenblick bin ich arbeitslos. Deshalb wohne ich bei meiner Mom. Aber stimmt schon, ich hab ziemlich viel Ahnung von Zweirädern.«

Daraufhin offenbarte ich mich ihr als Fahrradmechanikerin.

»Toll«, erwiderte sie. Und dann: »So.« Sie sah ihr Motorrad an, als sei es eine Frau, mit der sie jetzt gerne allein sein wollte.

Ich blieb einfach stehen und grinste. Für mich war das Motorrad in diesem Moment gleichbedeutend mit Flucht und Kraft. Ich mußte flüchten, und meine eigene Kraft stellte sich gerade nur als ein Riesenvakuum dar. Zwar wollte ich Charles, Lillian und die anderen nicht sitzenlassen, aber dieses öffentliche Lesen war einfach zuviel für mich. Zumindest heute.

Ich legte eine Hand auf den glatten, abgewetzten schwarzen Ledersitz und streichelte ihn.

»Also, ähm«, sagte Maria, »war nett, dich kennenzulernen.«

»Meinst du, wir könnten vielleicht eine kleine Tour machen?« fragte ich.

Maria trat einen Schritt zurück.

»Ich muß hier raus«, erklärte ich und zeigte mit dem Kopf auf die Bibliothek. »Eigentlich soll ich zusammen mit deiner Mutter an diesem Programm teilnehmen, aber das schaffe ich heute nicht. Es ist mir einfach zuviel.«

»Oh«, sagte sie. Offensichtlich hatte sie begriffen. Sie sah zuerst in Richtung Küste, dann zu mir und zuckte schließlich mit den Schultern. »Warum nicht? Wohin?«

»Wieviel Zeit hast du denn?«

Endlich entspannte sie sich, lächelte und meinte: »Eigentlich den ganzen Tag.«

»Ich kenne da diesen Strandabschnitt, wo ich einmal einen Wanderfalken gesehen habe.«

»Okay, fahren wir da hin.«

»Ehrlich? Ist das dein Ernst?«

Maria gab mir Lillians Helm, schwang ihr massiges Bein über den schwarzen Motorradsitz und ließ sich auf ihrem kräftigen Hintern nieder. Dann drehte sie den Zündschlüssel, woraufhin die Harley dröhnend ansprang. Ich kletterte auf den Beifahrersitz, rief ihr die Wegbeschreibung zu, und dann fuhren wir los. Zunächst versuchte ich, mich nur an Marias Jacke festzuhalten, aber das Rindsleder war zu dick, so daß ich sie letztlich mit beiden Armen umfassen mußte. Da sie den Reißverschluß an ihrer Jacke nicht zugezogen hatte, plazierte ich meine Hände unterhalb ihrer Brüste. Ich legte meinen Helm an ihren Rücken und hielt mich fest. So fuhren wir über eine Stunde lang – ich auf einem Motorrad an eine Frau geklammert, die ich überhaupt nicht kannte. Dennoch hatte diese Fahrt etwas Klares, etwas ganz Deutliches. Vielleicht war es der Rausch, entkommen zu sein – manchmal hat Freiheit ja diesen Effekt, daß man alles viel klarer sieht und fühlt –, aber es lag auch an Maria selbst. Ihr fülliger Körper an meiner Brust, an den Innenseiten meiner Arme und Oberschenkel fühlte sich gut an. Seltsamerweise war sie mir ganz vertraut.

Als wir an der Küste ankamen, dirigierte ich sie zu dem Strandabschnitt, an dem ich damals den Wanderfalken gesehen hatte. Sie parkte ihr Motorrad, und wir stiegen ab. Sie lachte, weil ich schwankte und nach ein paar o-beinigen Schritten meine Beine ganz durchzustrecken versuchte. »Hast du nicht gesagt, daß du auch fährst?« fragte sie.

Dichte Nebelschwaden hingen über den Felsvorsprüngen und dem Wasser. Selbst wenn da heute Wanderfalken von den Klippen herabstießen, wäre keiner zu sehen. Wir gingen zu dem großen Felsen, auf dem Whitney damals saß, und ich kletterte hoch. »Komm«, rief ich Maria zu, die den Felsen mißmutig ansah. Aber dann kraxelte sie trotzdem hoch, obwohl ihr – das glaubte ich zu spüren – ihre Schwerfälligkeit peinlich war. Ich machte es mir in einer flachen Mulde oben auf dem Felsen gemütlich und rückte zur Seite, um Maria Platz zu machen. Ganz außer Atem ließ sie sich neben mir in der Felsvertiefung nieder, wo unsere Körper zwangsläufig aneinanderstießen. Schweigend lagen wir ein paar Minuten aneinandergelehnt da. Während Maria ihre Augen geschlossen hatte, betrachtete ich den austernfarbenen Himmel.

Wieviel hatte sich im letzten Jahr geändert, seit damals, als ich Whitney auf diesem Felsen zum ersten Mal sah. Als die heißen Sonnenstrahlen an jenem Tag auf das Wasser, den Sand und ihre Haare fielen, hatte ich ein Strohfeuer für möglich gehalten. Aber am Ende behielt Whitney doch recht: nichts als Schall und Rauch. Allerdings nicht nur meinerseits. Ich hatte zwar gelogen, aber da war ich nicht die einzige. Die Frau, die ich an jenem Tag kennenlernte, war eine Künstlerin, eine Frau mit glühendheißen Haaren, die auf einem großen Felsen am Meer saß. Getrennt hatte ich mich von einem pfirsichfarbenen Kostüm. Die Whitney, die ich hätte lieben können, hatte sich aus dem Staub gemacht. Vielleicht waren Whitney und ich uns einfach auf der Reise begegnet – ihre führte zu einem Zufluchtsort und meine nach Hause. Ich lehnte mich an die große, kräftige

Maria, sah zum Himmel hinauf, der an diesem Tag grau und undurchdringlich aussah, und war innerlich plötzlich ganz ruhig und gelassen.

Inzwischen war die Aufführung bestimmt zu Ende. Die Kekse aufgegessen, der Kaffee ausgetrunken, das Mikrofon abgebaut, die Kabel zusammengerollt und im Schrank verstaut. Okay, dann hatte ich mir eben auch eine Art Zufluchtsort gesucht, aber nur für heute. Ich gab nicht auf, sondern gönnte mir bloß eine Pause. Charles würde mir mit Sicherheit den Kopf waschen, weil ich weggeblieben war.

»Hey, Maria?«

»Hmm.«

»Liest du? Ich meine, *kannst* du lesen?«

»Na klar.« Sie richtete sich auf, setzte sich so hin, daß sich unsere Körper nicht mehr berührten, und betrachtete eine Stelle nicht sehr weit entfernt, wo das Meer in die Nebelwand überging. Ich hätte wetten können, daß sie es nicht konnte, zumindest nicht besonders gut.

»Weißt du, was ich am allerliebsten tun würde?« fragte ich.

»Nee.« antwortete Maria.

»Ich würde meiner Lehrerin gerne genauso viel geben, wie sie mir gegeben hat.«

Maria verkrampfte sich, zwar kaum sichtbar, aber ich hatte es dennoch bemerkt und war mir sicher, daß meine Vermutung über ihre Lesekenntnisse richtig war.

»Hört sich gut an«, meinte sie mit einer gewissen Unbehaglichkeit in der Stimme.

»Wie wär's, wenn wir uns etwas zu essen holen würden?« fragte ich, um die Spannung zu lösen. »Zum Beispiel ein paar Spare Ribs.«

»Hört sich gut an.«

Auf dem Weg zurück zu dem Motorrad sprachen wir kein Wort, stapften durch den Sand und kickten Steine in den Nebel.

Die Rückfahrt in der Abenddämmerung hatte etwas Zauberhaftes, als sausten wir durch ein Sternenmeer. Die Geschwindigkeit machte mich ganz high, und ich genoß den freien Raum um mich herum. Mickey hatte übrigens unrecht. Ich war nämlich trotz alledem eine Leseanfängerin. Gut, ich hatte keine Lehrerin, da hatte er recht, und ich brauchte auch eine, aber ich hatte begriffen, daß Sprache so etwas war wie ein freier Raum oder vielmehr wie die Bewegung durch freien Raum. Diese Erkenntnis machte mich zu einer

Lesenden. Ich würde mir eine Lehrerin suchen, aber vielleicht war Deirdre Felix ja auch bald wieder bereit zum Unterrichten. Im Augenblick wollte ich einfach nur diesen freien Raum in mir und um mich herum genießen. Ich dachte an die Zeiten, als ich bei der Arbeit mit Deirdre Felix das Gefühl gehabt hatte, als würde mein Inneres nach außen gekehrt; dann folgten die Monate der Leere, das Empfinden, als hätte ich alles in mir zerstört. Aber dem war nicht so. Ich hatte nur den riesigen Müllhaufen meiner Abwehr zerstört, den ich im Laufe der Zeit um mein schwaches Selbstbild aufgebaut hatte, demnach ich unzulänglich und unwissend war und kein Anrecht auf irgendetwas hatte. Sobald dieser Müllhaufen einmal abgetragen war, konnte an seiner Stelle etwas Neues wachsen. Und da wuchs auch etwas. Gewiß würde ich niemals Jura studieren, aber darum ging es auch gar nicht. Es ging schlicht darum, daß ich lesen lernte. Und ich wünschte mir so sehr, daß das jemand merken würde. Daß Deirdre Felix es merken würde.

Wir dachten nicht mehr an die Spare Ribs und hielten kein einziges Mal an, nicht einmal, um zu tanken. Ich konnte den Tacho zwar nicht sehen, hatte aber das Gefühl, als würden wir mit mindestens hundertfünfzig Sachen dahinbrausen. Am liebsten hätte ich den Helm abgesetzt und den Wind in meinen Haaren gespürt, mich auf den schwarzen Ledersitz gestellt, die Arme ausgestreckt und den Kopf zurückgeworfen – wie Zirkusartistinnen auf ihren Pferden.

Lange nach Einbruch der Dunkelheit setzte Maria mich zu Hause ab. Ich kam mir vor, als sei ich ordentlich durchgespült worden; mein Inneres fühlte sich leuchtend sauber und pfefferminzfrisch an. Ich bedankte mich bei ihr für die Fahrt und ging den Pfad hinunter zu meinem Häuschen.

Auf einmal hörte ich jemanden auf mich zukommen.

»Lori?«

»Wer ist da?«

»Ich bin's, Edith.«

Wir umarmten uns lange und fest.

»O Lori, es tut mir so leid, daß ich mich so lange nicht gemeldet habe. Und dann ist es mir auch so unangenehm, daß, puh, ich krieg's kaum über die Lippen, aber wegen unserem Treffen im Mai – ich komme mir so mies vor, weil ich dich versetzt habe.«

Der Termin am fünften Mai! Und ich dachte, ich hätte *sie* versetzt! »Schon okay«, sagte ich und fragte: »Habt ihr euch getrennt, du und –« wie hieß sie nochmal? »– deine Liebste?«

»Woher weißt du das?« fragte Edith ganz erstaunt.

»Übersinnliche Fähigkeiten. Komm rein. Ich mache dir etwas zu essen.«

22

ES FIEL MIR schwer, zugeben zu müssen, daß selbst ich ein Gerät nicht reparieren konnte, aber mein Kassettenrekorder war wirklich nicht mehr zu retten. Am Morgen nach der Marathonnacht im Juni, als ich mir meinen gesamten Kassettenbestand angehört hatte – inklusive jener mit der Liebesszene zwischen Whitney und mir –, war ich mit einer rostigen Heckenschere, die meine Vermieterin auf einem der beiden Gartensessel draußen liegengelassen hatte, auf das Teil losgegangen. Aber es war ohnehin ein billiges Gerät gewesen.

Also fuhr ich am Freitag während meiner Mittagspause zu einem Elektronikkaufhaus und kaufte mir einen neuen Deluxe-Rekorder. An diesem Abend machte ich eine unendlich lange Aufnahme. Ich erzählte, wie Whitney sich von mir getrennt hatte, von ihrem Zettel und meinen Antworten darauf. Ich beschrieb den Sonnenuntergang auf dem Dach meiner Vermieterin mit der anschließenden Polizeiszene sowie den Abend, als ich das Crossrad für Deirdre Felix entdeckte. Ich schilderte meine ausgedehnten Fahrradtouren und die »eindrucksvollen Details«, die mir in den Hügeln, an der Küste und in den Straßen der Stadt aufgefallen waren. Selbstverständlich redete ich ziemlich viel über Deirdre Felix, über die fehlenden Kunstgegenstände in ihrem Haus, ihre Scheidung und unsere gemeinsamen Ausflüge Samstag vormittags. Zum Schluß erzählte ich noch Mickeys ganze Geschichte von Anfang an. Als ich gegen Mitternacht endlich fertig war, hatte ich praktisch einen kompletten Wälzer auf Band aufgenommen.

Dann rief ich Mickey an. »Acht Uhr morgen früh am Breezeway-Markt.«

»Ich hatte schon geschlafen.«

»Gut. Dann bist du morgen früh wenigstens gut ausgeruht.«

»Okay«, sagte er.

Ich war verblüfft. Seit mehreren Wochen rief ich ihn jeden Freitagabend an. Manchmal hatte er mürrisch und manchmal jammernd verneint, aber er hatte immer verneint.

»Was?« fragte ich, nur weil ich dieses eine Wort noch einmal hören wollte, das Wort, das den Wandel einläutete, die Zukunft.

»Okay«, wiederholte er und legte auf.

»Ich liebe dich auch«, sagte ich, küßte den Telefonhörer und stellte vor dem Zubettgehen noch einmal den Kassettenrekorder an, um diese neue Entwicklung im Mickey-Kapitel festzuhalten.

Ich verschlief.

Um viertel nach acht stand ich mit dem Fahrrad zwischen den Beinen an der Ampel direkt gegenüber vom Breezeway-Markt, wartete auf »Grün« und beobachtete Mickey und Deirdre Felix, die nebeneinander auf der Bank neben dem Espresso-Stand saßen. Beide hielten den gleichen Pappbecher mit dampfendem Inhalt in der Hand, und ich fragte mich, wer von den beiden wohl den Kaffee besorgt hatte.

Mickey saß breitbeinig da und erzählte etwas auf seine unterhaltsame und gestenreiche Art. Ganz offensichtlich herrschte zwischen ihm und Deirdre Felix eine völlig lockere, entspannte Atmosphäre. Nun stand er auf, um irgendein Detail dramatisch in Szene zu setzen, und aus dieser Entfernung fiel mir an Mickeys Haltung eine Veränderung auf, die ich von nahem noch gar nicht bemerkt hatte. Der einzige Ausdruck, der mir dazu einfiel, war: keine Jungfrau mehr.

In seiner Trikotjacke mit den Logos namhafter Fahrradhersteller und seinen schwarzen Leggings sah er richtig sexy aus. Zwar bewegte er sich immer noch auf die ihm eigene alberne Art und Weise – zugleich dramatisch, dämlich und goldig, eben typisch Mickey –, aber anstatt wie sonst von dieser Haltung beherrscht zu sein, schien es nun ganz und gar seine geworden zu sein.

Als ich die Straße endlich überqueren konnte und zu ihnen stieß, war ich bereits eifersüchtig auf die Kumpelhaftigkeit, die offensichtlich zwischen den beiden herrschte.

»Ich sehe, ihr habt euch bereits miteinander bekannt gemacht«, sagte ich.

»Ja«, meinte Deirdre Felix mit Blick auf ihre Armbanduhr. Sie trug ebenfalls schwarze Radleggings und dazu eine königsblaue Trikotjacke. »Miguel und ich haben uns schon ein Weilchen unterhalten.«

»Ich bin spät dran«, sagte ich. »Tut mir leid.«

Da Mickey in bezug auf Pünktlichkeit genauso besessen war wie sie, nahm ich an, daß die beiden hier bereits einen gemeinsamen Nenner gefunden hatten.

»Tut mir leid«, wiederholte ich und sagte dann, zu Mickey gewandt: »Miguel, hm?«

»Miguel hat mir von eurem Fahrradladen erzählt«, fuhr Deirdre Felix fort und setzte mich somit höflich über die bisherige Unterhaltung in Kenntnis.

»Oh«, erwiderte ich und dachte, sie meinte den Laden, in dem wir arbeiteten, bis ich Mickeys verlegenen Blick bemerkte. Nein, er hatte ihr von dem Phantasieladen erzählt.

»Das ist ja so ein aufregendes Projekt«, meinte Deirdre Felix begeistert.

Wütend funkelte ich Mickey an.

Er erholte sich rasch von seiner Verlegenheit und verkündete: »Ja, ich habe Deirdre gesagt, daß wir sie ja anstellen könnten.«

»*Wie* bitte?«

»Ich hätte nichts dagegen«, entgegnete Deirdre Felix. »Möglicherweise brauche ich bald einen Job.«

Es gab aber keinen Fahrradladen. Was machte Mickey hier eigentlich?

Nun wandte sich Mickey direkt an mich. »Es ist nämlich so, daß ich vielleicht einen passenden Laden gefunden habe. In der University Avenue.«

Mir war, als würde ich von einem kleinen psychischen Erdbeben erschüttert. Meine gesamte Welt wackelte kurz und zerbarst in einzelne Bruchstücke, um sich gleich wieder zusammenzusetzen.

»Wirklich?« war alles, was ich in diesem Augenblick dazu sagen konnte.

Mickey nickte vehement. »Komm schon, Schnucki.« Er legte mir seine kalten Hände auf die Wangen und glitt mit den Fingern unter die Gurtbänder meines Helms. »Sei doch nicht so ein Hasenherz.«

Er rüttelte an meinem Gesicht, und ich mußte lachen.

»Okay, okay. Können wir vielleicht später darüber reden?« bat ich ihn.

»Ist dir das auch schon aufgefallen?« fragte Mickey Deirdre Felix. »Nach außen hin gibt sie sich immer so zäh, aber im Grunde ist sie butterweich. Ein butterweiches Hasenherz!«

Ich wagte nicht, Deirdre Felix anzuschauen, um zu sehen, wie sie reagierte.

»Fahren wir los«, schlug ich vor. Das reicht, Mickey. Ich vermißte bereits sein trübsinniges Gesicht.

»Hoch zum Grizzly Peak?« fragte Mickey. Normalerweise legten wir diese Strecke immer zu Anfang zurück, aber ob Deirdre Felix mit so viel Bergauffahren fertig werden würde, wagte ich zu bezweifeln.

Ich wollte gerade etwas einwenden, als ich merkte, wie sie zum Berg hochsah und nichts erwiderte. Wenn sie nicht widersprach, warum sollte ich es dann tun? Also antwortete ich: »Dann nehmen wir am besten die Tunnel Road.« Das war der gemächlichste Anstieg.

Beim Durchqueren der Stadt sprachen wir nicht miteinander. An der Tunnel Road angekommen, legten wir ein langsameres Tempo vor. Es war ein heller, klarer Morgen.

Nach den ersten eineinhalb Bergkilometern sagte Mickey: »Ich weiß nicht, warum ich nie mit Sheila hier hochgekommen bin.«

»Hätte ihr das denn gefallen?« fragte Deirdre Felix.

»Sie liebte die Natur«, antwortete Mickey, als sei Sheila bereits tot.

»Habt ihr keinen Kontakt mehr?«

Ausführlich schilderte Mickey nun seine Romanze mit Sheila, zählte all ihre Tugenden auf und machte trotz des Vorfalls im *Mel's Diner*, den er mit keinem Wort erwähnte, allein ihren Vater für ihren Rückzug verantwortlich.

Zunächst war ich eifersüchtig darauf, daß Mickey von Anfang an so unbefangen und freundschaftlich mit Deirdre Felix umging. Im Vergleich dazu wirkte meine eigene Verbundenheit mit ihr noch recht steif und dazu wie das Ergebnis mühsamer Anstrengungen. Doch als ich mich zu ihr umdrehte – sie fuhr direkt hinter mir –, lächelte sie und zwinkerte mir zu. Offenbar mochte sie Mickey und amüsierte sich ein bißchen über seine unschuldige, unerschütterliche Ernsthaftigkeit. Nicht daß sie sich über ihn lustig machte. Ich wußte, wie sie es meinte. Da lag so eine riesige Kluft zwischen ihren beiden Erfahrungen mit der Liebe. Deirdre Felix mußte der Weg zurück zu Mickeys Standort unendlich lang erscheinen.

Wir legten immer wieder Pausen ein, damit Deirdre Felix verschnaufen konnte, aber am Ende kamen wir oben am Skyline Boulevard oberhalb der Tunnel Road an. Dort bogen wir links ab in die in diesem Abschnitt flache Grizzly Peak Road. Noch immer trennten uns vom Gipfel zwei oder drei Kilometer. Ich lenkte mein Fahrrad in den Kies neben der Straße und hielt an. Vor uns breitete sich ein glitzerndes Panorama von San Francisco und der gleichnamigen Bucht aus. Hunderte von Segelbooten bildeten einen farbenprächtigen Regenbogen im Wasser.

Keuchend kam Deirdre Felix neben Mickey zum Stehen, legte ihm einen Arm um die Schulter und meinte: »Das mit Sheila tut mir leid.« Dann mußte sie plötzlich lachen, was ihr zwar sichtlich peinlich war, aber nichtsdestotrotz konnte sie sich nicht beherrschen. Diese Art von Lachen war wie ein Ventil, als würden sich sämtliche Emotionen in einem einzigen hysterischen Lachanfall Luft verschaffen. In letzter Zeit machte Deirdre Felix das häufig, und meiner Meinung nach war Lachen ein durchaus bewährtes Mittel gegen angestaute Anspannung – selbst zu unpassenden Gelegenheiten.

Aber Mickey schien gekränkt zu sein.

Um Deirdre Felix weitere Peinlichkeiten zu ersparen und uns allen einen Grund zum Lachen zu geben, forderte ich sie auf: »Erzähl ihm doch mal die Geschichte von der gegrillten Goldmakrele.«

Sie prustete los, und nachdem sie sich wieder ein wenig beruhigt hatte, schilderte sie Mickey die Begebenheit, woraufhin auch er sich den Bauch vor Lachen hielt – immerhin hatte er für gute Geschichten stets etwas übrig.

»Ich nehme an, wir sitzen alle drei im selben Boot«, meinte er schließlich.

»Und in was für einem Boot?« fragte ich.

»Im Boot der gebrochenen Herzen.«

»Gebrochene Herzen?« fragte ich zur gleichen Zeit, als Deirdre Felix »Wir drei?«ausstieß.

Stirnrunzelnd sah ich Mickey an.

»Wie«, meinte Mickey, »hast du ihr denn nichts von Whitney erzählt?«

»Wer ist Whitney?« fragte Deirdre Felix.

Ich ließ meinen Blick erneut über die herrliche Bucht schweifen. Was ich mit Whitney erlebt hatte, brach mir zwar nicht das Herz, aber war das nicht Haarspalterei? Mickey und Deirdre Felix warteten auf eine Antwort.

»Erinnerst du dich noch an den Sex-Workshop, von dem ich dir damals erzählt hatte?«

Deirdre Felixs Mundwinkel zuckten.

Ich lächelte. »Du hast recht, es war wirklich lächerlich. Aber dennoch hatte ich dort jemanden kennengelernt. Ich hatte dir doch von der Frau auf dem großen Felsen an der Küste erzählt, nicht wahr? Wir haben dann etwas miteinander angefangen.«

»Und?«

»Naja, man könnte sagen, daß ich mich in sie verknallt hatte. So ein bißchen.«

»Das könnte man in der Tat sagen«, stichelte Mickey. »*So ein bißchen*. Du meine Güte, Lori, komm schon, warum hältst du dich denn so zurück? Ich kann kaum glauben, daß du Deirdre nichts von alledem gesagt hast.«

Ich warf ihm noch einen warnenden Blick zu. Erstens, wie kam er überhaupt dazu, sie zu duzen? Und zweitens, ich teilte mit ihr eben keine Alltäglichkeiten aus meinem Leben. Deirdre Felix und ich, wir beschäftigten uns mit Literatur und gingen zusammen ins Ballett. Und jetzt war ich ihre Trainerin.

Deirdre Felix verschränkte die Arme. Inzwischen war die Bucht unterhalb von uns in ein grelles, nahezu metallisch-goldenes Licht getaucht, und plötzlich wurde mir klar, daß wir uns schon seit einem Jahr kannten.

»Spuck's schon aus«, sagte sie und stieß Mickey mit dem Ellbogen an. »Wir sollen hier vor dir unsere ganze schmutzige Wäsche waschen, und du stehst dabei und tust völlig abgeklärt?«

»Abgeklärt? Ich?« fragte ich lachend. »Überhaupt nicht. Eigentlich ist die Sache ganz einfach. Ich hatte ihr nicht erzählt, daß ich nicht lesen kann und mußte ziemlich viele Notlügen auftischen, um es zu verdecken. Und als sie schließlich dahinter kam, war sie stinksauer und hat sich prompt von mir getrennt.«

Ich sah Mickey an, der diese Version noch nicht kannte. Er schlug seine langen Wimpern einen Augenblick lang nieder und sah mir dann direkt in die Augen. »Das habe ich nicht gewußt«, sagte er. »Ich habe nicht gewußt, daß es so passiert ist.«

Deirdre Felix schwieg, und in diesem Augenblick wollte ich sie nicht ansehen. Natürlich hatte sie für Lügen nicht viel Verständnis, und wer konnte ihr das schon verübeln?

»Sie hätte damit aber auch nicht umgehen können, selbst wenn du's ihr gesagt hättest«, meinte Mickey spöttisch. »Sie war viel zu sehr in ihrem Oberlin-Snobismus verstrickt.«

»Oberlin?« sagte Deirdre Felix jetzt. »Dort haben Arnie und ich uns kennengelernt.«

»Uhps«, sagte Mickey.

»*Pffh*«, tat sie Oberlin ab und fuhr fort: »Wie lange wart ihr denn zusammen, du und Whitney?«

»Ein halbes Jahr.«

»Und wie kam sie dahinter?«

Also erzählte ich Deirdre Felix und Mickey von dem ASU-Treffen, wobei ich der Versuchung nicht widerstehen konnte, die Geschichte ein bißchen auszuschmücken, so daß bald beide lachten. Zumindest bis zu dem nicht mehr ganz so lustigen Teil im Auto, als ich Whitney die Wahrheit sagte. Das Lachen verebbte.

Allerdings erntete ich noch zwei Lächeln mit meiner Bemerkung, daß Whitney sich ausgerechnet schriftlich von mir zu trennen versuchte.

Am Ende sagte ich: »Eurer Meinung nach habe ich das also verdient, hm? Die Blufferin hat es diesmal wohl etwas übertrieben.«

Deirdre Felix sah müde aus, als hätte meine Geschichte sie über die Maßen beansprucht. Sie schüttelte den Kopf. »Verdient? Nein, natürlich nicht. Du hast ein viel zu großes Herz, um so einen Schmerz zu verdienen.«

Sie schob ihr Fahrrad zu mir herüber, wo ich mit meinem eigenen Rad zwischen den Beinen dastand, und legte einen Arm um mich. Mein Geständnis und ihre liebevollen Worte hatten mich so aufgewühlt, daß ich offenbar nicht nur innerlich taumelte. Denn als sie sich an mich lehnte, verlor ich das Gleichgewicht und ging mit einem Schrei zu Boden.

Deirdre Felix, immer noch mit ihrem Fahrrad verhaftet, landete auf mir. »*Aagghh*«, stöhnte ich, als die Zähne ihres Ritzels sich in mein Bein bohrten. Während mich ein heftiger, stechender Schmerz durchzuckte, ließ Deirdre Felix ihren Kopf auf meine Schulter sinken und bebte am ganzen Körper vor Lachen. Der Schmerz, die Erleichterung, die Wärme ihres Körpers – all das strömte in mir zusammen und mündete in einem einzigen, großen, umfassenden Gefühl.

»Sind wir nicht ein tolles Paar?« schrie sie aufgekratzt, als Mickey versuchte, uns zu entwirren.

Als wir endlich wieder auf den Beinen waren, fragte ich: »Hast du dir wehgetan?«

»Überhaupt nicht. Seitdem ich so viel Fahrrad fahre, komme ich mir ziemlich unverwüstlich vor.« Sie beugte einen Arm, straffte die Muskeln und lächelte mich an: »Fahrrad fahren ist mit Abstand das Beste, was mir seit langem passiert ist.«

Um die immense Zärtlichkeit, die mich durchflutete, zu überdecken, brummte ich: »Und, fahren wir zurück?«

»Sind wir denn schon ganz oben?« wollte sie wissen.

»Nein, aber ...« Nach diesem ebenen Stück kam noch ein recht steiler Abschnitt, der zum Gipfel des Grizzly Peak führte.

»Dann fahren wir jetzt hoch. Es sei denn, du wirst langsam ungeduldig, weil ich so viele Pausen mache.«

»Ich bin überhaupt nicht ungeduldig«, erwiderte ich heftiger als beabsichtigt. »Ich besitze enorm viel Durchhaltevermögen.«

Sie lächelte, weil ich jenes Wort, Durchhaltevermögen, benutzte, über das ich beim Lesen so oft gestolpert war. Dann sagte sie: »Miguel hat also eine Frau geküßt, und du lernst lesen. Das war doch eure Wette, nicht wahr?«

Ich blinzelte hoch in die Sonne, die durch das Blätterdach über der Straße drang. Sie wußte es also. Sie wußte, daß ich trotz der ganzen übersprungenen Wörter, trotz meiner schlechten Auffassungsgabe und trotz der vielen Monate ohne Lehrerin tatsächlich dabei war, lesen zu lernen. Eigentlich hatte ich gedacht, daß nur ich das wüßte.

Dann sagte sie sanft: »Und wie willst du das feiern?«

Meine Stimme klang schroff, als ich antwortete: »Indem wir dich auf dem Fahrrad zum Gipfel des Grizzly Peak befördern, so feiern wir das. Los, fahren wir.«

Ich achtete weder auf meinen blutigen Oberschenkel, an dem meine Radlerhose klebte, noch auf den bohrenden Schmerz der Wunde, sondern trat heftig und schnell in die Pedale. Mickey und Deirdre Felix ließ ich hinter mir zurück, nur vorübergehend, denn ich wollte die Pedale, den Wind und meine Muskeln nicht nur als einzelne Teile wahrnehmen, sondern das Fahren ganz spüren.

Rechts von mir erhob sich ein roter Felsen, aber im Westen kam mir die Welt plötzlich vor wie ein gigantischer freier Raum, der sich in einer prächtigen Collage aus Himmel, Wasser und Licht vor mir entfaltete. Ich trat kraftvoll in die Pedale und sog die frische Luft tief in mich ein, als stünde dieser immense Raum mir ganz alleine zur Verfügung.